TAKENBOEK 2

**Basisleergang Nederlands
voor anderstaligen**

*Vrije Universiteit Amsterdam,
afdeling Nederlands Tweede taal*
Titia Boers
Vita Olijhoek
Carola van der Voort

*Universiteit van Amsterdam,
Instituut voor Nederlands als Tweede Taal (INTT)*
Nicky Heijne
Marten Hidma

Eindredactie
Marijke Huizinga

Code pakketoverzicht

Deel 1

Cursistenpakket	90 06 81110 6
(Takenboek en cd-rom)	
Docentenhandleiding	90 06 81111 4
Computerprogramma netwerkversie	90 06 81119 X

Extra materiaal

Videoband VHS	90 06 81125 4
Oefenschrift	90 06 81122 X
Audio-cd	90 06 81114 9

Deel 2

Cursistenpakket	90 06 81112 2
(Takenboek en cd-rom)	
Docentenhandleiding	90 06 81113 0
Computerprogramma netwerkversie	90 06 81120 3

Extra materiaal

Videoband VHS	90 06 81126 2
Oefenschrift	90 06 81123 8
Audio-cd	90 06 81115 7

Deel 3

Cursistenpakket	90 06 81116 5
(Takenboek en cd-rom)	
Docentenhandleiding	90 06 81117 3
Computerprogramma netwerkversie	90 06 81121 1

Extra materiaal

Videoband VHS	90 06 81127 0
DVD	90 06 81131 9
Oefenschrift	90 06 81124 6
Audio-cd	90 06 81118 1

redactie Yvonne Schouten, Zeist
omslagontwerp En/of ontwerp, Utrecht
vormgeving binnenwerk Neon, Amsterdam
opmaak Neon, Amsterdam
omslagfoto's Eric de Vries, Den Haag

ThiemeMeulenhoff ontwikkelt leermiddelen voor: Primair Onderwijs, Algemeen Voortgezet Onderwijs, Beroepsonderwijs en Volwasseneneducatie en Hoger Beroepsonderwijs.
Meer informatie over ThiemeMeulenhoff en een overzicht van onze leermiddelen:
www.thiememeulenhoff.nl

ISBN 90 06 81112 2

Eerste druk, tweede oplage

© ThiemeMeulenhoff, Utrecht/Zutphen 2004

Inhoud

Uitleg van de symbolen

Deze opdracht maak je op de computer. Je gaat naar een tekst luisteren, een video of een illustratie bekijken.

Je gaat naar de computer. Je kiest *CODE* deel 2, je kiest een hoofdstuk en je kiest Taak. Je kiest de taak en het opdrachtnummer uit het boek.

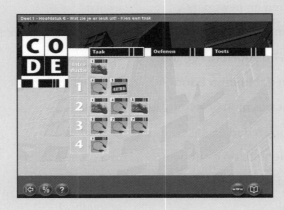

WERKBLAD

Bij enkele opdrachten hoort een werkblad. De werkbladen krijg je van je docent.

Sommige opdrachten doe je niet in de klas, maar buiten het lokaal of buiten de school.

Bij andere opdrachten moet je iets zoeken op internet.

Deze opdracht doe je met een andere cursist samen.

Deze opdracht doe je met twee andere cursisten.

Deze opdracht doe je in een groepje van vier.

Deze opdracht doe je met de hele groep. Je krijgt uitleg van de docent.

HOOFDSTUK 16

Emotioneel of nuchter?

Dit hoofdstuk gaat over persoonlijke zaken.

INTRODUCTIE

Lees het gedicht.

Ik
wil alleen
maar weten
wie ik ben.

Een
andere reden
om te schrijven
heb ik niet.

Maar wie ik ben
gaat niemand
wat aan.*

* dat gaat niemand wat aan = dat wil ik aan niemand vertellen

UIT: NAGELATEN GEDICHTEN VAN JAN ARENDS, 1975

de reden

TAAK 1

Een karakter beschrijven en beoordelen

VOORBEREIDEN

1   Ben jij optimistisch? Beantwoord de vragen.

1   Het is zaterdag. Je hebt vanavond een afspraak met je beste vrienden om uit te gaan. Aan het eind van de middag voel je je een beetje ziek. Wat doe je?

a   Je belt je vrienden dat je niet komt.

b   Je neemt een pijnstiller; je weet nog niet wat je moet doen.

c   Je gaat uit en je denkt: ik kan altijd wat eerder terug naar huis gaan.

d   Natuurlijk ga je uit! Waarschijnlijk is er straks niets meer aan de hand.

2   Je partner gaat uit met zijn/haar vorige partner. Om drie uur 's nachts is hij/zij nog niet thuis. Wat denk je?
a   Dat wordt ruzie straks ...
b   Als het maar niet té gezellig wordt ...
c   Je vindt het niet leuk, maar je maakt je geen zorgen.
d   Niets aan de hand, ze hebben waarschijnlijk een heel gezellige avond.

Je bent optimistisch als je twee keer antwoord d gekozen hebt.

optimistisch

2   **Lees de teksten.**

> **Ik ben een schreeuwlelijk**
>
> Felix de Bont (44) is fotograaf. Binnenkort is er een tentoonstelling van hem in het Rijksmuseum in Amsterdam. Felix is lang, heeft felblauwe ogen en hippe kleren. Hij is een vat vol tegenstrijdigheden: zo is hij dominant en tegelijkertijd bescheiden. Hij is ook eerlijk, noemt zichzelf een schreeuwlelijk: 'Als ik 's ochtends binnenkom, trek ik meteen m'n mond open, ook al is iedereen in gesprek. Pas na dertig seconden denk ik: 'Oh shit!' Volgens mijn moeder deed ik dat vroeger al als ik van school kwam: dan begon ik aan het begin van het tuinpad al te praten.'
> Felix maakt vaak foto's van kwetsbare mensen. Zijn laatste serie, 'Separation', gaat eigenlijk over zijn eigen jeugd waarin hij zich vaak eenzaam voelde. 'Op school werd ik gepest, omdat ik te dun was. Maar toen ik zestien was, kocht ik in de grote vakantie ultrahippe kleren en schoenen. Zo stond ik aan het begin van het nieuwe schooljaar op het schoolplein. En toen het populairste meisje van de school mijn vriendinnetje werd, hoorde ik er opeens bij.'
>
> NAAR: PSYCHOLOGIE, SEPTEMBER 2003

de fotograaf	de foto	de jeugd
dominant	de moeder	zich voelen
bescheiden	kwetsbaar	pesten
noemen	de mens	dun
schreeuwen	de serie	populair

Mijn onzekerheid is aangeboren, denk ik

Minou de la Valette (37) is een eigenzinnige en geestige vrouw. Ze heeft succes met haar theatershows en zingt op radio en tv de sterren van de hemel. Toch is ze nog steeds onzeker. Ze droomt soms dat het publiek helemaal niet om haar lacht, omdat de mensen niet leuk vinden wat ze doet.

Haar nieuwe voorstelling heet 'Star'. 'Mijn boodschap is dat iedereen de ster van zijn eigen leven zou moeten zijn, maar dat het zo moeilijk is om zelfvertrouwen te hebben. Je blijft toch altijd onzeker en afhankelijk van andere mensen: hoe ze naar je kijken en wat ze van je vinden. Het is heel stom, maar zelfgemaakte appeltaart smaakt pas goed als een ander tegen je zegt: "Goh, wat is dit een lekkere taart." Terwijl het veel beter is om op je eigen oordeel te vertrouwen.'

Als kind was Minou heel verlegen. 'Als we bij iemand op bezoek gingen, kroop ik onder de tafel. Ik was bang voor mensen. Ik denk dat die verlegenheid aangeboren is, net als mijn onzekerheid.' Omdat ze goed kon zingen, ging ze op de mavo meedoen met het schooltheater. 'Ik weet nog heel goed dat ik met het schoolbandje *Roxanne* van The Police aan het oefenen was. Mensen die het hoorden, kwamen aanlopen en vroegen: 'Wie is dat? Nee!! Dat is toch niet die Minou?' Voor het eerst voelde ik iets wat ik als verlegen kind nog nooit had gevoeld: ik kon contact maken met de wereld.'

NAAR: PSYCHOLOGIE, OKTOBER 2003

onzeker	het succes	de voorstelling
aangeboren	onzeker	het oordeel
eigenzinnig	dromen	vertrouwen
geestig	het publiek	kruipen

3   **Onderstreep in de teksten van opdracht 2 zeven woorden die een karaktereigenschap aangeven.**

Bijvoorbeeld *dominant* in de eerste tekst.

4   **Maak een lijst van deze eigenschappen en geef ze een beoordeling.**

	zeer positief ++	positief +	niet positief, niet negatief +/-	negatief -	zeer negatief --
dominant					

Vergelijk je beoordeling met die van een medecursist.

Hebben jullie verschillende antwoorden? Probeer elkaar dan uit te leggen waarom je die eigenschappen zo hebt beoordeeld.

UITVOEREN

5   **Bedenk positieve en negatieve karaktereigenschappen.**

Welke andere karaktereigenschappen vinden jullie alle vier meestal heel positief en welke meestal heel negatief? Gebruik zo nodig het woordenboek. Jullie moeten het samen eens worden over wat positief is en over wat negatief is.

meestal heel positief   **meestal heel negatief**

_____   _____

_____   _____

6   **Wie ben jij? Beschrijf je eigen karakter.**

Was je als kind anders dan nu? Wat vind je je beste en wat je slechtste eigenschap? Schrijf op in ongeveer vijftig woorden.

7   **Beschrijf je karakter aan een medecursist.**

Wissel van rol.

AFRONDEN

8   **Wat hebben jullie bij opdracht 5 opgeschreven?**

Schrijf de antwoorden van elk groepje op het bord.

Discussieer over de beoordeling als jullie het niet met elkaar eens zijn.

Mijn vriend of een vriend?

Vergelijk de volgende zinnen:

Dit is mijn vriend/vriendin.
Dit zeg je van de persoon met wie je een liefdesrelatie hebt.

Dit is mijn man/vrouw.
Dit zeg je van de persoon met wie je bent getrouwd.

Dit is mijn partner.
De betekenis hangt af van de situatie. Je kunt de persoon bedoelen met wie je een liefdesrelatie hebt, maar bijvoorbeeld ook een zakelijke partner.

In de volgende zinnen gaat het om gewone sociale relaties:

Hij/zij is mijn beste vriend/vriendin.
Hij/zij is een vriend/vriendin van me.

Kinderen, pubers en sommige volwassenen gebruiken ook het verkleinwoord:

Boris is een vriendje van me.

Deze zinnen gaan over 'liefdesrelaties':

Heeft Maria al een vriendje?
David heeft sinds een maand een vriendinnetje.

De persoon met wie je een liefdesrelatie hebt gehad, noem je meestal:
m'n ex.

Vertellen over het gezin waar je uit komt

VOORBEREIDEN

1   Maak de zinnen af.

Als ik aan mijn jeugd denk, zie ik _____

Als ik aan mijn jeugd denk, hoor ik _____

Als ik aan mijn jeugd denk, ruik ik _____

2   Bedenk vragen.

Twee medecursisten gaan jou straks iets vertellen over het gezin waarin ze
zijn opgegroeid. Wat vind je interessant om te weten?

_____

_____

_____

3   Lees de teksten en vul de lijst aan.

In de volgende teksten krijg je informatie over het gezin en over relaties binnen het gezin. Welke informatie staat wel in de teksten, maar niet in de lijst? Vul de lijst aan.

1   de grootte van het gezin en de plaats van het kind in het gezin (oudste, middelste enzovoort)
2   het beroep van de vader en/of moeder
3   een typering van de vader en/of moeder
4   de relatie met de vader en/of moeder

5   _____

Mevrouw De Palm is in 1931 geboren.
'Ik ben opgegroeid in de zon van Curaçao. Mijn ouders hadden een eigen winkel en daar waren ze altijd druk mee. Omdat ze niet vaak thuis waren, leerden wij al vroeg zelfstandig te zijn. Mijn twee zussen en ik hielpen mijn moeder ook in het huishouden. Ik kookte vaak, want ik houd van lekker eten. Mijn twee broers hoefden nooit wat te doen. Vijfentwintig jaar geleden ben ik naar Nederland gekomen. Mijn zussen, die hier ook wonen, zie ik heel regelmatig. Met mijn broers heb ik minder contact, zij zijn in Curaçao gebleven.'

NAAR: GISTEREN EN VANDAAG; INTERVIEWS VAN SCHOLIEREN MET OUDERE MENSEN,
AMERSFOORT 2002

Pieter is in 1959 geboren.
'Ik heb mijn hele jeugd in Hoogeveen gewoond. Mijn vader was ambtenaar. Hij had weinig aandacht voor het gezin, was altijd druk met zijn werk. Mijn moeder was geïnteresseerd en zorgzaam. Ik ben het tweede kind en als enige zoon – ik heb drie zussen – het lieverdje van mijn moeder. Met haar heb ik altijd een heel goede relatie gehad. Als klein kind had ik veel respect voor mijn vader, maar dat veranderde in de puberteit. De relatie met hem werd koel. Met mijn jongste zus kon ik heel goed opschieten, maar met de middelste helemaal niet.
We hadden vaak ruzie.
De band met mijn beide ouders is nu goed, hoewel we elkaar weinig zien. Ik begrijp mijn vader nu beter en ik heb meer respect voor hem. Met mijn jongste zusje heb ik nog steeds veel contact.'

Henk Jan is in 1963 geboren.
'Mijn ouders zaten beiden in het onderwijs, in Kampen. Mijn moeder stopte met werken toen ze trouwde, maar ging weer parttime werken toen mijn jongste zus, nummer vier, naar school ging. Toen we in de

puberteit waren, is ze ook nog gaan studeren. Mijn ouders deden samen het huishouden en wij moesten ook van alles doen: tafel dekken, afwassen, de hond uitlaten, enzovoort. De relatie met mijn ouders is altijd warm geweest. Als ik nu 's avonds om een uur of zes in de auto zit,

op weg naar huis, bel ik hen vaak even op.'
Mark is in 1977 geboren.
'Ik ben in Doorn opgegroeid, in een traditioneel gezin: mijn vader werkte, mijn moeder deed het huishouden. Mijn ouders waren flexibel, we kregen veel vrijheid. Mijn broertje en ik mochten bijvoorbeeld zelf bepalen naar welke middelbare school we wilden. We hoefden ook bijna niets in het huishouden te doen.
Toen de ouders van mijn beste vriendje gingen scheiden – ik was een jaar of acht denk ik – was ik even heel bang dat mijn ouders ook zouden gaan scheiden. Ik luisterde zelfs aan hun slaapkamerdeur om te horen of ze ruzie maakten.
Als klein kind speelde ik met mijn broertje in de tuin en in het bos, later deden we computerspelletjes. Sinds we allebei het huis uit zijn, is het contact persoonlijker geworden. We gaan samen naar de bioscoop of een café. Omdat ik de oudste ben, kan ik hem vaak helpen en advies geven.'

de aandacht	koel	flexibel
zorgzaam	hoewel	de vrijheid
het ontslag	afwassen	het bos
de puberteit	traditioneel	het spel

4   **Waarover wil je praten? Kies een paar onderwerpen.**

Kies een paar onderwerpen uit de lijst van opdracht 3 en/of gebruik je
eigen vragen van opdracht 2.

_____

_____

5   **Vertel elkaar over de onderwerpen die je hebt gekozen.**

Je kunt elkaar ook vragen stellen.

6   **Schrijf je eigen verhaal op in ongeveer zeventig woorden.**

Regels   _Het verbum_

7   **Kijk nog eens naar opdracht 1. Bespreek samen de antwoorden.**
      Het gebruik van het perfectum en het imperfectum

Ik heb mijn hele jeugd in Hoogeveen gewoond. Mijn vader was
ambtenaar. Hij **had** weinig aandacht voor het gezin, **was** altijd druk
met zijn werk. Mijn moeder **was** geïnteresseerd en zorgzaam.

Ik ben in Doorn opgegroeid. De rolverdeling in ons gezin **was** traditioneel:
mijn vader **werkte**, mijn moeder **deed** het huishouden. Mijn ouders
waren flexibel, we **kregen** veel ruimte en vrijheid. Als kind **speelde** ik met
mijn broertje in de tuin.

Het perfectum (heb gewoond, ben opgegroeid) kunnen we gebruiken om
een onderwerp te introduceren. De details van dat onderwerp beschrijven
we in het **imperfectum** (was, had, werkte, deed, waren, kregen). Vaak is
hier sprake van een opsomming.
Ook gewoontes beschrijven we met het **imperfectum** (speelde).

De rol van grammatica bij het leren van een taal

1   **Lees de zinnen. Ben je het ermee eens? Kruis aan ja of nee.**

		ja	nee
1	Het is belangrijk dat de docent veel uitleg geeft over de grammatica van het Nederlands. Als hij dat niet doet, leer je de taal niet goed.	☐	☐
2	Je moet grammaticale structuren eerst kunnen herkennen voordat je ze kunt leren gebruiken.	☐	☐
3	De grammatica van een taal leer je het best door veel grammaticaoefeningen te maken.	☐	☐
4	Als je veel grammaticaregels uit je hoofd leert, dan kun je ze ook gebruiken.	☐	☐
5	Als ik spreek, denk ik niet aan de grammatica. Ik vind het belangrijker dat mensen begrijpen wat ik zeg.	☐	☐
6	Je kunt een taal leren zonder kennis van de grammatica.	☐	☐

2   **Vergelijk je antwoorden met twee medecursisten.**

Vertel elkaar ook waarom je deze antwoorden hebt gegeven. Zijn jullie het met elkaar eens?

3   **Bespreek samen de resultaten van opdracht 1 en 2.**

TAAK 3

Ervaringen uitwisselen over de talen die je spreekt

VOORBEREIDEN

1   **Beantwoord de vragen.**

Welke talen spreek je?

In welke taal/talen denk je?

_____

In welke taal/talen droom je?

_____

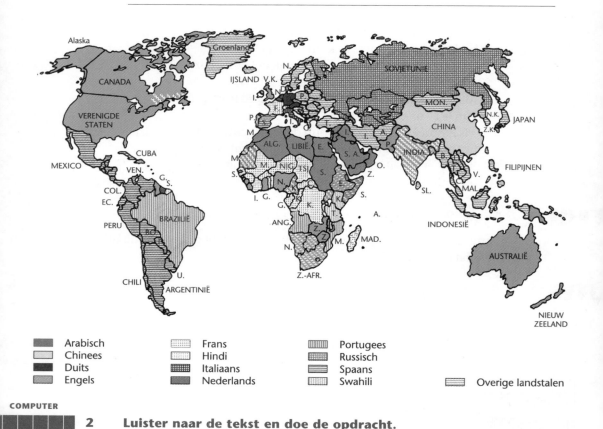

▨ Arabisch	░ Frans	▦ Portugees			
░ Chinees	░ Hindi	▤ Russisch			
■ Duits	▦ Italiaans	▤ Spaans			
▨ Engels	▨ Nederlands	▥ Swahili	▨ Overige landstalen		

COMPUTER

2 **Luister naar de tekst en doe de opdracht.**

3 **Lees de teksten.**

Het verhaal van Zjan, Nikola en Sunil

Zjan komt uit Irak. Zij leerde als kind Koerdisch, Irakees en klassiek Arabisch. Thuis sprak ze Koerdisch en daarbuiten sprak ze voornamelijk Irakees. Vanaf de lagere school leerde ze klassiek Arabisch. Engels leerde ze op de middelbare school, maar haar Engels is niet zo goed. Koerdisch is haar moedertaal, de taal van haar cultuur; klassiek Arabisch is de taal van de literatuur en de islam.
Zjan is al tien jaar in Nederland en spreekt Nederlands met de Nederlanders. Als ze Nederlands spreekt, voelt ze zich wel anders dan wanneer

ze Koerdisch of Irakees spreekt: 'In Irak gebruiken we meer lichaamstaal dan in Nederland. Ik kan ook niet de harde grapjes maken die bij ons gewoon zijn. En ik voel me vaak machteloos, omdat ik niet zo genuanceerd kan praten in het Nederlands.'

Nu zijn Koerdisch en Nederlands voor haar de belangrijkste talen. Zij spreekt thuis met haar kinderen Koerdisch, maar vindt het Nederlands net zo belangrijk. Het Koerdisch vindt ze vooral belangrijk voor het contact met haar familie.

Nikola komt uit Slowakije en is pas tien maanden in Nederland. Nikola spreekt Slowaaks, Tsjechisch, Frans, Engels, Nederlands en een beetje Duits. Hoewel het Slowaaks haar moedertaal is, is haar Frans bijna net zo goed als haar Slowaaks. Dat komt doordat ze een jaar in Frankrijk heeft gewoond. Ze denkt en droomt in alle talen die ze heeft geleerd. In welke taal hangt af van de situatie en het onderwerp; over haar familie droomt ze bijvoorbeeld in het Slowaaks. Toen ze een maand in Nederland was, begon ze al in het Nederlands te denken.

Ze probeert met iedereen Nederlands te spreken, maar heel vaak krijgt ze antwoord in het Engels. Ze voelt zich niet beleefd als ze Nederlands spreekt, omdat ze het Nederlands zo'n directe taal vindt. 'Ik weet dat het zo moet, maar ik ben er nog niet aan gewend.' Slowaaks en Nederlands zijn op dit moment de belangrijkste talen voor haar: Slowaaks omdat het haar moedertaal is, de taal waarvan ze het meeste houdt, Nederlands omdat ze hier woont.

Sunil komt uit Nepal en is vier jaar in Nederland. Sunil voelt zich niet anders als hij Nederlands spreekt. 'Ik heb veel gereisd en voel mezelf een wereldburger.'

Engels vindt hij de belangrijkste taal, omdat het een taal is die overal gesproken wordt. Sunil heeft een Nederlandse vriendin. Als hij kinderen krijgt, wil hij ze geen Nepalees leren, alleen Nederlands. 'En Engels leren ze wel op school,' zegt hij.

klassiek	machteloos	de situatie
voornamelijk	genuanceerd	beleefd
de grap		

4 **Bedenk zes vragen.**

Bij opdracht 5 ga je twee medecursisten vragen stellen over de talen die zij spreken. Wat wil je graag weten? Schrijf zes vragen op. Kijk nog eens naar opdracht 1. Je kunt ook de teksten gebruiken om vragen te bedenken.

_____

_____

_____

_____

_____

_____

 5 **Stel de vragen van opdracht 4 aan twee medecursisten.**

Wissel van rol.

 6 **Maak een lijst van alle talen die de cursisten in de groep spreken.**

 7 **'Ik houd van jou'.**

Alle cursisten zeggen 'Ik houd van jou' in de talen die ze spreken.

TAAK 4

Je gevoel beschrijven bij een belangrijke gebeurtenis

1 **Schrijf drie vrolijke gebeurtenissen op en drie verdrietige. Welk woord past erbij?**

Bijvoorbeeld: blij, gelukkig, tevreden, lachen, huilen, teleurgesteld, boos.

vrolijke gebeurtenis

geboorte _____   *gelukkig* _____

_____   _____

_____   _____

verdrietige gebeurtenis

_____   _____

_____   _____

_____   _____

2 **Kijk naar de video en doe de opdracht.**

3 **Lees de vragen en kijk nog een keer naar de video. Beantwoord de vragen. Beantwoord de vragen eerst voor jezelf.**

1   In het gesprek met de interviewer laat de moeder haar gevoel steeds zien. Hoe doet ze dat? Hoe voelt ze zich?

_____

2   Op welk moment, vóór de aankomst van Jonas, kun je de emoties van de vader goed zien? Wat doet hij dan?

_____

3 De ouders van Jonas hebben een slinger bij zich met: 'Joon for ever'. Voor welke andere belangrijke gebeurtenis gebruiken Nederlanders graag slingers?

_____

4 Wie begroet Jonas het eerst, zijn vader of zijn moeder? Waarom is dat zo, denk je?

_____

5 Hoe begroeten Jonas en zijn ouders elkaar?

_____

6 Hoe reageert Aletta als ze haar broer ziet?

_____

7 Wat vind je van haar reactie?

_____

Bespreek samen de antwoorden.

4.1 **Lees de tekst.**

Gezakt

Alexander, Philip, Marius en Lara hebben een belangrijk examen gedaan, waarvoor ze hard hebben gestudeerd. Ze halen alle vier het examen niet, maar reageren heel verschillend.

Alexander is helemaal van de kaart. Hij is bang dat de studie te zwaar voor hem is. Hij voelt zich onzeker en denkt dat hij misschien maar met de studie moet stoppen.

Philip reageert ook emotioneel. De tranen staan hem in de ogen, maar hij is vooral boos. Hij denkt dat het examen te moeilijk was. Hij wil zijn docent opbellen.

Marius schrikt niet zo erg. Hij is wel teleurgesteld, omdat hij niet goed begrijpt waarom hij is gezakt. Hij gaat de docent vragen of hij het examen mag inzien, dan kan hij zien welke fouten hij heeft gemaakt.

Lara reageert nuchter, ze haalt haar schouders op. 'Jammer, maar de volgende keer beter', zegt ze. Ze vindt het raar dat sommige studenten gaan huilen als ze een slecht cijfer halen.

emotioneel	schrikken	nuchter
de traan	teleurgesteld	het cijfer

4.2   **Hoe zou jij reageren als je zakte voor een belangrijk examen?**

☐ Ik zou zo reageren als Alexander.
☐ Ik zou zo reageren als Philip.
☐ Ik zou zo reageren als Marius.
☐ Ik zou zo reageren als Lara.
☐ Ik zou anders reageren, ik zou _____

UITVOEREN

5   **Vertel elkaar hoe je zou reageren. Beschrijf je gevoel en je reactie.**

1   Stel dat je al een jaar wacht op een huurhuis. Dan krijg je opeens een telefoontje van de woningbouwvereniging: ze hebben een huis voor je. Hoe zou je je voelen? Hoe zou je reageren? Wat zou je doen?

2   Stel dat je van een rijke oom een e-mail krijgt. Hij wil je vijfhonderd euro geven.
Hoe zou je je voelen? Hoe zou je reageren? Wat zou je doen?

3   Stel dat het net uit is met je vriend/vriendin. Dan krijg je een brief. Je hebt een weekend naar Parijs gewonnen voor twee personen.
Hoe zou je je voelen? Hoe zou je reageren? Wat zou je doen?

4 Stel dat je samenwoont met je vriend/vriendin. Je bent een weekje weggeweest. Als je terugkomt, zijn alle oude meubels in de woonkamer weg, er staan nieuwe meubels.
Hoe zou je je voelen? Hoe zou je reageren? Wat zou je doen?

5 Stel dat je/je vrouw drie maanden zwanger bent/is. De dokter vertelt dat het een tweeling wordt. Hoe zou je je voelen? Hoe zou je reageren? Wat zou je doen?

6 Stel dat je oma in je eigen land overlijdt terwijl jij in Nederland bent. Hoe zou je je voelen? Hoe zou je reageren? Wat zou je doen?

6.1 Denk na over:

- een belangrijke gebeurtenis in je eigen leven;
- hoe je die gebeurtenis kunt omschrijven;
- hoe je je voelde;
- hoe je reageerde;
- wat je deed.

6.2 Vertel elkaar je verhaal.

7 Schrijf je verhaal op in ongeveer zestig woorden.

AFRONDEN

8 Met welke woorden kun je een gevoel beschrijven? Maak een lijst.

Bedenk samen zo veel mogelijk woorden en schrijf ze op. Bijvoorbeeld: bang, lachen, enzovoort.

Regels — *Het verbum*

zou (irrealis)

▸ Hoe zou jij reageren als je zakte voor een belangrijk examen?
◂ Ik zou nuchter reageren.
▸ Hoe zou je je voelen als je een reis naar Parijs wint?
◂ Ik zou heel blij zijn.
▸ Wat zou je doen als je oma in je eigen land overlijdt terwijl jij hier bent?
◂ Ik zou mijn opa bellen.

→ 'Zou' kun je gebruiken om aan te geven dat iets niet werkelijk is.

SLOT

Kijk nog een keer naar de video. Beantwoord de vraag.

Let op de lichaamstaal bij het begroeten.
Stel dat jij je familie na een jaar weer ziet. Hoe zou je hen begroeten?

VERBINDINGEN

- op bezoek gaan bij
- bang zijn voor
- meedoen met
- contact maken met
- foto's maken van
- ontslag krijgen
- de tafel dekken
- de hond uitlaten
- een spelletje doen
- gewend zijn aan

IDIOOM

- je schouders ophalen
- van de kaart zijn
- iemand aan de lijn hebben
- het moeilijk hebben
- vanzelf overgaan
- een vat vol tegenstrijdigheden
- de sterren van de hemel zingen
- kunnen opschieten met
- je best doen
- het eens zijn met

EXTRA

Psycholoog is tegen drie zoenen

De psycholoog Dolph Kohnstamm is er nog niet aan gewend dat veel Nederlanders elkaar tegenwoordig met drie zoenen begroeten of feliciteren. Het is volgens hem een gewoonte die uit het zuiden van het land is overgewaaid. Veel Nederlanders zijn opgegroeid met één of twee zoenen en nou moeten ze elkaar opeens drie keer gaan zoenen. Je kunt eigenlijk beter zeggen: 'wangen', want de lippen raken het gezicht bijna niet.
Volgens Kohnstamm zorgen de drie zoenen nog voor veel verwarring tussen mensen:
'Er ontstaat een vervelende situatie wanneer de één wil stoppen bij twee begroetingskussen terwijl de ander er drie wil geven. Beide personen kunnen zich dan ongemakkelijk voelen. En we maken ons er ook niet populair mee in andere landen. In Spanje en Portugal bijvoorbeeld, geven ze elkaar twee zoenen, in Amerika zoenen ze helemaal niet. Die Amerikanen zijn vaak helemaal de weg kwijt als ze een tripje door Europa maken: in het ene land één zoen, in het andere weer drie. En in Parijs is het onder scholieren nu een trend om elkaar vier keer te zoenen. Voor je het weet doet de Nederlander dat ook.'

Dolph wil het liefst terug naar de oude norm: handen schudden en aankijken als je elkaar niet of nauwelijks kent en hooguit twee kusjes op de wang bij een goede kennis of vriend.

NAAR: SPITS, 15 MEI 2002

CODE

Hoofdstuk 17

Een gezellige straat

Dit hoofdstuk gaat over de omgeving waarin je leeft.

1.1   Beschrijf je eigen omgeving en buurt. Kruis aan.

Met welke woorden kun je de omgeving en de buurt waar je nu woont, beschrijven? En met welke woorden de omgeving en de buurt van je jeugd? Voeg zelf nog drie woorden toe en kruis aan.

	omgeving en buurt nu	omgeving en buurt jeugd
vol	☐	☐
rustig	☐	☐
bergachtig	☐	☐
vies	☐	☐
schoon	☐	☐
vlak	☐	☐
lawaaierig	☐	☐
groen	☐	☐
_____	☐	☐
_____	☐	☐
_____	☐	☐

1.2 **Beschrijf de overeenkomsten en verschillen tussen je buurt van nu en van vroeger.**

Welke woorden heb je bij 'nu' aangekruist en welke bij 'jeugd'? Welke overeenkomsten en welke verschillen zie je tussen je buurt van nu en de buurt van je jeugd? Schrijf dit in een of twee zinnen op.

_____

_____

de berg	**vlak**	**het lawaai**
vies		

De buurt waarin je woont beschrijven

VOORBEREIDEN

1 **Kies één van de zinnen en maak de zin af.**

1 Ik woon het liefst in een stad, omdat _____

_____

2 Ik woon het liefst in een dorp of op het platteland, omdat _____

_____

2 **Luister naar de tekst en doe de opdracht.**

3 **Lees de zinnen en de tekst. Zijn de zinnen waar of niet waar?**

1 De man woont in een rustige buurt in de stad.
a waar
b niet waar

2 In zijn buurt staan een paar bomen.
a waar
b niet waar

3 De man vindt het niet prettig dat er veel buitenlanders in zijn buurt wonen.
a waar
b niet waar

4 De man vindt dat er te weinig voorzieningen zijn in zijn buurt.
a waar
b niet waar

5 De man zegt dat er een grote supermarkt in zijn buurt moet komen.
a waar
b niet waar

6 De man zegt dat hij over een paar jaar wil verhuizen.
a waar
b niet waar

Mijn buurt en mijn straat

Hier woon ik. Dit is mijn huis. Tenminste, het is geen eigen huis, maar een appartement in een groot gebouw. Ik ben er nog niet zo lang geleden komen wonen. Eerst deelde ik een huis met een paar vrienden; dit is het eerste huis voor mij alleen.
Aan alle kanten wonen buren. Boven me, onder me en naast me. Het huis ligt midden in de stad aan een drukke straat met aan beide kanten

winkels. Het is een vrij brede straat. De straat is niet echt mooi, maar ook niet echt lelijk. Jammer genoeg is nergens een beetje groen te zien. Wel heel veel afvalbakken, met het afval vaak ernaast.

Ik kijk uit op een telefooncel, maar die wordt eigenlijk nooit meer gebruikt; iedereen heeft toch een mobiel en de telefoon is trouwens ook altijd kapot.

De buurt waar ik woon is wel oké. Er wonen mensen van heel verschillende nationaliteiten en dat vind ik wel leuk. En als ik even weg wil, hoef ik de buurt niet uit. In mijn eigen straat zijn een paar cafés en op het Hobbemaplein zit een grote bioscoop. Daar hebben ze altijd de nieuwste films.

Wat ik ook erg prettig vind, zijn alle winkels. Je kunt bij ons in de buurt van alles krijgen: eten en drinken uit alle landen van de wereld, er is een winkel waar je sigaretten, kranten en strippenkaarten en zo kunt kopen en verder zit er een kleine supermarkt en een apotheek.

Het enige waar ik echt een hekel aan heb, is al dat afval op straat. De gemeente probeert daar wel wat aan te doen, maar niets helpt. Als de mensen zelf niet willen …

Al met al ben ik behoorlijk tevreden over de buurt waar ik woon. Als ik een gezin zou hebben, zou ik misschien wel naar een rustiger buurt met meer bomen willen verhuizen. Maar voor mij als alleenstaande is dit prima: alles bij de hand en dicht bij het centrum. De komende jaren blijf ik er lekker wonen.

de sigaret

UITVOEREN

4   **In wat voor buurt en straat woon je zelf? Beantwoord de vragen.**

1   Staat je huis in een dorp, een stad of buiten een dorp of een stad?

_____

2   Staat je huis in een buurt met vooral Nederlanders of wonen er ook veel buitenlanders in je buurt?

_____

3 Zijn er veel gebouwen met minder dan twee verdiepingen in je buurt of vooral gebouwen met meer dan twee verdiepingen?

_____

4 Zijn er winkels dicht bij je in de buurt? Zo ja, wat voor winkels?

_____

5 Zijn er behalve winkels nog andere voorzieningen in je buurt? Welke?

_____

6 Kunnen de kinderen goed buiten spelen?

_____

7 Staan er veel bomen in je straat?

_____

8 Staan er veel auto's in je straat geparkeerd?

_____

9 Wat vind je van je straat?

_____

10 Wat vind je van je buurt?

_____

5.1 **Voer een gesprek over de buurten waar jullie wonen.**

Cursist A stelt de vragen van opdracht 4 aan cursist B. Cursist B gebruikt de antwoorden op de vragenlijst om iets over zijn buurt te vertellen.

Wissel van rol.

5.2 **Vergelijk jullie buurten en jullie mening daarover.**

6   **Voer een gesprek. Vul het schema in.**

Praat met elkaar over jullie leefomgeving. Maak samen een lijstje van positieve en negatieve punten en vul het schema in.
Bijvoorbeeld:

positief	negatief
veel groen	*weinig winkels*

AFRONDEN

7   **Schrijf over je eigen leefomgeving.**

Hoe ziet jouw leefomgeving eruit? Beschrijf deze in ongeveer 75 woorden.
Geef ook je mening. Gebruik de resultaten van opdracht 4, 5 en 6.

Regels   *Er*

Er = plaats

Ik woonde in de Rijndijkstraat. De eerste huizen zijn **er** rond 1889 gebouwd.
We woonden in een arbeidersstraat. De sfeer was **er** anders dan in de Kanaalstraat.
Mijn huis is een appartement in een groot gebouw. Ik ben **er** nog niet zo lang geleden komen wonen.
Als alleenstaande is deze buurt prima voor mij. Ik blijf **er** voorlopig lekker wonen.

VOORBEREIDEN

1 **Waar denk je aan bij het woord 'huisdier'? Schrijf op.**

Zoek het woord 'huisdier' op in het woordenboek. Waar denk je aan bij dit woord?

_____

_____

_____

_____

2 **Bekijk de illustratie en beantwoord de vraag.**

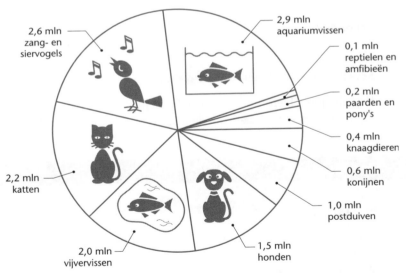

2,6 mln zang- en siervogels

2,9 mln aquariumvissen

0,1 mln reptielen en amfibieën

0,2 mln paarden en pony's

0,4 mln knaagdieren

0,6 mln konijnen

1,0 mln postduiven

2,2 mln katten

2,0 mln vijvervissen

1,5 mln honden

BRON: ANIMAL FREEDOM, 2003

In Nederland wonen ongeveer zestien miljoen mensen. Uit de illustratie blijkt dat er per inwoner van Nederland precies één huisdier is.
a waar
b niet waar

3   **Lees de vragen en de tekst. Beantwoord de vragen.**

1   In de tekst wordt een aantal redenen genoemd om een huisdier te
nemen. Schrijf er drie op.

_____

_____

_____

2   Welke hiervan vind jij een goede reden?

_____

3   In de tekst worden een paar nadelen van huisdieren genoemd.
Schrijf er één op.

_____

4   Wat vind jij zelf een nadeel van huisdieren?

_____

Waarom nemen mensen eigenlijk een huisdier?

Waarom nemen mensen eigenlijk een huisdier? Een huisdier wordt
door de meeste mensen gewoon gezellig gevonden. Veel dieren zijn
lekker zacht; je kunt met ze knuffelen en met ze spelen. Vooral kinderen
vinden dat belangrijk. Voor andere mensen geldt dat ze het prettig vinden
om voor een dier te zorgen of dat ze het leuker vinden om met een hond
te wandelen dan alleen. Een hond is voor veel mensen een trouwe
vriend.
Maar als mensen besluiten een huisdier te nemen, dan moeten ze in
staat zijn er goed voor te zorgen en ze moeten dat ook willen. Ze moeten

niet de hele dag van huis zijn. Een hond bijvoorbeeld moet op z'n minst een paar keer per dag naar buiten, ook als het regent …

Ook moet je rekening houden met het huis en de buurt waar je woont en het geld dat het kost om ze te verzorgen en eten te geven en niet te vergeten: de tijd.

Welke huisdieren worden er gehouden? Vroeger had je een hond of een kat, misschien een vogel of een konijn in de tuin. Maar dat is verleden tijd. Je houdt het niet voor mogelijk welke dieren mensen tegenwoordig als huisdier nemen. Schildpadden worden al heel gewoon gevonden, maar in sommige huizen kruipen zelfs slangen en alligators rond. Veel mensen vinden het interessant om een bijzonder dier te hebben. Ze vergeten gewoon dat deze dieren helemaal niet in ons land passen en al helemaal niet in een kooi.

zacht	de kat	de schildpad
knuffelen	de vogel	de slang
de hond	het konijn	de kooi
verzorgen		

COMPUTER

4   **Luister naar de tekst en doe de opdracht.**

UITVOEREN

5   **Geschikt of niet geschikt als huisdier? Kruis aan.**

Welke dieren zijn volgens jou geschikt als huisdier en welke niet? Voeg zelf nog drie dieren toe en kruis aan.

	geschikt als huisdier	niet geschikt als huisdier
schildpad	☐	☐
kat	☐	☐
hond	☐	☐
vogel	☐	☐
konijn	☐	☐
goudvis	☐	☐
slang	☐	☐
_____	☐	☐

	geschikt als huisdier	niet geschikt als huisdier
_____	☐	☐
_____	☐	☐

6   Voer een gesprek over het hebben van huisdieren.

Praat samen over het ingevulde schema van opdracht 5. Leg ook uit waarom je een dier wel of niet geschikt vindt als huisdier.

7   Discussieer over de stelling.

Kies één van de volgende stellingen en discussieer daarover:
1   Een huisdier is belangrijk voor de ontwikkeling van kinderen.
2   Mensen nemen een huisdier omdat ze eenzaam zijn.

AFRONDEN

MPUTER

8   Luister naar de tekst.

Je hoort hoe het gesprek van opdracht 7 kan gaan.

Regels   *De zin*

Directe en indirecte rede

Directe rede: Moeder zegt: 'Ik vind een rat helemaal niet lief.'
Indirecte rede: Moeder zegt dat ze een rat helemaal niet lief vindt.

Directe rede: Iemand zegt: 'Vroeger had je een hond of een kat als huisdier.'
Indirecte rede: Iemand zegt dat je vroeger een hond of een kat als huisdier had.

Directe rede: Iemand vraagt: 'Waarom nemen mensen een huisdier?'
Indirecte rede: Iemand vraagt waarom mensen een huisdier nemen.

→   In de directe rede gebruik je een hoofdzin.

→   In de indirecte rede gebruik je een bijzin.

Preposities

Preposities hebben vaak een basisbetekenis. Bijvoorbeeld:
op de tafel
onder de tafel
boven de tafel

Vaak kun je de basisbetekenis niet meer herkennen.

Op het Hobbemaplein zit een grote bioscoop.
Mijn ouders wonen in de stad.
In de winter lag de bouw stil.
Ik deelde mijn huis met een paar vrienden.
Je moet rekening houden met het huis waar je woont.
Dit zal veel schade toebrengen aan het milieu.

Er zit meestal geen logisch systeem in het gebruik van preposities. Je moet ze uit je hoofd leren in combinatie met het substantief of het verbum waar ze bij horen.

1   Beantwoord de vragen.

1   Gebruik je in jouw taal ook preposities?

_____

2   Gebruik je ze ook in combinatie met bijvoorbeeld een substantief of een verbum?

_____

3   Zoek in het woordenboek de prepositie bij de volgende combinaties:

Ik heb goede herinneringen _____ mijn jeugd.

Ik ben lid _____ een zwemclub.

Terwijl de moeder werkt, zorgt de vader _____ zijn dochtertjes.

4   Hoe vind je het leren van preposities?

_____

 2   Vergelijk je antwoorden met twee medecursisten.

 3   Bespreek de resultaten van opdracht 1 en 2.

TAAK 3 · Een mening vormen over natuur- en milieuorganisaties

1   **Lees de citaten. Ben je het er mee eens?**

1   'Ik vind zorg voor het milieu een luxe. In arme landen hebben ze helemaal geen tijd om na te denken over het scheiden van afval. En aan recycling doen ze toch al; alles waar je nog wat mee kunt doen, wordt gewoon opnieuw gebruikt!'

a   eens

b   oneens

c   geen mening

2   'Het beschermen van de natuur en het milieu moet de hoogste prioriteit hebben. Het is onze taak om te zorgen voor de aarde. Als we zo doorgaan blijft er niets over voor onze kinderen en de kinderen van onze kinderen.'

a   eens

b   oneens

c   geen mening

2   **Lees de vragen en de tekst. Beantwoord de vragen.**

Cursist A leest de tekst op werkblad A, cursist B leest de tekst op werkblad B, enzovoort. Ga daarna verder met opdracht 3.

3   **Wat wil je nog meer weten over deze organisaties?**

Bespreek met elkaar wat jullie nog meer willen weten over de drie organisaties. Formuleer per organisatie twee of drie vragen.

4   Zoek antwoord op jullie vragen van opdracht 3.

Zoek de informatie op de website van de drie organisaties. Cursist A doet dat voor de organisatie van de tekst op werkblad A, cursist B voor de organisatie van de tekst op werkblad B, enzovoort.

Neem de resultaten mee naar de les.

5   Van welke organisatie zou je lid willen worden? Voer een gesprek.

Vertel elkaar welke antwoorden je hebt gevonden en of je antwoord hebt gekregen op alle vragen. Bespreek samen de centrale vraag: Van welke organisatie zou je lid willen worden? Van welke niet?

6   Waarom wil je van die organisatie lid worden? Voer een gesprek.

Alle cursisten lopen rond. Cursist A vraagt aan cursist B welke organisatie hij heeft gekozen. Hij vraagt ook waarom. Cursist A vertelt zelf ook aan cursist B welke organisatie hij heeft gekozen en waarom, enzovoort.

Je bent klaar als je met drie andere cursisten hebt gepraat.

7   Hoeveel mensen hebben voor organisatie A, B of C gekozen? Waarom?

Wat waren de belangrijkste argumenten? Vul met de groep het schema in.

	aantal gekozen	twee belangrijke argumenten
Natuurmonumenten	_____	_____
		_____
Stichting Natuur en Milieu	_____	_____
		_____
Greenpeace Nederland	_____	_____
		_____

Zorg voor de natuur en het milieu

Veel Nederlanders zijn zich ervan bewust dat het belangrijk is om goed te zorgen voor de natuur en het milieu. Nederland is klein en er leven zo veel mensen op dit kleine stukje van de aarde dat Nederlanders bijna niet anders kunnen. Een gedachte die bij veel Nederlanders leeft, is: 'Als er niet goed gezorgd wordt voor de natuur en een schoon milieu, is Nederland over vijftig jaar helemaal geasfalteerd en kun je nergens meer schone lucht inademen.'

Op landelijk niveau zijn er diverse organisaties die zich bezighouden met de bescherming van de natuur en het milieu. Ook de overheid stimuleert maatregelen om de natuur en het milieu te beschermen. Zo wordt er onderzoek gedaan naar het gebruik van windenergie en zijn er wetten waarin regels voor het omgaan met de natuur en het milieu zijn vastgelegd. Ook het verminderen van het energieverbruik is al lange tijd een belangrijk doel van de regering.

Thuis en in de eigen omgeving proberen veel Nederlanders milieubewust te leven. Dat kun je zien aan kleine dingen, zoals het apart houden van verschillende soorten afval: papier, glas, afval van groente, fruit en tuinafval worden vaak apart gehouden van het andere afval. Hierdoor kan het materiaal makkelijker opnieuw gebruikt worden. Ook zie je bijvoorbeeld dat veel Nederlanders de fiets gebruiken voor korte afstanden, bijvoorbeeld tussen huis en school. Maar opvallend is wel dat het autogebruik de laatste jaren weer is toegenomen en dat veel Nederlanders het geen probleem vinden om met het vliegtuig op vakantie te gaan. Iets dat toch heel veel energie kost en daardoor slecht is voor het milieu.
Je zou kunnen zeggen dat veel Nederlanders wel milieubewust zijn, maar dat af en toe even vergeten …

1   Met welke maatregelen ben je het eens en met welke niet?

1   Windmolens om elektriciteit te maken.
a   eens
b   oneens
c   geen mening

2   Minder plastic tasjes gebruiken.
a   eens
b   oneens
c   geen mening

3   Oud papier apart houden van het andere afval.
a   eens
b   oneens
c   geen mening

4   De fiets gebruiken in plaats van de auto.
a   eens
b   oneens
c   geen mening

5   Lampen kopen die minder
energie gebruiken.

a   eens
b   oneens
c   geen mening

6   Het licht uitdoen als je een
kamer uitgaat.

a   eens
b   oneens
c   geen mening

7   De kraan pas opendraaien als
je klaar bent met tandenpoetsen.

a   eens
b   oneens
c   geen mening

 2   Vergelijk je antwoorden met twee medecursisten.

Bespreek ook welke maatregelen in jouw land populair zijn.

 3   Bespreek samen de antwoorden.

Praat ook over overeenkomsten en verschillen tussen de zorg voor het
milieu in Nederland en in je eigen land.

TAAK 4   Iets vertellen over een Nederlands landschap

VOORBEREIDEN

1   Lees de tekst en doe de opdracht.

Abdelrahman Ahmed uit Soedan vertelt hoe hij de natuur in Nederland
ziet. Ben je het met hem eens? Schrijf in een paar zinnen je reactie op.

_____

_____

Alle natuur is cultuur

'Ik verbaas me steeds weer over het Nederlandse landschap. Op dit kleine stukje aarde zie ik zo veel verschillen! Dat komt door de natuur, maar vooral ook door de mens. In Nederland wordt elk klein stukje grond dat beschikbaar is systematisch gebruikt. Zelfs wat hier natuur genoemd wordt, wordt nog verzorgd. Alle natuur in Nederland is cultuur. Jullie natuur wordt beheerd door de boeren. Bossen zijn een vorm van landbouw. De Nederlanders houden zo veel van hun grond dat in dorpen en steden ook elk klein stukje grond in gebruik is als mooi verzorgde tuin. De mensen hier geven ook veel geld uit aan hun eigen stukje grond. Daaraan kun je zien dat iedere Nederlander in zijn hart een boer is. In Soedan is dat anders. Daar wordt alleen geboerd om er wat aan te verdienen. Lukt dat niet, dan gaat men weg om iets anders te doen.'

NAAR: KOOPMAN, G., STRANGER IN THE NORTH, NOORDERBREEDTE, NUMMER 4, 2001.

beschikbaar	beheren	de boer

MPUTER

2   Kijk naar de video en doe de opdracht.

3   Kijk naar de illustraties en lees de teksten. Wat hoort bij elkaar? Zet de goede letter bij de foto.

a 'Dit is het strand bij Castricum. Dit is een plek waar de elementen nog de baas zijn. En waar vind je luchten met zo'n kleur blauw? Daarom is dit mijn favoriete landschap.'

b 'Mijn favoriete landschap is een heidelandschap. Die stilte en de rust; hier vergeet je alle stress.'

c 'Ik houd niet zo van de natuur. Daar word ik altijd onrustig van. Geef mij maar de stad met al die lichtjes. Dit hier is de Erasmusbrug in Rotterdam. De allergrootste brug over de Maas. Daarachter zie je huizen en kantoren, allemaal nieuwbouw. Dat maakt Rotterdam voor mij zo bijzonder.'

d 'Het lijkt zo gewoon, zo Hollands, maar dit vind ik nou mooi. Dat vlakke met hier en daar een rij bomen, dat vind ik veel mooier dan een heuvellandschap. Hier is het landschap open en daar houd ik van.'

e 'Prachtig hè, die Maas met al dit licht. Al die kleuren en al het water dat langzaam voorbij stroomt, boten die voorbijvaren.'

4 **Lees de vragen en kijk nog een keer naar de video. Beantwoord de vragen. Beantwoord de vragen eerst voor jezelf.**

1 In welke tijd van het jaar is de video gemaakt?

_____

2 Je ziet in het begin van de video een bordje 'stiltegebied'. Wat houdt dat in?

_____

3 In welk deel van Nederland is de man? Waarom denk je dat?

_____

4 De man heeft het over 'de berg'. Weet je wat het hoogste punt is van Nederland? En wat het laagste?

_____

5 Hoe zou je het landschap waarin de man loopt, kunnen beschrijven?

_____

6   De man vertelt waarom hij dit landschap zo mooi vindt. Vertel dit na in twee zinnen.

_____

_____

Bespreek samen de antwoorden.

UITVOEREN

5   **Zoek een illustratie en vertel erover.**

Zoek een illustratie van een landschap in Nederland dat je heel mooi vindt. Bedenk wat je over de illustratie kunt vertellen. Je kunt kijken op internet (bijvoorbeeld via het trefwoord 'Hollands landschap' of via www.landschappen.nl) en de illustratie dan printen. Je kunt ook een boek nemen met een mooie illustratie erin of een foto of een ansichtkaart.

Neem de illustratie mee naar de les.

6   **Voer een gesprek over de gekozen illustraties.**

Vertel elkaar waar het landschap is dat je hebt gekozen en waarom je dit landschap zo mooi vindt.

7   **Schrijf op wat je bij opdracht 6 vertelde. Gebruik ongeveer vijftig woorden.**

AFRONDEN

 8 **Maak een overzicht van de landschappen die jullie hebben gekozen.**

SLOT

 Kijk nog een keer naar de video. Beantwoord de vraag.

De man vertelt over de plek waar hij in zijn jeugd veel speelde. Hij vertelt dat hij daar in de zomer zwom en in de winter sleede. Heb jij een plek waar je goede herinneringen aan hebt omdat je daar veel speelde? Wat voor dingen deed je daar? Beantwoord de vraag eerst voor jezelf.

Bespreek samen de antwoorden.

VERBINDINGEN	**IDIOOM**
• schade toebrengen aan	• dat is verleden tijd
• actie voeren tegen/voor	• iets (niet) voor mogelijk houden
• beslissingen nemen over	• ieder dubbeltje omdraaien
• lid worden van	• er gloeiend bij zijn
• delen met	• hoe kom je daar nou bij
• herinneringen hebben aan	• ik moet er niet aan denken
• zorgen voor	• iets uit je hoofd zetten
• rekening houden met	• geen sprake van

De watersnoodramp

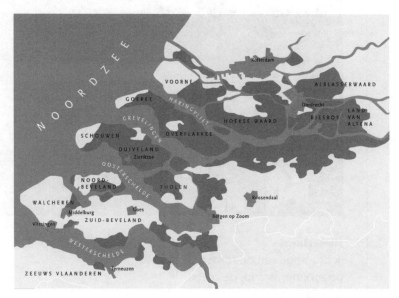

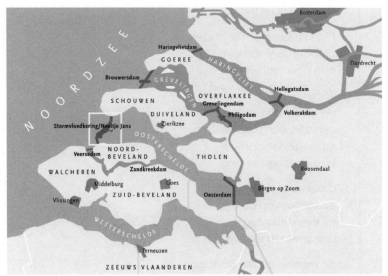

In de nacht van 31 januari op 1 februari 1953 overstroomden grote delen van Zeeland en de Zuid-Hollandse eilanden. Deze gebeurtenis staat bekend als de watersnoodramp. Deze ramp inspireerde veel schrijvers. Zij maakten verhalen en schreven gedichten met als thema de dreiging van het water en het grote verdriet dat veroorzaakt werd door de overstroming. Een van die dichters is Mies Bouhuys. Zij schreef het onderstaande gedicht.

Nederland

ik droomde van de zomer
de zon, het strand, de zee
de vogels en de bomen
de polders en het vee

het vee stond stil te grazen
dichtbij de waterkant
hun ogen vol verbazen
om zoveel gras en land

verspreid de boerderijen
een dak, een stal, een heg
en lange, lange rijen
bomen langs de weg

daarboven is het, dacht ik
daarboven op de dijk
en even later zag ik
drie beelden tegelijk

de meeuw uit zee gevlogen
de visser op het strand
de koe haar kop gebogen
ja, dat was Nederland
Goede en kwade dromen
wisselen onverwacht
een storm jaagt door de bomen
een klok luidt in de nacht

waarom zijn ze verdwenen
de boer van 's-Gravendeel
de visser van Kortgene
en nog zoveel, zoveel?

boven verdronken straten
staan kinderen op een huis
een hartverscheurend blaten
van Veere tot Maassluis

ik sla mijn atlas open
ik wijs de plaatsen aan
daar, waar die dijken lopen
daar heb ik eens gestaan

waar ik toen stond, zijn gaten
de zee gaat er tekeer
dit land, denk ik, dit water
is Nederland niet meer
maar dan zie ik het teken
de zandzak en de schop
het brood de jas de deken –
weer doemen beelden op

een arbeider uit Twente
een veeboer uit Roermond
soldaten en studenten
vechtend voor onze grond

een mond, hard en verbeten
een uitgestoken hand
een niet te breken keten …
ook dat is Nederland

UIT: GEBROKEN DIJKEN. UITGAVE VAN
HET WETENSCHAPPELIJK GENOOTSCHAP
VOOR GOEREE EN OVERFLAKKEE, 1954

Hoofdstuk 18

Buren en bewoners

Dit hoofdstuk gaat over wonen.

1   Lees het gedicht en beantwoord de vraag.

1   Waar gaat het gedicht over?
a   over hoe de oude binnenstad eruitziet
b   over huizen waarin de man heeft gewoond
c   over waarom mensen willen verhuizen

Huizen in de binnenstad

Die huizen in de binnenstad
waarvan je eens een sleutel had.

Elk wonen voel je als voorgoed,
totdat je toch verhuizen moet.

Je naambord bij een andere bel
en na wat weken went het wel.

Je treft je oude huizen aan
en kunt er niet naar binnen gaan.

Ze staan er nog precies als toen
hun huiselijke plicht te doen.

Ondanks de reuma in hun hout
worden ze heel erg langzaam oud

en halen 't jaar 3000 wel
als 't goed blijft gaan met Stadsherstel.*

Die huizen in de binnenstad,
waarvan je eens een sleutel had,

waar nu een ander slaapt en eet,
die nog van geen verhuizen weet.

* Stadsherstel = een bedrijf dat ervoor zorgt dat oude huizen in goede staat blijven.

UIT: WILLEM WILMINK, ERNSTIG GENOEG, LIEDJES EN GEDICHTEN VANAF 1986, AMSTERDAM, 1995

de binnenstad	aantreffen	de plicht
de sleutel	huiselijk	het hout
voorgoed		

Handelen bij overlast

1   Heb je weleens overlast van je buren? Zo ja, wat voor overlast?

_____

_____

2   Lees de teksten. Van welke vorm van overlast is sprake? Vul het
    schema in.

	geluidsoverlast	overlast door agressie	overlast door vuil en stank
a	☐	☐	☐
b	☐	☐	☐
c	☐	☐	☐
d	☐	☐	☐
e	☐	☐	☐

a   Een alleenstaande man heeft dag en nacht feestende vrienden op
    bezoek. Na klachten van de buren ging een medewerker van de
    woningbouwvereniging met de man praten. De man zei toen tegen de
    medewerker: 'Jullie huizen zijn zo gehorig. Ik hoor altijd mijn
    bovenbuurman lopen. Daarom zet ik de muziek zo hard!'

b   Een vrouw laat haar honden altijd op tijd uit. Op het balkon!
    De hondenpoep laat ze liggen of ze maakt het balkon schoon met wat
    water. Maar ja, dan valt de poep in de tuin van de buren.

c   Een bewoner van een flat heeft zijn huisdeur bij het vuil gezet omdat
    het slot kapot was. Nu zet hij ook de deur naar de straat open, omdat
    hij steeds zijn sleutel kwijt is. Hij bedreigt zijn buren die klagen dat
    iedereen nu het gebouw in kan lopen.

d   Een bewoner van drie hoog zette zijn tv zo hard aan, dat het geluid
    helemaal beneden was te horen. Na klachten van de buren, kwam de
    politie. Maar hij deed niet open; door het lawaai van de tv, hoorde hij
    de deurbel niet!

e   Een verslaafde man belt 's nachts de buren uit bed, omdat hij zijn
    huissleutel kwijt is. Ook maakt hij 's nachts ruzie met bezoek dat er
    helemaal niet is. Een buurman die kwam klagen werd bedreigd.

het vuil	de poep	klagen
de stank	het slot	verslaafd
gehorig	bedreigen	kwijt

3   Wat denk jij? Beantwoord de vragen.

1   Welke vorm van overlast komt het meest voor?

_____

2   Wie veroorzaken vaker overlast?
a   bewoners van koopwoningen
b   bewoners van huurwoningen

4   Lees de tekst en beantwoord de vragen.

1   Welke vormen van overlast worden in de tekst genoemd?

_____

_____

_____

_____

_____

_____

2   Wat kun je doen bij overlast en wat kun je doen bij extreme overlast?

Bij overlast:

_____

_____

_____

Bij extreme overlast:

_____

_____

_____

3   Wie veroorzaken vaker overlast?
a   bewoners van koopwoningen
b   bewoners van huurwoningen

4   Welke vorm van overlast komt het meest voor?
a   geluidsoverlast
b   overlast door stank
c   overlast door agressie

5   Wanneer komt de GG en GD in actie?
a   bij extreme geluidsoverlast
b   bij overlast door huisdieren
c   bij vervuiling en verwaarlozing

6   Wie kan beslissen een bewoner uit zijn huis te zetten?
a   de verhuurder
b   de politie
c   de rechter

Overlast

Wat zijn oorzaken van overlast?

Overlast kan in veel vormen voorkomen. Omdat mensen in Nederland vaak dicht op elkaar wonen, gaat het meestal om geluidsoverlast. Soms wordt de overlast veroorzaakt door asociaal gedrag: het uitlaten van de hond op een plaats waar kinderen spelen, het laten liggen van vuil vlak voor uw voordeur of het fout parkeren van auto's. Veel voorkomende klachten gaan over lawaai, vuil, stank, schade en agressie. Een enkele keer is er sprake van extreme overlast, veroorzaakt door buurtbewoners die verslaafd zijn of geestelijke problemen hebben. Uit onderzoek blijkt dat overlast vooral wordt veroorzaakt door bewoners van een huurwoning (93 procent) en in vier procent van de gevallen door bewoners van een koopwoning. Drie procent van de veroorzakers van overlast heeft geen woning.

Wat kun je doen bij overlast?

De verschillende vormen van overlast vragen om verschillende oplossingen. Het beste is natuurlijk om in goed overleg naar een oplossing te zoeken. Soms weten mensen niet eens dat ze overlast veroorzaken. Dan lost een vriendelijk gesprek vaak meer op dan een boze klacht. Als een gesprek niet helpt, gaan mensen met hun klachten meestal naar de woningbouwvereniging, bij wie ze hun huis huren. Wie bij de woningbouwvereniging wil klagen moet dat wel per brief doen. Enerzijds om te voorkomen dat mensen te makkelijk over hun buren klagen, anderzijds omdat zo'n brief later als bewijs gebruikt kan worden. De verhuurder probeert dan een oplossing te zoeken. Hoewel overlast voor weinig mensen een reden is om de politie te bellen, besteden wijkagenten toch tien procent van hun tijd aan buurtlawaai. De meeste klachten gaan over muziek die te hard staat (29 procent), feesten (22 procent) en huisdieren (15 procent).

In veel grote steden is inmiddels ook een Meldpunt Overlast waar bewoners met hun klachten naartoe kunnen. Na contact met het Meldpunt past de veroorzaker in bijna de helft van de gevallen zijn gedrag zelf aan, waardoor de overlast ophoudt. In geval van extreme overlast werkt het Meldpunt samen met de politie, woningbouw-verenigingen, de geestelijke gezondheidszorg en de GG en GD (Gemeentelijke Geneeskundige en Gezondheidsdienst). Zij komen in actie als er klachten zijn over stank en bij ernstige vervuiling en verwaarlozing. Via de Meldpunten wordt de nodige hulp verleend: bijvoorbeeld geestelijke hulp of hulp bij het schoonmaken. Als dat allemaal niet helpt, dan kan de woningbouwvereniging aan de rechter vragen om beëindiging van het huurcontract. Dat kost veel energie, tijd en geld, omdat je bewijzen nodig hebt om iemand uit zijn woning te kunnen zetten. Iemand uit zijn woning zetten is echt een laatste middel.

NAAR: HET PAROOL, 6 AUGUSTUS 2003 EN TROUW, 20 JULI 1997

voorkomen	geestelijk	aanpassen
asociaal	het overleg	de gezondheidszorg
het gedrag	enerzijds	de verwaarlozing
veilig	anderzijds	de rechter
veroorzaken	het bewijs	de beëindiging

PUTER

5   **Kijk naar de video en doe de opdracht.**

UITVOEREN

KBLAD

6   **Voer de gesprekken.**

7   **Cursist A klaagt bij het Meldpunt Overlast. Cursist B werkt bij het Meldpunt Overlast. Voer het gesprek.**

Cursist A   Je woont op de Hogeweg nummer 18 in Dordrecht. Boven je woont een moeder met drie kinderen. Zij gooit al haar vuilnis over het balkon. De woning is heel vuil. Het stinkt heel erg op de trap.
Je gaat naar het Meldpunt Overlast om te klagen over de situatie.
Je vraagt ook naar mogelijke oplossingen.

Cursist B   Je werkt op het Meldpunt Overlast. Iemand komt klagen over extreme overlast en hij wil weten welke oplossingen mogelijk zijn. Je vraagt wat er precies aan de hand is en geeft informatie.

8   **Schrijf een brief.**

Je woont in Enkhuizen in de Havenstraat nummer 34 op de eerste verdieping. Je bovenbuurvrouw, mevrouw Verhagen, heeft een hondje. Ze laat de hond vaak uren achterelkaar alleen en hij blaft dan de hele tijd. Je wordt gek van het lawaai en vindt het bovendien zielig voor de hond. Je hebt al een paar keer geprobeerd met de buurvrouw te praten, zodat ze haar gedrag aanpast en haar hond niet alleen laat. Dat heeft niet geholpen. De vrouw reageert agressief. Schrijf een brief aan woning-bouwvereniging Vrij Wonen waarin je klaagt over de situatie.

Havenstraat 34-1
1600 BE Enkhuizen

Woningbouwvereniging Vrij Wonen
Vrijheidslaan 55
1601 DA Enkhuizen

Geachte heer, mevrouw,

Graag zou ik uw aandacht willen vragen voor het volgende probleem.

_____

_____

_____

_____

_____

_____

_____

Hoogachtend,

_____

AFRONDEN

9   **Kijk nog eens naar je antwoord bij opdracht 1. Beantwoord de vragen.**

Wat deed je toen je last had van je buren?

_____

Zou je nu hetzelfde doen?

_____

_____

Wat zou je nu doen als je last hebt van
de buren?

_____

**HET IS DE KUNST
OM VAN
GELUIDSOVERLAST
EEN BUURTFEEST
TE MAKEN**

Loesje

Postbus 1046
6801 BA Arnhem
www.loesje.nl

TAAK
2

Je keuken beschrijven

VOORBEREIDEN

1   **Kijk naar de illustraties. Welke keuken kies je? Waarom?**

_____

_____

A

2   Wat staat er bij jou in de keuken? Kruis aan.

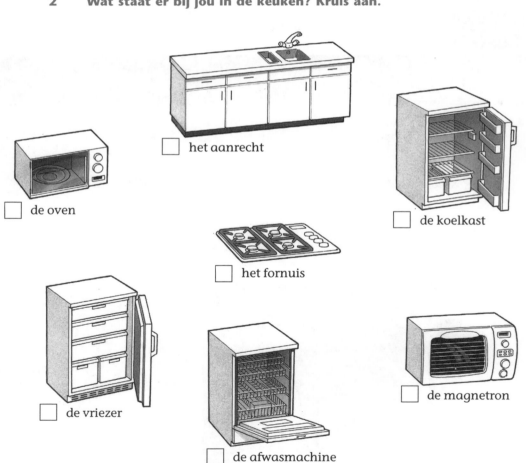

☐ de oven

☐ het aanrecht

☐ de koelkast

☐ het fornuis

☐ de vriezer

☐ de afwasmachine

☐ de magnetron

3 **Wat hoort bij elkaar? Vul de goede letter in.**

1 een taart bakken   **a** de afwasmachine
2 de afwas doen   **b** de oven
3 ijsblokjes maken   **c** de magnetron
4 iets snel warm maken   **d** het aanrecht
5 pasta koken   **e** de vriezer
6 kaas bewaren   **f** het fornuis
7 brood snijden   **g** de koelkast

1 _____   5 _____

2 _____   6 _____

3 _____   7 _____

4 _____

4 **Bespreek samen de antwoorden van opdracht 1 en opdracht 2.**

MPUTER

5 **Luister naar de tekst en doe de opdracht.**

UITVOEREN

RKBLAD

6 **Cursist A beschrijft zijn keuken. Cursist B tekent de keuken op het werkblad.**

Is je keuken groot of klein? Is het een open keuken? Is het een eetkeuken? Welke apparaten staan er in jouw keuken? Waar staan ze?

Wissel van rol.

7 **Vergelijk de keukens van opdracht 6 met elkaar. Kies een keuken.**

Vergelijk de keukens. Welke keuken kies je? Licht je keuze toe.

AFRONDEN

8 **Beantwoord de vragen.**

1 Je hebt in je keuken plaats voor vier apparaten. Welke apparaten kies je? Waarom? Kruis aan.

☐ de afwasmachine _____

☐ de oven _____

☐ de magnetron _____

☐ de vriezer _____

☐ het fornuis _____

☐ de koelkast _____

2 Welke apparaten heb je niet in je keuken, maar zou je wel graag willen hebben?

_____

_____

_____

_____

Bespreek je antwoorden met een medecursist. Licht je antwoorden toe.

Regels

Het verbum

Om te + infinitief

Er staat een magnetron om snel iets warm te kunnen maken.
De vriezer gebruik ik om van alles in te bewaren.
We gebruiken grote pannen om in te koken.

→ We kunnen 'om te + infinitief' gebruiken om een doel aan te geven

Woorden leren (1)

1 **Lees de zinnen. Kruis aan ja of nee.**

		ja	nee
1	Ik ken nu ongeveer vijfhonderd woorden.	☐	☐
2	Ik vind woorden leren vervelend.	☐	☐

	ja	nee
3 Ik leer woorden het liefst met de computer.	☐	☐
4 Ik leer één keer in de week een paar uur nieuwe woorden.	☐	☐
5 Ik leer iedere dag een half uur nieuwe woorden.	☐	☐
6 Als ik een woord één keer geleerd heb, ken ik het.	☐	☐
7 Ik schrijf moeilijke woorden op kaartjes of in een woordenschrift en die woorden bekijk ik iedere dag.	☐	☐
8 Ik heb zelf een goede manier bedacht om nieuwe woorden te leren.	☐	☐

2 Vergelijk je antwoorden van opdracht 1 met twee medecursisten.

Vertel elkaar ook waarom je deze antwoorden hebt gegeven. Hebben jullie dezelfde antwoorden?

3 Bespreek samen de resultaten van opdracht 1 en 2.

TAAK 3 Informatie over verzekeringen opzoeken

VOORBEREIDEN

1   Welke verzekeringen heb jij?

Autoverzekering

_____

_____

_____

_____

_____

_____

Van de wieg tot het graf ...

In Nederland kun je je tegen bijna alles verzekeren. Je bent op bezoek bij vrienden en je gooit koffie over de witte vloerbedekking: de WA-verzekering* dekt de schade. Op vakantie worden je spullen uit je hotelkamer gestolen: de reisverzekering betaalt. Een dief komt je huis binnen en steelt schilderijen en cd's: de inboedelverzekering vergoedt de schade. Je moet naar het ziekenhuis: de ziektekostenverzekering betaalt de kosten. Er zijn dus veel verschillende soorten verzekeringen die je tegen heel veel dingen kunnen verzekeren. Ze zeggen dan: je van de wieg tot het graf verzekeren. Een medewerker van een verzekerings- maatschappij nam dat wel erg letterlijk. Aan de ouders van een pasgeboren baby vroeg hij: 'Zullen we maar meteen een begrafenis- polisje afsluiten?'

* WA = Wettelijke Aansprakelijkheid

verzekeren	de inboedel	de maatschappij
de vloerbedekking	de ziektekosten	letterlijk
de dief		

2   Wat hoort bij elkaar? Vul de goede letter in.

1   verzekert schade door ongelukken, diefstal en of ziektekosten op vakantie.
2   verzekert de schade die met een personenauto veroorzaakt wordt.
3   verzekert schade aan meubels en andere spullen in huis die ontstaat door onder andere brand, diefstal en water.
4   vergoedt de schade die personen zelf per ongeluk veroorzaken aan spullen van anderen.
5   betaalt de kosten van een bezoek aan de huisarts.

a   Een motorrijtuigenverzekering
b   Een ziektekostenverzekering
c   Een inboedelverzekering
d   Een WA-verzekering
e   Een reisverzekering

1   _____   3   _____   5   _____

2   _____   4   _____

3   Welke verzekering dekt schade in je huis? Kruis aan.

☐ motorrijtuigenverzekering   ☐ WA-verzekering
☐ ziektekostenverzekering   ☐ reisverzekering
☐ inboedelverzekering

PUTER

4   **Luister naar de tekst en doe de opdracht.**

5   **Wat hoort bij elkaar? Vul de goede letter in.**

1   Hoeveel kost de verzekering?
2   Wat betaalt de verzekering wel en wat niet?
3   Hoelang duurt het contract?
4   Hoeveel betaalt de verzekering?
5   Wanneer krijg ik een bewijs thuisgestuurd?

a   Wanneer krijg ik de polis thuisgestuurd?
b   Wat zijn de voorwaarden?
c   Wat is de premie?
d   Hoelang loopt de verzekering?
e   Hoe hoog is de schadevergoeding?

1 _____   3 _____   5 _____

2 _____   4 _____

6   **Lees de vragen en de tekst. Beantwoord de vragen.**

1   Wat is waar?
a   Nederlanders houden niet van automaten.
b   Nederlanders willen graag advies bij een verzekering.
c   Nederlanders gaan niet verzekerd op reis.

2   Wat wil Verzekeruzelf.nl veranderen?
a   Ze willen geen kleine lettertjes meer.
b   Ze willen dat de klant zich persoonlijk laat adviseren.
c   Ze willen dat de klant zelf zijn verzekering regelt.

3   Wat is waar? Verzekeringen van Verzekeruzelf.nl …
a   kun je stoppen wanneer je wilt.
b   zijn duurder dan andere verzekeringen.
c   lopen drie tot vijf jaar.

Verzekeren zonder tussenstop

Een Amerikaan die een reisverzekering wil, trekt er gewoon een uit de automaat op het vliegveld alsof het een blikje cola is. Nederlanders zijn nog niet zo ver. Mensen zijn bang voor de kleine lettertjes en Nederlanders willen ook graag eerst persoonlijk advies. Verzekeruzelf.nl wil dat veranderen: het is tijd voor een doe-het-zelfverzekering.

Verzekeruzelf.nl werkt volledig digitaal. Papier komt er bij dit bedrijf niet aan te pas. Zelfs de polis en de rekeningen krijgt de klant per e-mail toegestuurd. Eenvoudige producten zoals reisverzekeringen, autoverzekeringen en inboedelverzekeringen kunnen worden afgesloten, aangepast en beëindigd via de computer. Vooral dat laatste is een sterke kant van het bedrijf. Andere verzekeringsmaatschappijen hebben vaak verzekeringen die drie of vijf jaar lopen. Bij Verzekeruzelf.nl kunnen klanten op elk gewenst moment hun verzekering beëindigen. Premies die al betaald zijn krijgen ze dan terug. Doordat alles elektronisch gaat, zijn de kosten voor Verzekeruzelf.nl laag. Hierdoor kan het bedrijf zijn producten tegen lage prijzen aanbieden.

NAAR: NRC HANDELSBLAD, 29 MAART 2003

| de tussenstop | doe-het-zelf | de premie |

UITVOEREN

www. ←⊡   **7**   **Zoek informatie over een inboedelverzekering op www.verzekeruzelf.nl en beantwoord de vragen.**

Je wilt een inboedelverzekering voor je woning. De waarde van je inboedel is € 30.000,–.

1   Tegen welke schade ben je verzekerd?

_____

_____

2   Wat heeft invloed op de premie van je verzekering?

_____

_____

_____

3   Wat is de premie voor jouw verzekering per jaar?

_____

 Bespreek samen de antwoorden.

AFRONDEN

8   Vergelijk verschillende verzekeringen. Welke verzekering is voor jou het beste?

Kijk op de polis van bijvoorbeeld jouw ziektekostenverzekering en vergelijk de informatie met een ziektekostenverzekering van verzekeruzelf.nl.

9   Wat vind jij van verzekeringen? Beantwoord de vragen.

1   Welke verzekeringen zou iedereen moeten hebben? Waarom?

2   Hoe zijn verzekeringen in jouw land geregeld?

Bespreek samen de antwoorden.

TAAK 4   Huishoudelijke taken beschrijven

VOORBEREIDEN

1   **Wat doe jij in het huishouden? Beantwoord de vragen.**

1   Welke huishoudelijke taken doe je? Hoeveel keer per week? Hoeveel tijd besteed je eraan?

huishoudelijke taken	keer per week	tijd
koken	_____	_____
afwassen	_____	_____
vuilnis buitenzetten	_____	_____
opruimen	_____	_____
boodschappen doen	_____	_____
wassen	_____	_____
kinderen naar bed brengen	_____	_____
schoonmaken	_____	_____
stofzuigen	_____	_____

2   Hoeveel tijd besteed je per week aan het huishouden?

_____

Vergelijk je antwoorden met twee medecursisten.

COMPUTER

2   **Luister naar de tekst en doe de opdracht.**

UITVOEREN

3   **Cursist A beschrijft een huishoudelijke taak. Cursist B zegt welke taak cursist A beschrijft.**

Cursist A kiest een huishoudelijke taak van opdracht 1 en beschrijft de taak zonder de naam te noemen.

Wissel van rol.

4   **Je woont met elkaar in één huis. Verdeel de huishoudelijke taken.**

Beschrijf de huishoudelijke taak, hoeveel keer per week je deze taak doet en hoeveel tijd dat kost.

huishoudelijke taken	keer per week	tijd	wie
koken	_____	_____	_____
afwassen	_____	_____	_____
vuilnis buitenzetten	_____	_____	_____
huis opruimen	_____	_____	_____
boodschappen doen	_____	_____	_____
wassen	_____	_____	_____
strijken	_____	_____	_____
wc schoonmaken	_____	_____	_____
stofzuigen	_____	_____	_____
schoonmaken bad/douche	_____	_____	_____

AFRONDEN

Wie doet wat in huis?

Nog niet zo lang geleden was het heel normaal dat de vrouw het huis-houden deed en de man een betaalde baan had. In de jaren vijftig werkte minder dan 2% van de gehuwde vrouwen buitenshuis. Tegenwoordig heeft het grootste deel van de vrouwen een betaalde baan.

Inmiddels is het huishouden minder zwaar geworden. Er zijn voor allerlei huishoudelijke taken apparaten gekomen, zoals stofzuigers, wasmachines en afwasmachines. Toch is het niet zo dat de vrouwen van vandaag het beter hebben. We hebben nu wel een wasmachine, maar tegenwoordig gaan we elke dag onder de douche en pakken we vaak schone kleren. Meer vuile was dus en nog steeds heel veel werk. En wat niet veranderd is: huishoudelijk werk wordt nog steeds saai en vervelend gevonden.

Wat ook nog niet veranderd is, is de geringe bijdrage van de Nederlandse mannen aan het huishouden. Tussen 1975 en 2000 zijn mannen wel meer in het huishouden gaan doen, maar vrouwen doen nog steeds de meeste huishoudelijke taken. Zelfs als ze een baan hebben. Als je naar alle uren binnen en buiten het huis kijkt, blijken vrouwen een langere werkweek te hebben dan hun partners. Uit een onderzoek blijkt dat van de 27 huishoudelijke taken er 18 vooral door vrouwen worden gedaan.

Taken die mannen regelmatig of vaak doen:
- kinderen naar bed brengen;
- vuilnis buitenzetten;
- de afwas doen / afwasmachine leeg maken;
- opruimen.

Taken die mannen bijna nooit of nooit doen:
- kleren wassen;
- wc schoonmaken;
- bad/douche schoonmaken;
- bedden verschonen.

1   **Kijk naar de huishoudelijke taken. Wie doet die taken bij jou thuis?**

huishoudelijke taken	wie
koken	_____
afwassen	_____
vuilnis buitenzetten	_____
opruimen	_____
boodschappen doen	_____
kleren wassen	_____
kinderen naar bed brengen	_____
schoonmaken	_____
stofzuigen	_____

2   **Hoe worden in jouw land de huishoudelijke taken verdeeld?**

Welke taken worden door vrouwen gedaan? Welke taken worden door mannen gedaan?

huishoudelijke taken	man	vrouw
koken	☐	☐
afwassen	☐	☐
vuilnis buitenzetten	☐	☐
opruimen	☐	☐
boodschappen doen	☐	☐
kleren wassen	☐	☐
kinderen naar bed brengen	☐	☐
schoonmaken	☐	☐
stofzuigen	☐	☐

 3   **Bespreek de resultaten van opdracht 1 en 2.**

Regels   *Het verbum*

Het scheidbare werkwoord in de bijzin

Als ik de deur uitga, neem ik de vuilniszak mee.
Het water druipt eraf, zodat ik het makkelijk met een theedoek kan afdrogen.
Voordat ik de vuilniszak dichtmaak, controleer ik of er niets meer in de koelkast ligt wat ook weg moet.

 In de bijzin scheid je het werkwoord niet van het prefix.

1   **Kijk nog een keer naar de video en beantwoord de vragen. Beantwoord de vragen eerst voor jezelf.**

1   Waar wonen Sjoerd en Eefke? In een oud of in een nieuw huis? Denk je dat het huis gehorig is?

_____

2   Wie begint met schelden?

_____

3   Wat vind je van het gedrag van Eefke, Sjoerd en de buurvrouw? Kruis aan.

_____

	Eefke	Sjoerd	buurvrouw
leuk	☐	☐	☐
vriendelijk	☐	☐	☐
boos	☐	☐	☐
agressief	☐	☐	☐
asociaal	☐	☐	☐
bang	☐	☐	☐

4   Eefke en Sjoerd en de buurvrouw krijgen ruzie. Wat hadden ze anders kunnen doen?

_____

5   Vind je het goed dat Eefke en Sjoerd de politie bellen? Licht je antwoord toe.

_____

Bespreek samen de antwoorden.

2   **Lees het gedicht in de introductie nog een keer. Schrijf een verhaal.**

Maak gebruik van de vragen en schrijf een verhaal van ongeveer honderd tot honderdvijftig woorden.

- In hoeveel huizen heb jij gewoond in je leven?
- In welk huis zou je nog weleens binnen willen kijken? Waarom?
- Met wie woonde je in het huis? Hoe waren de huishoudelijke taken verdeeld?
- Hoe zag de keuken eruit?
- Hoe was het contact met je buren? Had je weleens overlast?

VERBINDINGEN	IDIOOM
• een bijdrage leveren aan	• van de wieg tot het graf
• overlast veroorzaken	• iemand van het kastje naar de muur sturen
• tijd besteden aan	
• zich aanpassen aan	• er (niet) aan te pas komen
• in actie komen	• rijp zijn voor iets
• hulp verlenen	• daar ben je mooi klaar mee
• aan de hand zijn	• de kleine lettertjes
• gek worden van	• hoe haal je het in je hoofd
• een verzekering / polis afsluiten	
• verzekerd zijn tegen	
• kinderen naar bed brengen	
• sprake zijn van	
• zich (n)ergens iets van aantrekken	

COMPUTER

Je kunt dit lied beluisteren op de computer. Ga naar hoofdstuk 18 en kies 'Oefenen'. Kies 'Luisteren' en klik op opdracht 1.

Alles kan een mens gelukkig maken

Ik kan niet zeggen dat ik iets tekortkom
Geen idee, geen benul wat de smaak van honger is
Als ik geen zin heb om te koken
Dan loop ik even naar de markt
Voor een moot gebakken vis
Als ik morgen geen zin heb om te werken
Dan stel ik al 't werk tot overmorgen uit
En als de kleuren van m'n huis me irriteren
Dan vraag ik of de buurman 't vandaag nog overspuit

Refrein:
Een eigen huis
Een plek onder de zon
En altijd iemand in de buurt
Die van me houden kon
Toch wou ik dat ik net iets vaker
Iets vaker simpelweg gelukkig was (2x)

Ik kan niet zeggen dat ik iets tekortkom
Geen idee, geen benul wat gebrek aan liefde is
Vandaag kocht ik m'n derde videorecorder
Van nu af aan is er dus geen programma dat ik mis
M'n vader en m'n moeder zijn nog allebei in leven
Dankzij hen heb ik een fijne jeugd gehad
En voordat jij en ik vanavond vroeg onder de wol gaan
Gaan we met z'n tweeën drie keer uitgebreid in bad

Refrein:
Ja alles, alles kan een mens gelukkig maken
Een zingende merel
De geur van de zee
Ja, alles kan een mens gelukkig maken
De zon die doorbreekt
Een vers kopje thee

BRON: RENÉ FROGER, WHO DARES WINS, 1988
TEKST: HENK TEMMING EN HENK WESTBROEK

INTRODUCTIE

Lees de vragen en de tekst. Beantwoord de vragen.

1 Vind je het eten in Nederland heel anders dan in je eigen land?

_____

2 Zo ja, wat vind je anders?

_____

3 Hoe is de reactie van de Nederlander Jan op de Italiaanse pizza?

_____

4 Wat vind je daarvan?

_____

Pizza

'Ze hebben pizza, Jan. Zullen we dan maar?' In de tuin van een restaurant, ergens in het midden van Italië, wordt onze rust verstoord door andere Nederlanders die honger hebben. Wanneer even later de ober twee grote pizza's brengt, wordt het er helaas niet beter op.
Er ontstaat een discussie met de ober over de vorm. Die is niet rond, zo blijkt. En dat is niet naar de zin van de Nederlanders. Jan legt de ober uit dat hij in Nederland vaak naar pizzeria's gaat. Daar weten ze pas hoe het hoort. Maar hier, in het hart van Italië, nee, van pizza bakken hebben ze hier geen verstand, vindt Jan. 'This pizza is not real, because it's not round.'

NAAR: NRC HANDELSBLAD, 19 SEPTEMBER 2003

verstoren

Vergelijk je antwoorden met twee medecursisten.

Informatie uitwisselen over eetgewoonten

VOORBEREIDEN

1   **Beantwoord de vragen.**

    1   Waar eet je meestal?

    _____

    2   Hoeveel keer per week kook jij een maaltijd?

    _____

    3   Wat eet je als er niet gekookt wordt?

    _____

4   Wat vind jij? Kruis aan.

Je bereidt een maaltijd als …

☐ je alles zelf snijdt en klaarmaakt.
☐ je een kant-en-klaarmaaltijd warm maakt.
☐ je restjes van de vorige dag warm maakt.
☐ je een diepvriespizza zelf nog extra belegt.

Vergelijk je antwoorden met twee medecursisten.

2   **Lees de vragen en de tekst. Beantwoord de vragen.**

1   Op welke vragen vind je een antwoord in de tekst? Kruis aan.

☐ Hoeveel procent van de mensen kookt iedere dag een maaltijd?
☐ Hoe laat eten de meeste mensen in Nederland?
☐ Hoeveel tijd kost het klaarmaken van een maaltijd gemiddeld?
☐ Hoelang duurt het eten van een maaltijd gemiddeld?
☐ Wie bedenkt meestal wat er op tafel komt?
☐ Welke groenten vindt men het lekkerst?
☐ Hoeveel fruit eet men in Nederland?

2   Waar of niet waar? Mensen die werken, vinden het koken van een
      goede maaltijd belangrijker dan mensen die niet werken.
a   waar
b   niet waar

3   Waar of niet waar? In de meeste gezinnen eet men samen aan tafel.
a   waar
b   niet waar

4   Waar of niet waar? In bijna 70% van de gezinnen bedenkt de kok overdag wat er 's avonds op tafel staat.
a   waar
b   niet waar

5   Waar zoeken de mensen meestal als ze een nieuw recept zoeken?
a   op het internet
b   bij recepten in de supermarkt
c   in kookboeken

6   Wat eet men in Nederland het meest?
a   aardappelen
b   pasta
c   rijst

7   Wie gebruiken de magnetron het meest?
a   55-plussers
b   gezinnen met kinderen

Hoe eet Nederland?

In 2003 is er onderzoek gedaan naar de manier waarop Nederlanders eten. Daaruit blijkt dat de ene Nederlander een maaltijd pas een maaltijd vindt als hij alle ingrediënten zelf schoongemaakt en gesneden heeft. De ander vindt dat hij al een maaltijd kookt als hij restjes van de vorige dag opwarmt. Ook blijkt dat mensen die niet werken hogere eisen aan de maaltijd stellen dan zij die wel werken. Zo vindt 46% van deze eerste groep het gebruik van kant-en-klaarpakketten al geen koken meer. Maar 45% van de fulltime werkers ziet het doen van extra ingrediënten op een kant-en-klaarpizza al als het koken van een maaltijd. De meeste Nederlanders eten nog steeds de hoofdmaaltijd tussen vijf uur en half zeven 's avonds. De warme maaltijd – met het traditionele toetje – wordt in gemiddeld 22 minuten opgegeten. Meestal wordt aan tafel gegeten, al is het percentage kinderen dat met een bord voor de televisie zit de afgelopen zes jaar twee keer zo groot geworden, namelijk 15%. In de meeste gezinnen wordt het avondeten gezien als rustpunt van de dag.

Wat eten we?
Nederland plant zijn maaltijden niet voor de hele week. In 69% van de huishoudens bedenkt de kok op de dag zelf waar hij zin in heeft. Mannen koken tegenwoordig vaker dan vroeger, maar het zijn toch de vrouwen die meestal bepalen wat de pot schaft. Ondanks het groeiende aantal kookprogramma's op de televisie vinden we het vaker moeilijk om te bedenken wat we moeten eten. Hoewel steeds meer gebruikgemaakt wordt van internet en van recepten die je in de supermarkt kunt krijgen, blijft het kookboek de belangrijkste bron voor nieuwe recepten.

Gemiddeld heeft een Nederlands huishouden acht kookboeken. Jonge één- of tweepersoonshuishoudens gaan trouwens vaker naar hun moeder voor advies dan dat ze in een kookboek kijken.

Hoewel de gekookte aardappel ook in 2003 het populairste ingrediënt is van een maaltijd, wordt pasta steeds populairder. De helft van de Nederlanders eet minstens één keer in de week pasta. De traditionele maaltijd van aardappelen-groenten-vlees wordt steeds minder vaak gegeten. Sperzieboontjes, bloemkool en sla zijn de meest favoriete groenten. Bij de minst lekkere groenten staat het spruitje nog steeds op nummer één.

Hoe maken we de maaltijd klaar?

De magnetron is niet meer weg te denken uit de Nederlandse keuken. Vooral onder 55-plussers is dit apparaat favoriet. Hoewel gezinnen met kinderen de magnetron het vaakst gebruiken, gebruikt deze groep liever de oven of de wok om een maaltijd te bereiden.

BRON: ONDERZOEK TNS NIPO IN OPDRACHT VAN ALBERT HEIJN, 2003

het ingrediënt	het percentage	de bloemkool
de rest	het recept	het spruitje
het toetje		

COMPUTER

3   **Luister naar de tekst en doe de opdracht.**

UITVOEREN

4   **Beantwoord de vragen.**

1   Hoeveel maaltijden eet je per dag?

_____

2   Wat eet je dan? Een koude of een warme maaltijd?

_____

3   Wat voor soort eten maak je klaar? (pasta- of rijstgerechten, aardappelen met vlees)

_____

4   Hoe laat eet je de maaltijden?

_____

5   Hoeveel tijd besteed je gemiddeld aan het bereiden van een maaltijd?

_____

6   Gebruik je olie of boter bij het klaarmaken van je maaltijden?

_____

7   Wat gebruik je het liefst om eten klaar te maken: het fornuis, de oven,
     de magnetron, of de wok?

_____

8   Eet je altijd aan tafel of ook weleens met een bord voor de televisie?

_____

9   Eet je vaak met vrienden?

_____

10   Hoelang zit je meestal aan tafel?

_____

11   Zie je verschillen tussen eetgewoonten in Nederland en die in je eigen
     land?

_____

12   Zijn je eigen eetgewoonten veranderd sinds je in Nederland bent?

_____

 5   **Vertel elkaar wat je eetgewoonten zijn.**

     Gebruik de vragen en antwoorden van opdracht 4.

AFRONDEN

6   **Lees de zinnen. Ben je het ermee eens? Kruis aan ja of nee.**

		ja	nee
1	Eetgewoonten kun je moeilijk veranderen.	☐	☐
2	Eten is in Nederland een sociaal gebeuren.	☐	☐

Bespreek je antwoorden met twee medecursisten.

Hollandse nieuwe!

Hollandse nieuwe is de eerste haring van het jaar. Die wordt meestal in mei gevangen. 's Winters eet de haring niet en vermagert hij; in de lente gaat de haring weer op zoek naar voedsel en wordt de vis in korte tijd vetter. Op het moment dat de vis 16% vet bevat, mag hij gevangen worden en kunnen we weer Hollandse nieuwe eten.
Ieder jaar vindt opnieuw de haringrace plaats: de strijd om als eerste boot vaatjes Hollandse nieuwe aan land te brengen. Op de boot wordt de haring al schoongemaakt, in het zout gelegd en in de vriezer gedaan.
De eerste zaterdag dat er weer nieuwe haring verkocht wordt, heet in een aantal plaatsen 'Vlaggetjesdag'. Het is een feestdag. Op deze feestdag worden de boten met vlaggetjes versierd. Het eerste vaatje haring wordt direct verkocht aan de persoon die er het meeste voor wil betalen. Dit geld gaat naar een goed doel. Vorig jaar betaalde iemand 38.000 euro voor het eerste vaatje!
De traditionele manier om haring te eten is 'aan de staart'. Je pakt de schoongemaakte haring vast bij de staart, je legt je hoofd in je nek en eet de haring op.

Vaak wordt er een rauw uitje bij gegeten, maar de meningen zijn verdeeld of dit uitje er wel of niet bij hoort. Veel mensen drinken bij de Hollandse nieuwe een glaasje korenwijn: een oude Hollandse jenever.

de haring	leggen	het hoofd
vangen	de vlag	rauw
vermageren	versieren	de ui
de strijd	de staart	de jenever
het vat		

1   Beantwoord de vragen.

1   Heb je weleens rauwe haring gegeten?
Zo ja, vond je het lekker?

_____

Zo nee, waarom niet?

_____

2   Ken je nog andere traditionele Nederlandse gerechten?

_____

_____

3   Wat is een traditionele eetgewoonte in jouw land?

_____

 2   Bespreek samen de antwoorden.

Regels   Er

Er en daar + prepositie

Ik drink wijn **bij** het eten.
Ik drink er wijn **bij**.
Daar drink ik wijn **bij**.

Ik houd niet **van** Italiaans eten.
Ik houd er niet **van**.
Daar houd ik niet **van**.

Ik heb geen zin **in** spruitjes.
Ik heb er geen zin **in**.
Daar heb ik geen zin **in**.

TAAK 2 Uitleggen hoe je een gerecht klaarmaakt

VOORBEREIDEN

1   Lees de vragen en de tekst. Beantwoord de vragen.

   1   Dit gerecht is volgens mij …
   a   een voorgerecht.
   b   een hoofdgerecht.
   c   een nagerecht.

   2   Waarom denk je dat?

   _____

   3   Denk je dat je het gerecht lekker vindt? Waarom wel? Waarom niet?

   _____

Perzik met port en mascarpone

Ingrediënten

250 gram mascarpone
4 eetlepels melk
8 perziken
2 zakjes vanillesuiker
enkele saffraandraadjes
$\frac{1}{4}$ liter rode port
3 salieblaadjes

Bereidingswijze

Dit gerecht voor vier tot zes personen kan een dag van tevoren worden klaargemaakt. Schil de perziken, snijd ze in twee helften en haal de pit eruit. Doe de port in een pan. Doe de saffraan en de vanillesuiker erbij en breng het langzaam aan de kook. Leg de perziken in de port en laat ze op een laag vuur ongeveer vijf minuten langzaam koken. Haal de pan van het fornuis en laat de perziken in de port afkoelen. Zet de perziken met de port in de koelkast en laat ze daar enkele uren staan. Snijd de salieblaadjes in kleine stukjes. Meng ze samen met de melk door de mascarpone. Snijd de perziken in schijfjes. Doe wat mascarpone op het midden van het bord. Leg er perzikschijfjes omheen. Doe de portsaus over de mascarpone en de perzikschijfjes.

NAAR: ANNE SCHEEPSMAKER, NRC HANDELSBLAD, 15 OKTOBER 2003

van tevoren	de pit	het schijfje
schillen		

2   **Lees het recept nog een keer. Schrijf de werkwoorden op.**

Welke werkwoorden geven aan wat je moet doen om het gerecht klaar te maken? Schrijf ze op.

_____   _____

_____   _____

_____   _____

_____   _____

_____   _____

Wat betekenen deze werkwoorden?

Weet je het niet? Zoek de betekenis op in een woordenboek.

COMPUTER

3   **Kijk naar de video en doe de opdracht.**

UITVOEREN

4   **Vertel over een recept.**

Ken je een lekker recept dat snel en makkelijk is klaar te maken?
Vertel erover.

Wissel twee keer van rol.

5   **Schrijf een e-mail over een recept.**

Vrienden hebben bij je gegeten. Je hebt voor hen een specialiteit uit je
eigen land klaargemaakt. Ze sturen je een e-mail om je te bedanken voor
het heerlijke eten en vragen of ze het recept van je mogen hebben. Schrijf
een e-mail aan je vrienden waarin je ze het recept geeft. Geef aan wat je
nodig hebt voor vier personen en hoe je het gerecht klaarmaakt.

AFRONDEN

www. ←

6.1   **Stel een maaltijd samen.**

Kies een voorgerecht, een hoofdgerecht en een nagerecht dat je zelf zou
willen maken. Je kunt kijken in losse recepten in de supermarkt, op het
internet, in een krant of een kookboek. Neem de recepten mee naar de les.

6.2   **Stel met elkaar een maaltijd samen.**

Gebruik de recepten van vraag 1. Kies een voorgerecht, een hoofdgerecht
en een nagerecht.

Leren spreken en fouten maken

1   **Lees de zinnen. Ben je het ermee eens? Kruis aan ja of nee.**

		ja	nee
1	Als je goed wilt leren spreken, moet iemand steeds je fouten corrigeren.	☐	☐
2	Bij het spreken corrigeert mijn docent mij steeds. Toch maak ik de volgende keer weer dezelfde fouten.	☐	☐
3	Fouten maken hoort erbij; ze gaan vanzelf over.	☐	☐
4	Als de docent mijn fouten niet direct verbetert, leer ik niets en ga ik niet beter spreken.	☐	☐
5	Bij sommige fouten helpt correctie wel, bij andere niet.	☐	☐
6	Ik probeer tijdens het spreken mezelf te corrigeren.	☐	☐

2   **Hoe moet de docent je fouten corrigeren? Kruis aan.**

Je kunt meer dan één antwoord kiezen.

☐ Hij moet ze op het bord schrijven.
☐ Hij moet met zijn handen aangeven dat woorden niet op de goede plaats staan.
☐ Hij moet mijn zinnen zonder fouten herhalen.
☐ Hij moet een andere cursist mijn zinnen zonder fouten laten herhalen.
☐ Hij hoeft mijn fouten niet te corrigeren.

3   **Vergelijk je antwoorden van opdracht 1 en 2 met twee mede-cursisten.**

Vertel elkaar ook waarom je deze antwoorden hebt gegeven. Zijn jullie het met elkaar eens?

4   **Bespreek samen de resultaten van opdracht 1, 2 en 3.**

TAAK 3 Praten over het gebruik van genotmiddelen

1 **Beantwoord de vragen.**

1 Koffie en sigaretten zijn voorbeelden van genotmiddelen. Kun je zelf nog andere voorbeelden geven?

_____

_____

_____

_____

_____

2 Welke van deze genotmiddelen zijn verboden in Nederland? En in jouw land?

Nederland: _____

Jouw land: _____

2 **Lees de vragen en de teksten. Beantwoord de vragen.**

1 Met wie ben jij het eens?
a Miriam
b Mike
c geen mening

2 Waar of niet waar? Miriam rookt iedere dag hasj.
a waar
b niet waar

Deletie van zinsdelen
Uit: Code Oefenschrift

Oefening

Welk zinsdeel kun je in spreektaal weglaten? Onderstreep dit zinsdeel.

1. Dat was onzin!

2. Wij gingen allemaal kijken.

3. Dan zei mijn moeder: 'Laat los!'

4. Ik had een laag cijfer, dus ik ging naar de leraar toe.

5. Daar had ik veel problemen mee.

6. Dat was een moeilijke tijd.

7. Ik ben blij dat het goed is gegaan.

3   Welke zin is waar?
a   Miriam vindt alcohol slechter voor de gezondheid dan hasj.
b   Miriam vindt hasj slechter voor de gezondheid dan alcohol.

4   Waar of niet waar? Mike vindt dat hasj niet lekker ruikt.
a   waar
b   niet waar

5   Waar of niet waar? Mike vindt het leuk als mensen gaan lachen door het roken van hasj.
a   waar
b   niet waar

6   Welke zin is waar?
a   Mike zegt dat je aan hasj verslaafd kunt raken.
b   Mike zegt dat je aan hasj niet verslaafd kunt raken.

Miriam: Zo af en toe rook ik hasj

Zo af en toe rook ik graag hasj. Niet iedere dag natuurlijk, maar wel vaak in het weekend of op een feestje. Ik voel me dan prettig en kan extra van muziek genieten. Ik voel me vrolijk en het contact met anderen is dan leuker. Soms krijgen we samen een vreselijke lachkick. En al heel lang bestaat het bewijs dat af een toe een beetje hasj roken helemaal geen kwaad kan. De negatieve effecten van alcohol bijvoorbeeld zijn veel groter.

Mike: Hasj roken? Mij niet gezien!

Ik rook wel sigaretten, maar hasj of weed, daar begin ik niet aan. Alleen de lucht al vind ik verschrikkelijk en mensen die hasj gerookt hebben, worden vreselijk sloom of gaan stom zitten lachen. Het is inmiddels wel duidelijk dat als je vaak hasj gebruikt je er ook aan verslaafd kunt raken. Als je één keer hasj hebt gebruikt, is het nog maar een kleine stap om harddrugs als heroïne of cocaïne te gaan gebruiken. Nee dank je, mij niet gezien!

sloom

3   **Lees de tekst. Voer het gesprek.**

Praat over de volgende onderwerpen:

1   Wat is je mening over het Nederlandse gedoogbeleid? Vind je het
    tolerant of slap?
2   Moet het gebruik van softdrugs verboden worden?
3   Moet het gebruik van harddrugs verboden blijven?
4   Welke andere genotmiddelen moeten verboden worden?

Tolerant?

In Nederland en België kun je softdrugs, zoals hasj of weed gebruiken.
In Nederland zijn er zelfs speciale coffeeshops waar softdrugs gerookt
kunnen worden. Het bezit van dertig gram softdrugs en zelfs de productie
van maximaal vijf planten wordt gedoogd. De Nederlandse wet zegt
niet dat het gebruik van softdrugs legaal is. Maar de regering vindt het
niet belangrijk genoeg om het te verbieden.
Handel, verkoop en productie van grote hoeveelheden softdrugs is
verboden. Een coffeeshop mag dus wel kleine hoeveelheden softdrugs
verkopen, maar hoe de coffeeshop de softdrugs moet kopen staat dus
niet in de wet. Daardoor is de markt van de softdrugs in handen van de
georganiseerde criminaliteit.
Veel andere landen zijn veel strenger in het gebruik van softdrugs.
Ze vinden het Nederlandse gedoogbeleid niet tolerant, maar slap.

het bezit	legaal	de criminaliteit
de productie	verbieden	tolerant
de plant	organiseren	slap
gedogen		

AFRONDEN

4   **Gebruik je een van onderstaande genotmiddelen? Kruis aan ja of
nee.**

	ja	nee		ja	nee
koffie	☐	☐	wijn	☐	☐
thee	☐	☐	sterke drank	☐	☐
sigaretten	☐	☐	hasj	☐	☐
bier	☐	☐			

5   **Loop rond. Voer een gesprek over de antwoorden van opdracht 4.**

Zoek een cursist die bij opdracht 4 andere antwoorden heeft aangekruist dan jij. Vertel elkaar waarom je dit genotmiddel wel of niet gebruikt.

6   **Welk genotmiddel vind jij lekker? Voer het gesprek.**

Vertel de anderen over de genotmiddelen die jij gebruikt (drinkt, rookt, enzovoort). Vertel ook hoe je ze gebruikt (drinkt, rookt, enzovoort), hoe vaak, waarom en wanneer. Vind jij geen van de genotmiddelen lekker? Luister dan naar de anderen.

Vertel de anderen:
- hoe
- hoe vaak
- waarom
- wanneer

Regels   *Er*

Waar en daar + prepositie

Ik houd *van* Italiaans eten.
Waar houd je **van**?
Daar houd ik **van**.

Ik heb zin **in** pizza.
Waar heb je zin **in**?
Daar heb ik zin **in**.

Ik ben verslaafd **aan** chocolade.
Waar ben je verslaafd **aan**?
Daar ben ik verslaafd **aan**.

Schrijven over het gebruik van gentechnologie bij voedsel

1 **Wat denk jij? Kruis aan ja of nee.**

Welke van deze producten die je in Nederlandse winkels koopt, mogen geproduceerd worden met gentechnologie?

		ja	nee
1	suiker	☐	☐
2	brood	☐	☐
3	chocolade	☐	☐
4	spruitjes	☐	☐
5	sojasaus	☐	☐
6	appels	☐	☐
7	frisdrank	☐	☐
8	zalm	☐	☐

Kijk bij de antwoorden achter in dit boek. Had je het goed?

2 **Lees de vragen en de tekst. Beantwoord de vragen.**

1 Wat zit er in genen?
a cellen van mensen, dieren en planten
b levende organismen
c erfelijke eigenschappen

2 Is het mogelijk om eigenschappen van een dier naar een plant over te brengen?
a ja
b nee

3 Welke zin is waar?
a Genetisch veranderde rijst kan een gele kleur hebben.
b Genetisch veranderde rijst kan meer vitamine A bevatten.
c a en b zijn beide waar.

4 Welke zin is waar?
a De gevolgen van gentechnologie moeten nog worden onderzocht.
b De gevolgen van gentechnologie zijn al bekend.

Mag het een gen meer zijn?

Genen zitten in alle cellen van levende organismen: mensen, dieren, planten. Ze zitten al in die organismen vanaf hun geboorte, want de ouders geven de genen door van generatie op generatie. Genen bevatten dus de erfelijke eigenschappen.

Om voldoende voedsel beschikbaar te hebben, verandert de mens al eeuwenlang planten en dieren. Door moderne gentechnologie is het mogelijk om genen met bepaalde eigenschappen over te brengen van de ene plant naar de andere, van het ene dier naar het andere dier en zelfs van plant naar dier of van dier naar plant. Zo kun je in rijst een gen van een gele bloem inbouwen. Dit gen zorgt voor meer vitamine A in de rijst en kleurt de rijst geel. Voordat dit soort voedingsmiddelen op de markt mag worden gebracht, moet eerst goed onderzocht zijn of er risico's zijn voor de gezondheid of het milieu.

Maar zijn vitaminetekorten wel op te lossen door gentechnologie of is daar meer voor nodig? Welke gevolgen heeft deze techniek voor de landbouw en wordt het voedselprobleem van de Derde Wereld hierdoor dichter bij een oplossing gebracht? De consumptie van vis en vooral van zalm is de afgelopen jaren flink gestegen. Men onderzoekt nu hoe men meer kan produceren door bijvoorbeeld een zalm te kweken die met een gen van een andere vis beter tegen de kou kan. Maar zullen andere vissen niet verdwijnen door deze sterke zalmen? Komt het natuurlijk evenwicht niet in gevaar?

Er lijkt veel mogelijk met gentechnologie, maar willen we wel dat er zo in de natuur wordt ingegrepen? Zo blijven er veel vragen die nog een antwoord moeten krijgen.

NAAR: BROCHURE ETEN EN GENEN, COMMISSIE BIOTECHNOLOGIE EN VOEDSEL, 2001

het gen	de technologie	de consumptie
het gen	de technologie	de consumptie
de cel	bepaald	kweken
het organisme	de voeding	de kou
de generatie	het risico	verdwijnen
erfelijk	het tekort	het evenwicht
het voedsel	de gezondheid	ingrijpen

COMPUTER

3 **Luister naar de tekst en doe de opdracht.**

UITVOEREN

4 **Lees de zinnen. Zijn het argumenten voor of tegen gentechnologie bij voedsel? Kruis aan.**

	voor	tegen
1 Er is nog geen melding gemaakt van gezondheids-problemen na consumptie van genetisch veranderd voedsel.	☐	☐
2 Ons voedsel verbetert door gentechnologie.	☐	☐
3 Het gebruik van gentechnologie bij voedsel kan een stijging van voedselallergie veroorzaken.	☐	☐
4 We kunnen nog niet zeggen welke effecten gen-technologie in de toekomst zal hebben op de natuur.	☐	☐
5 Met behulp van gentechnologie kan het voedseltekort in de Derde Wereld opgelost worden.	☐	☐
6 Gentechnologie kan tot gevolg hebben dat sommige planten en dieren uit de natuur verdwijnen.	☐	☐

5 **Schrijf een tekst over het gebruik van gentechnologie bij voedsel.**

Schrijf een tekst van ongeveer honderdvijftig woorden. Deel je tekst als volgt in:

• Inleiding (Wat is gentechnologie?)
• Midden (Argumenten voor en tegen gentechnologie)
• Conclusie (Wat is volgens jou de toekomst van de gentechnologie?)

AFRONDEN

 6   **Bespreek samen de conclusies van de teksten van opdracht 5.**

Bespreek samen de ideeën die in de conclusies van opdracht 5 staan over de toekomst van gentechnologie bij voedsel. Zijn jullie het eens?

SLOT

**Kijk nog een keer naar de video en beantwoord de vragen.
Beantwoord de vragen eerst voor jezelf.**

1   Wat doet de vrouw eerst, wat daarna? Zet in de goede volgorde: 1, 2, 3, 4, 5.

_____ groente schillen

_____ groente snijden

_____ water koken

_____ mie en groente mengen

_____ groenten bakken in de wok

2   Wat doet de vrouw met de champignon voor ze hem in de wok doet?

_____

3   Wat doet de vrouw voordat ze de olie in de wok doet?

_____

4   Wat vind je van het gerecht? Kruis aan ja of nee.

	ja	nee
snel	☐	☐
makkelijk	☐	☐
lekker	☐	☐

Bespreek samen de antwoorden.

VERBINDINGEN

- verstand hebben van
- te maken hebben met
- op den duur
- verslaafd raken aan
- onder controle houden
- iets met zich meebrengen
- ergens tegenaan kijken
- met behulp van
- effect hebben op
- ingrijpen in iets
- geen kwaad kunnen
- tot nu toe
- in iemands ogen

IDIOOM

- eten wat de pot schaft
- de liefde van de man gaat door de maag
- een vinger aan de pols houden
- mij niet gezien

EXTRA

Ode aan de Gehaktbal

Oudhollands tafelgebed

Ick vouw mijn handjes samen.
Ick doe mijn oogjes dicht.

En bid dat na het Amen

mijn gehackbal er nog ligt.

BRON: LÉVI WEEMOEDT

Moeders gehaktballen

Vraag aan iemand van boven de veertig wie de lekkerste gehaktballen maakt en het antwoord is altijd: 'mijn moeder'. Moeders gehaktballen winnen altijd. Maar niet voor lang meer, want de moeders van tegenwoordig hebben geen zin meer om te koken als ze om zes uur thuiskomen.

NAAR: WWW.NRC.NL/DISCUSSIE

Dit hoofdstuk gaat over manieren van reizen en over gebeurtenissen tijdens het reizen.

INTRODUCTIE

Luister naar de tekst en doe de opdracht.

TAAK 1

Een gesprek voeren in het openbaar vervoer

VOORBEREIDEN

1   Lees de vragen en de tekst. Beantwoord de vragen.

Iemand maakte een tijdje geleden een praatje in de tram met een vrouw.
Nu zoekt hij contact met haar.

1   Wat betekent 'een praatje maken'? Kruis aan.

☐ een kort gesprek voeren over een eenvoudig onderwerp
☐ een gesprek beginnen
☐ een gesprek voeren met iemand die je niet kent

2 Maak je in het openbaar vervoer weleens een praatje met iemand die je niet kent? Kruis aan.

- ☐ heel vaak
- ☐ soms
- ☐ bijna nooit
- ☐ nooit

Hallo!

Ik zag je op 3 maart bij station Hollands Spoor. Je had blond haar en je was niet zo groot; ongeveer 1.60 meter. De tram was bijna vol en je kwam bij me zitten. Ik zei: 'Het is druk vandaag'. Ja, knikte je. We hebben even een praatje gemaakt. Je zei dat je in Scheveningen woonde en dat je er pas bij de laatste halte uit moest. Ik moest er al eerder uit. Ik vroeg waar je woonde, maar dat wilde je niet zeggen.

Daarna heb ik je nooit meer gezien. Je vertelde toen dat je heel vaak met de tram gaat, meestal met lijn 8 of 9. Ik hoop dat je dit leest en dat ik je nog een keer tegenkom in de tram. Dan kunnen we misschien een langer praatje maken …

PUTER

2.1 **Luister naar de tekst en doe de opdracht.**

COMPUTER

WERKBLAD

2.2 **Luister nog een keer naar de tekst en kijk op het werkblad.**

Vergelijk de twee teksten. Let op de verschillen tussen het eerste gesprek en het tweede gesprek. Aan welke zinnen kun je zien dat in het eerste gesprek de derde spreker géén zin heeft in een praatje en in het tweede gesprek wel? Onderstreep deze zinnen.

3 **Bespreek samen de resultaten van opdracht 2.**

UITVOEREN

4 **Voer korte gesprekken in het openbaar vervoer.**

Maak een binnencirkel en een buitencirkel. De groep in de binnencirkel is cursist A. De groep in de buitencirkel is cursist B.

Oefen twee situaties:
1   Iemand begint met je te praten en je hebt géén zin in een praatje. Reageer beleefd.
2   Iemand begint met je te praten en je hebt wel zin in een praatje. Maak een praatje.

Cursist A Je begint het gesprek. Je zegt: 'Wat een weer, hè' of 'Wat is het vol in de tram vandaag, hè'.

Cursist B Je reageert. Er volgt een gesprek. Cursist A beëindigt het gesprek.

Daarna gaat cursist A één plaats naar rechts en praat tegen een volgende cursist B, enzovoort. Wissel na drie keer van rol.

5 **Luister naar gesprekken in het openbaar vervoer.**

Schrijf enkele zinnen op. Neem de resultaten mee naar de les.

6 **Bespreek samen de resultaten van opdracht 4 en 5.**

Praat over de overeenkomsten en verschillen tussen de gesprekken van opdracht 4 en wat jullie hebben opgeschreven bij opdracht 5.

7   **Vind je een praatje maken in het Nederlands makkelijk of moeilijk? Waarom?**

Kijk nog eens naar vraag 2 van opdracht 1. Vergelijk jullie antwoorden. Vertel waarom je het makkelijk of moeilijk vindt om een praatje in het Nederlands te maken.

TAAK 2 Praten over pech onderweg

VOORBEREIDEN

1   **Weet je wat de wegenwacht is? Schrijf je antwoord op.**

Controleer je antwoord bij het kijken naar de video van opdracht 2.

het geluk	starten	branden
de pech	de accu	de wegenwacht

COMPUTER

2 **Kijk naar de video en doe de opdracht.**

Pech onderweg

De wegenwacht is een onderdeel van de ANWB. De ANWB is een vereniging die service biedt aan automobilisten en andere weggebruikers. Iedereen in Nederland heeft wel van de ANWB gehoord, maar wat de ANWB precies doet, weten de meeste mensen niet. De ANWB is bekend door zijn acties voor het aanleggen van meer wegen, maar nog meer door de wegenwacht. Om gebruik te kunnen maken van de wegenwacht, moet je eerst lid worden van de ANWB en dan van de wegenwacht. Zo'n 3,5 miljoen ANWB-leden zijn ook lid van de wegenwacht en per jaar maken bijna 1,5 miljoen mensen er ook echt gebruik van. De wegenwacht komt ook als je geen lid bent, maar je moet dan wel meteen lid worden. Als je lid bent van de wegenwacht, kun je 24 uur per dag (ook op zaterdag en zondag) gratis hulp krijgen. De wegenwacht repareert je auto en zorgt dat je weer verder kunt. Als dat niet lukt, kunnen jij en je auto weggebracht worden naar huis of bijvoorbeeld naar een garage. Als je extra betaalt, kun je ook in je woonplaats en voor de deur van je huis hulp krijgen.

NAAR: WWW.ANWB.NL

| het onderdeel | aanleggen | de garage |
| de automobilist | | |

UITVOEREN

3 **De docent vertelt een verhaal. Maak het verhaal af.**

De docent vertelt over een ervaring met de wegenwacht. Hij vertelt alleen het begin van het verhaal. Luister naar de docent en maak aantekeningen. Bedenk met twee medecursisten hoe het verhaal verdergaat.

4 **Vertel het vervolg van het verhaal aan de groep.**

De rest van de groep luistert en vergelijkt dit met zijn eigen verhaal. Daarna vertelt een andere cursist zijn vervolg van het verhaal.

5   **Voer het gesprek.**

Praat met elkaar over pech onderweg. Gebruik de vragen. Bedenk eerst
wat je wilt vertellen. Als je nooit pech hebt gehad, luister dan naar wat de
anderen vertellen.

1   Heb je zelf weleens pech gehad? Was dat met de auto of een ander
   vervoermiddel?
2   Was dat in Nederland of in een ander land?
3   Wat was er toen aan de hand?
4   Wat heb je toen gedaan?
5   Is er in jouw land ook een organisatie zoals de wegenwacht?
6   Ben je lid van de wegenwacht?
7   Zo niet, zou je lid willen worden?

AFRONDEN

6   **Vul het schema in.**

Hoeveel mensen uit de groep hebben weleens pech gehad? Hoeveel mensen
uit de groep zijn lid van de wegenwacht? Wie zouden er lid willen worden?
Vul met de groep het schema in.

hoeveel mensen hebben ooit pech gehad?	hoeveel mensen zijn lid van de wegenwacht?	hoeveel mensen willen lid worden?

Luistervaardigheid

1 Lees de zinnen. Ben je het ermee eens? Kruis aan ja of nee.

		ja	nee
1	Als ik een taal leer, dan vind ik luisteren het moeilijkst.	☐	☐
2	Luisteren kun je alleen leren door naar de Nederlandse docent te luisteren.	☐	☐
3	Luisteren is moeilijk, omdat Nederlanders zo snel spreken.	☐	☐
4	Luisteren is moeilijk, omdat je niet kunt zien waar het ene woord eindigt en het volgende woord begint.	☐	☐
5	Luisteren kun je leren door tijdens het luisteren met de tekst mee te lezen.	☐	☐

2 Hoe luister jij? Kruis aan.

Je kunt meerdere antwoorden kiezen.

Als ik naar een luistertekst luister, dan …
☐ luister ik met mijn ogen dicht.
☐ schrijf ik nieuwe woorden op.
☐ lees ik graag met de tekst mee.

☐ _____

3 Hoe verbeter jij buiten de les je luistervaardigheid? Kruis aan.

Je kunt meerdere antwoorden kiezen.

☐ Ik kijk veel naar het (jeugd)journaal.
☐ Ik luister naar de televisie en lees de ondertiteling.
☐ Ik luister naar de mensen om me heen als ik in de bus of trein zit.

☐ _____

3 Bespreek de antwoorden van opdracht 1 en 2.

Vertel elkaar wat je bij opdracht 1 en 2 hebt geantwoord. Vertel elkaar ook waarom je deze antwoorden hebt gegeven.

4 Bespreek samen de resultaten van opdracht 1, 2 en 3.

De beste manier van reizen kiezen

1   Beantwoord de vragen.

1   In welke steden in Nederland en België (behalve je woonplaats) ben je weleens geweest?

_____

2   Op welke manier ben je daar toen naartoe gereisd? Met de auto of op een andere manier? Waarom?

_____

_____

3   Op welke manier ga je meestal naar je familie, vrienden of kennissen? Waarom?

_____

_____

2   Lees de vraag en de teksten. Beantwoord de vraag.

Je leest vijf teksten over verschillende manieren van reizen en de voor- en nadelen ervan.

1   Welke titel past het beste bij welke tekst? Vul het nummer van de tekst in.

	tekst
Geef mij maar de file!	_____
Telefoongesprekken in de trein.	_____
Wie aan het milieu denkt, neemt geen auto.	_____
Met het openbaar vervoer naar familie in het oosten van het land.	_____
Met de bus door Indonesië.	_____

Tekst 1

'Wij hebben geen van beiden een rijbewijs en gaan ons hele leven lang al met de trein, bus, tram, taxi en vooral de fiets. Met kinderen gaat dat prima; we hebben drie zoons van 18, 16 en 14 jaar. Wij vinden het vreemd dat er mensen zijn die niet zonder auto kunnen. Sterker nog: wij zijn tegen particulier autobezit. Auto's zijn duur, nemen verschrikkelijk veel plaats in op straat en – en dat is voor ons de belangrijkste reden – ze zorgen voor een enorme milieuvervuiling.'

Tekst 2

'Op het busstation beloofden ze me dat er om 15.00 uur een bus zou vertrekken. Ik zei dat ik in ieder geval weg wilde. Gelukkig kwam er inderdaad al snel een bus. Eentje met toilet. Alleen de stoelen waren volledig kapot. De bus was zeker vijfentwintig jaar oud. Dus dan weet je wel hoe laat het is. Het werd een reis van dertig uur. Tot Lubuklinggau was de weg in goede staat. Maar daarna … Van Lubuklinggau tot Bandarlampung was de weg één grote ellende. Nog erger dan Cambodja. Mijn arme billen. Bont en blauw. Ik was helemaal op. Het kostte me twee dagen om weer een beetje te herstellen van de reis. Vreselijk. Ik had zo'n spijt dat ik het vliegtuig niet had genomen!'

Tekst 3

'Ja joh, je gelooft het niet; ik heb weer enorme vertraging. Maar ik zit nu eindelijk in de trein naar Den Haag.'

Even later.

'Hoi. Nee, het wordt nog later. Ik blijk in de trein naar Amsterdam te zitten. Zo stom. De mensen achter mij zitten ook in de verkeerde trein, hoorde ik. Het is echt shit.'

Een bankje verder.

'Nee, nee, ik denk dat ik maar terugga. Ik kom nooit op tijd. Ik zit in de verkeerde trein. Dus ik ga gewoon terug, oké?'

NAAR: DE VOLKSKRANT, 26 NOVEMBER 2003

Tekst 4

'Vertrek uit Nieuwegein.
Twintig minuten tram naar Utrecht.
Wachten …
Half uur trein naar Arnhem.
Wachten …
Kwartier trein naar Zevenaar.
Wachten …
Kwartier trein naar Doetinchem.
Wachten …

Twintig minuten bus naar Aalten.
We zijn er! Opa en oma staan al op het station.'

'Reistijden opgeteld: Eén uur en veertig minuten. Zonder wachttijden.'

'Wachten in Utrecht: circa tien minuten.
In Arnhem: circa tien minuten.
In Zevenaar: een kwartier.
In Doetinchem: bijna een half uur.'

'Totale reistijd met wachttijd: bijna drie uur.
Afstand: 125 km.
Reistijd met eigen auto: anderhalf uur.'

Tekst 5
'Files, geniet ervan! Wat is er nou lekkerder dan wakker worden in je
zelfgekozen ruimte met zelfgekozen muziek en zonder vreemde blikken
van een sigaret genieten? Dat gezeur over files. Dan duurt de reis maar
langer. Nou en? Nou dan, geniet ervan! Tot morgen rond acht uur op
de A2.'

vreemd	beloven	herstellen
particulier	zeker	de blik
enorm	de ellende	het gezeur
de vervuiling	de bil	

3   **Maak een overzicht van voor- en nadelen van verschillende manieren van reizen.**

Gebruik de informatie uit de teksten van opdracht 2 en bedenk zelf enkele voor- en nadelen. Doe dit ook bij manieren van reizen die niet in de teksten zijn genoemd.

	voordelen	nadelen
boot		
trein		
fiets		
auto		
vliegtuig		
bus		
taxi		
liften		

4   **Vergelijk het ingevulde schema met dat van een andere cursist.**

Praat over verschillen en overeenkomsten. Vertel waarom je iets een voordeel of een nadeel vindt.

5   **Verzamel informatie over verschillende manieren van reizen.**

Verzamel informatie over verschillende manieren van reizen tussen je woonplaats en een aantal bestemmingen.
Kijk op internet, ga naar de informatiebalie op een station of naar een reisbureau. Verzamel informatie over de prijs en de reisduur en kies een manier van reizen. Waarom kies je voor die manier van reizen?

Kies één van de volgende situaties:
1   Op een warme zomerdag met een vriend of vriendin naar het strand.
2   Met z'n tweeën op familiebezoek in je eigen land.
3   Met een vriend of vriendin in de zomervakantie naar Ibiza.
4   Met een gezin met twee kinderen naar Amsterdam om te winkelen.
5   Met vier kinderen naar het Dolfinarium in Harderwijk.
6   Met een gezin met drie kinderen op familiebezoek in Antwerpen.

6   **Vergelijk je resultaten van opdracht 5 met die van een medecursist.**

Zoek een medecursist die dezelfde bestemming heeft gekozen. Licht je
keuze toe. Wat is het belangrijkste argument voor je keuze?

AFRONDEN

7   **Vul het schema in.**

Welke bestemmingen zijn gekozen en welke manieren van reizen?

bestemming	aantal keren gekozen	manier van reizen
strand		
eigen land		
Ibiza		
Amsterdam		
Dolfinarium in Harderwijk		
Antwerpen		

Regels   *De zin*

Woordvolgorde: tijd en plaats

Ik	zag je	op 3 maart	op station Hollands Spoor.	
Ik	zit	nu	in de trein.	
De trein	vertrekt	vandaag	van spoor 4A.	
Sanne	heeft	in 1985	in Groningen	gestudeerd.

    Eerst **tijd**, dan **plaats**.

TAAK 4 · Vertellen over een vervelende reiservaring

1 **Wat heb jij meegemaakt? Kruis aan.**

☐ in de verkeerde trein stappen en dat pas merken als hij al rijdt
☐ een auto-ongeluk
☐ met iemand meeliften die heel gevaarlijk rijdt

☐ _____

2 **Lees de zinnen en de teksten. Waar of niet waar?**

1 Een bijrijder rijdt niet zelf.
a waar
b niet waar

2 De tegenligger kwam van links.
a waar
b niet waar

> **Met de takelwagen naar huis**
>
> 'Ik ben een keer met een takelwagen naar huis gekomen. Als bijrijder dan … Op een volle parkeerplaats bij het huis van mijn zus in Vlissingen zag ik niet dat er een tegenligger de hoek om kwam. Voor ik wist wat er gebeurde, hoorde ik een enorme klap. Ik zat te trillen op mijn stoel en wist even niet wat ik moest doen. Toen ik was uitgestapt, zag ik dat de hele rechterkant in elkaar zat. De chauffeur van die andere auto was gelukkig heel aardig. Samen vulden we het schadeformulier in en later heeft hij de wegenwacht voor me gebeld. Ik was zo in de war dat ik niet meer goed kon denken.
> Na een tijdje kwam er een grote takelwagen. Mijn auto werd daarop gereden en ik mocht naast de chauffeur zitten. Zo werden mijn auto en ik naar huis gebracht.'

de takelwagen	de tegenligger	de klap
de bijrijder	de hoek	trillen
de parkeerplaats		

3   Iedereen moest snel het vliegtuig uit, omdat het landingsgestel in
brand stond.
a   waar
b   niet waar

4   De passagiers moesten lang op hun bagage wachten.
a   waar
b   niet waar

Wachten op Schiphol

'In de kerstvakantie was ik naar mijn ouders in Polen geweest. Op
2 januari kwam ik op Schiphol aan. Het vliegtuig was net geland, toen
de piloot bekendmaakte dat we het vliegtuig onmiddellijk moesten
verlaten. We keken allemaal ongerust om ons heen. Wat zou er zijn?
De piloot zei er niet bij wat er aan de hand was. We moesten echt
opschieten; we mochten zelfs onze handbagage niet meer pakken.
We moesten meteen allemaal naar de vertrekhal. Daar begonnen de
verhalen. Iemand zei dat het landingsgestel in brand stond. Hij had
rook gezien. Een ander beweerde dat er rook uit het keukentje kwam.
Er was dus brand aan boord.
Na drie uur wachten kwam er een stewardess die ons vertelde wat er aan
de hand was. In het toilet van het vliegtuig was een briefje gevonden
waarop stond dat ergens in het vliegtuig een bom lag. We konden
eindelijk ook onze bagage ophalen; die was eerst helemaal gecontroleerd.'

landen	de bagage	de rook
onmiddellijk	het landingsgestel	(aan) boord
verlaten	beweren	de bom
ongerust		

5   De trein moest stoppen omdat er een auto onder de trein was gekomen.
a   waar
b   niet waar

6   De passagiers moesten uitstappen en naar het volgende station lopen.
a   waar
b   niet waar

Lopen naar Zwolle

'Vanochtend ben ik eerst met de auto naar het station in Assen gereden.
Vanaf daar moest ik verder met de trein. Om 10.00 uur vertrok die. Ik
moest een heel eind, naar Rotterdam-Zuid. Daar woont sinds kort een
heel goede vriendin van me en ik ging bij haar op bezoek. De trein had
ongeveer een half uur gereden, toen hij net voor Zwolle plotseling
stopte. Toen werd er omgeroepen dat er een ernstig ongeluk was
gebeurd en dat de trein niet verder zou gaan. We moesten allemaal
uitstappen; gewoon daar, midden tussen de weilanden en verder naar
Zwolle lopen.
Het werd helemaal stil in de trein; iedereen keek een beetje geschrokken
om zich heen. Langzaam stond er iemand op, pakte zijn jas en bagage
en liep naar de uitgang. Toen begon iedereen plotseling druk met
elkaar te praten: 'Wat zou er precies gebeurd zijn.'
Nadat we ongeveer vijf minuten hadden gelopen, kwamen we in Zwolle
aan. Daar hoorden we dat er iemand voor de trein was gesprongen.
Zo triest.
We moesten overstappen op een trein naar Deventer, daar weer overstappen op een trein naar Amersfoort. In Amersfoort kon ik de trein naar
Rotterdam-Centraal nemen. Vanaf Rotterdam-Centraal moest ik nog
een klein stukje met de tram naar Rotterdam-Zuid. En toen was ik er.'

omroepen	de uitgang	overstappen
stil	triest	

7   Er werd omgeroepen dat de trein van een ander spoor zou vertrekken.
a   waar
b   niet waar

8   De man of vrouw haalde de trein nog net.

a   waar

b   niet waar

> **Ander spoor**
>
> 'Ik was nog niet zo lang in Nederland en ik verstond de taal nog niet zo
> goed. Ik stond op het perron in Haarlem. Iemand riep iets om, maar het
> was heel onduidelijk voor me. Ineens begon iedereen te rennen. Het
> perron liep helemaal leeg. Ik begreep er niets van. Wat moest ik nu
> doen? Ik keek bezorgd om me heen. Gelukkig kwam er een conducteur
> naar me toe en hij zei: 'U moet naar spoor 4a. De trein naar Amsterdam
> vertrekt vandaag van 4a.' Ik snel naar 4a. Toen ik daar aankwam, zag ik
> de trein nog net wegrijden …'

bezorgd	de conducteur

**3.1   Welke reiservaring uit opdracht 2 vind je het vervelendst?
Vul het schema in.**

Kies uit de volgende beoordelingen of bedenk zelf een beoordeling:
helemaal niet vervelend – niet zo vervelend – vervelend – heel vervelend.

**3.2   Hoe zou jij je voelen als je zoiets meemaakte? Vul het schema
verder in.**

Kies uit de volgende woorden het woord dat je het beste vindt passen bij je
gevoel of kies een eigen woord:
boos – stom – in de war – bang – bezorgd – geschrokken – triest – blij –
verlegen.

	beoordeling	gevoel
Met de takelwagen naar huis		
Wachten op Schiphol		
Lopen naar Zwolle		

4   **Maak het volgende verhaal af in ongeveer zestig woorden.**

'Toen ik voor het eerst naar Nederland vloog, had ik in Moskou een transfer. Ik kon echter al die Russische bordjes niet lezen; opeens zag ik een bagageband ronddraaien en stond ik oog in oog met een Russische man in uniform. Hij wees naar een tafel achter mij waarop formulieren (in het Russisch) lagen. Ik vulde er één in. Tenminste, ik schreef mijn naam ergens op. De man knikte, gaf me stempels en liet me door.
Ik moest wachten tot mijn vliegtuig vertrok. Toen het tijd was, ging ik in de rij staan. Na een tijdje was ik aan de beurt. Meteen kwam er een strenge vraag, in het Engels: 'Waar is uw visum?' 'Mijn visum? Ik heb voor een transfer toch geen visum nodig?' 'Ja, maar u bent nu in Rusland en om het land te verlaten, heeft u een visum nodig.' …

NAAR: DE VOLKSKRANT, 6 SEPTEMBER 2003

5   **Kijk nog een keer naar je antwoord bij opdracht 1. Vertel erover.**

Stel elkaar ook vragen. Bedenk eerst wat je wilt vertellen.

6   **Per drietal vertelt één cursist zijn verhaal aan de groep.**

De rest van de groep kan na afloop nog een paar vragen stellen.

7   **Een verhaal vertellen in een klein groepje of voor de hele groep. Wat vind je moeilijker?**

Jullie praten samen over het verschil tussen een verhaal vertellen in een klein groepje en voor de hele groep. Wat vind je moeilijker? Waarom? Vind je spreken voor de groep een goede oefening?

Transportwerkwoorden

Ik **heb** een half uur over de markt gelopen.
Ik **heb** vanochtend voor het eerst in mijn nieuwe auto gereden.
Vanochtend **ben** ik eerst met de auto naar het station in Assen gereden.
Ik **ben** naar Serooskerke gefietst.

Andere voorbeelden van transportwerkwoorden zijn: vliegen, wandelen, zwemmen.

→ Bij transportwerkwoorden gebruiken we 'zijn' als persoonsvorm in het perfectum als we een richting aangeven (naar + plaats). Geven we geen richting aan, dan gebruiken we 'hebben' als persoonsvorm.

SLOT

Geef je mening over het openbaar vervoer in Nederland. Gebruik ongeveer 75 woorden.

VERBINDINGEN   **IDIOOM**

- ter hoogte van
- een praatje maken met
- je gang gaan
- ´zonder (auto) kunnen
- aan de ene kant ... aan de andere kant
- in ieder geval
- om je heen kijken
- service bieden aan
- verbonden zijn met

- als haringen in een ton
- bont en blauw
- in de war zijn
- dan weet je wel hoe laat het is

COMPUTER

Je kunt dit lied beluisteren op de computer. Ga naar hoofdstuk 20 en kies 'Oefenen'. Kies 'Luisteren' en klik op opdracht 1.

Sonja van Veen

Ze zit in de trein, ze houdt van zonnen en wijn.
Ze is heel mooi, ze is bruin, ze zit wat schuin.
Ze kijkt uit het raam, Sonja van Veen is haar naam,
met op haar schoot een cyclaam; heel aangenaam.
Die mooie Sonja van Veen, waar gaat zij helemaal alleen heen?

Sonja van Veen,
waar gaat zij heen,
zomaar alleen
Sonja van Veen?

Nu pakt ze haar jas en ze staat op, neemt haar tas,
misschien moet Sonja van Veen gewoon een plas.
Ze verlaat de coupé en gaat wel richting wc,
komt langs de deurknop maar nee – wat nu? – Oh jee …
Sonja blijft staan en zij laat stilletjes een traan gaan.

Sonja van Veen,
ben je alleen?
Waar ga je heen,
Sonja van Veen?

De trein mindert vaart, het lijkt of Sonja bedaart,
maar waarom is het dat zij zo droevig staart?
In het station stapt Sonja op het perron
en zij verdwijnt als een schim tussen 't beton.
Men ziet voor het raam alleen nog eenzaam de cyclaam staan.

Sonja van Veen,
waar ging zij heen,
zomaar alleen,
Sonja van Veen?

Men ziet voor het raam alleen nog eenzaam de cyclaam staan.

Sonja van Veen,
waar ging zij heen,
zomaar alleen,
Sonja van Veen?

BRON: BRIGITTE KAANDORP, KAANDORP ZINGT, 2000

TEKST: BRIGITTE KAANDORP

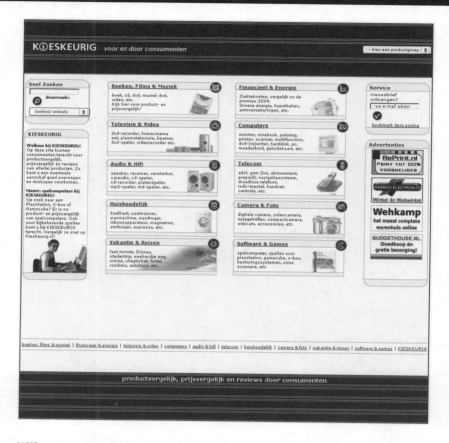

www. ←

Kijk op www.marktplaats.nl en op www.kieskeurig.nl.

Welke site vind je het interessantst? Waarom?

_____

Zou je iets willen kopen via deze site? Zo ja, wat?

_____

Je koopgedrag karakteriseren

1   Aan welke artikelen denk je bij de woorden 'winkelen' of 'shoppen'?

_____

_____

2   Lees de tekst en beantwoord de vragen.

Koopjes in Bataviastad

Bataviastad, in de polder, is het eerste outletcentrum van Nederland.
Daar vind je een groot aantal winkels dat merkartikelen verkoopt met
flinke kortingen. Het gaat bijvoorbeeld om kleren van vorige winter of
zomer of met kleine foutjes erin, van merken als Benetton of Replay.
Mensen uit heel Nederland komen – vaak met het hele gezin – naar
Bataviastad om een dagje te shoppen. Het is er altijd druk. Het succes
van het winkelcentrum blijkt uit de cijfers: 63 procent van de mensen
die er komen, koopt echt wat. In gewone winkelstraten is dat 30 procent.

NAAR: ROOS SCHLIKKER, VRIJ NEDERLAND, 1 NOVEMBER 2003

het artikel	de polder

Kruis aan ja of nee.

		ja	nee
1	Ga jij weleens een dagje shoppen?	☐	☐
2	Zo ja, koop je dan meestal iets?	☐	☐

3   **Luister naar de tekst en doe de opdracht.**

4   **Luister naar de tekst en doe de opdracht.**

5   **Lees de teksten. Vul de goede letter in.**

Welke zin hoort in het gat in de tekst?

a   Ik ben een kritische koper.
b   Ik ben een koopjesjager.
c   Ik ben een merkengek.
d   Ik ben een impulsieve koper.
e   Ik heb een gat in mijn hand.

Dave (30): 'Ik heb de afgelopen maand erg veel gekocht. Mijn grootste aankoop was een scooter, een tweedehands Vespa. Ik vond hem via de site marktplaats.nl, bij een man in Brabant, voor € 400,–. Verder heb ik deze maand in Amsterdam een broek van Hugo Boss en een jasje van Trussardi gekocht. Winkelen doe ik het liefst in Amsterdam. Ik heb daar een paar vaste winkels waar ze Trussardi, Hugo Boss en Burberry verkopen. _____ '

Yousef (20): 'Toen ik genoeg geld had voor een computer heb ik eerst in tijdschriften en op internet gekeken wat er allemaal te koop was. En toen ik wist wat ik wilde hebben, ben ik prijzen gaan vergelijken. Uiteindelijk heb ik m'n computer gekocht in een zaak waar ze ook een goede service bieden. _____ '

Zeki (18): 'Zonder muziek kan ik niet leven. Ik download veel van internet, maar ik heb ook mijn favoriete cd-winkel waar ze veel tweede- hands hebben. Als ik een leuke cd zie, kan ik hem niet laten liggen, dan moet ik hem metéén kopen. _____ Soms heb ik achteraf spijt dat ik niet even de tijd genomen heb om goed naar zo'n cd te luisteren. Ze zijn lang niet allemaal even goed natuurlijk.'

Bella (33): 'Ik ben dol op winkelen, ik kan net zolang shoppen tot mijn pinpas het niet meer doet. Elke keer kom ik met tassen vol thuis; ik koop gewoon alles wat ik leuk vind. Als ik rood sta, vraag ik het pinpasje van mijn man. Dat moet ik alleen niet te vaak doen, want dan krijgen we ruzie. Hij vindt dat ik veel te veel geld uitgeef. _____ Nou, en?'

Anneke (30): 'Ik wil graag voor een dubbeltje op de eerste rang zitten: ik let heel goed op de aanbiedingen of ik wacht op de uitverkoop. Die troep van H&M hoef ik niet. Gisteren ben ik met de kinderen naar een outletcentrum geweest, daar hebben we goede kleren gekocht voor weinig geld. Daar krijg ik nou een kick van. _____ '

de koopjesjager	de scooter	achteraf
impulsief	de zaak	zolang
de aankoop	downloaden	de troep

UITVOEREN

6   **Hoe is jouw koopgedrag? Beantwoord de vragen.**

1   Koop je weleens iets tweedehands? Zo ja, geef een voorbeeld.

_____

2   Koop je weleens iets via internet? Zo ja, geef een voorbeeld.

_____

3   Heb je favoriete winkels voor shoppen? Zo ja, geef een voorbeeld.

_____

4   Heb je favoriete winkels voor grote aankopen zoals een computer of een televisie? Zo ja, geef een voorbeeld.

_____

5   Probeer je weleens af te dingen? Zo ja, geef een voorbeeld.

_____

6   Wat voor type koper ben jij? Kruis aan. Je kunt meerdere antwoorden kiezen.

☐ Ik ben een kritische koper.
☐ Ik ben een koopjesjager.
☐ Ik ben een merkengek.
☐ Ik ben een impulsieve koper.
☐ Ik heb een gat in mijn hand.

☐ _____

7.1   **Vergelijk je antwoorden van opdracht 6 met die van een mede-cursist.**

Licht je koopgedrag toe.

7.2   **Stel elkaar vragen over je koopgedrag.**

Bijvoorbeeld: Wat doe je als je een bed moet kopen?

8   **Beschrijf je koopgedrag.**

Schrijf een tekst van ongeveer 75 woorden over je koopgedrag.

Beschrijf:
• wat je doet als je een telefoon wilt kopen;
• wat je doet als je een trui wilt kopen;
• wat je doet als je een televisie wilt kopen.

Vertel ook of er periodes zijn waarin je veel aankopen doet (kleren, schoenen, cadeautjes en grote aankopen) en wat je dan koopt.

Regels	Het verbum

Zou (advies)

Zou je dat nou wel doen?
Zou je die jas niet volgende maand kopen?

→   'Zou' kun je gebruiken om een advies te geven.
Een andere manier van zeggen is: Als ik jou was, kocht ik hem nu niet.

AFRONDEN

9   **Wat voor type koper is Nina?**

Je hebt in opdracht 3 geluisterd naar Nina en Tania die samen winkelen.
Nina koopt de eerste jas die ze past. Wat voor type koper is ze?

Nina is ...
a   een impulsieve koper.
b   een koopjesjager.
c   een kritische koper.

Vergelijk je antwoord met een medecursist.

Hebben jullie hetzelfde antwoord?

TAAK
2
Praten over bezuinigen

VOORBEREIDEN

1   **Waar heb je de afgelopen twee dagen geld aan uitgegeven?**

_____

_____

2   **Lees de vragen en de tekst. Beantwoord de vragen.**

Isabelle bezuinigt op eten en drinken, kleren en cadeaus.
Hoe doet ze dat? Haal zo veel mogelijk manieren van bezuinigen uit de
tekst.

_____   _____

_____   _____

_____   _____

_____   _____

Waarop zou ze nog meer kunnen bezuinigen?

_____

€ 10,– per dag

Minder geld uitgeven, zonder al te veel pijn, kan dat? Isabelle Kraan,
studente in Amsterdam, probeerde een week lang van € 10,– per dag
rond te komen.

Dinsdag

Een vriendin belt me of ik mee ga lunchen. Ik twijfel, maar besluit toch
te gaan; ik heb haar al een tijdje niet gesproken. In café Lust krijg ik de
eerste klap: een broodje kan ik niet betalen, ik kan alleen een kopje koffie
bestellen (€ 2,–). Op weg naar huis doe ik voor twee dagen boodschappen bij Dirk, de goedkoopste supermarkt in de buurt (€ 7,80).
's Avonds drink ik gratis bier bij Ebeling op de Overtoom, omdat daar
een vriend achter de bar staat.
Dagtotaal: € 9,80.

Woensdag

Al vroeg vertrek ik naar de universiteit. Ik haal geen lekkere afhaalkoffie
bij Coffee Connection, maar drink een kopje koffie uit de automaat. Het
kost maar € 0,50 en smaakt ook naar € 0,50. Ik heb broodjes van huis
meegenomen die ik tussen de middag opeet. Helaas zijn mijn sigaretten
op, een grote uitgave van € 3,35. Met de boodschappen van gisteren
maak ik nog een maaltijd. 's Avonds rijd ik met een vriendin en een fles
huiswijn van Albert Heijn naar het strand. Voor € 2,– per persoon hebben we een geweldige avond.
Dagtotaal: € 5,85.

Donderdag

Ik moet weer studeren (koffie: € 0,50), doe boodschappen voor een paar dagen (€ 6,–) en ik kan 's avonds voor € 3,– mee-eten in het restaurant waar ik werk.
Dagtotaal: € 9,50.

Vrijdag

De dag begint duur, met een pakje sigaretten en een nieuwe deodorant (samen: € 6,35). Omdat ik die avond bij een vriendin ga eten, koop ik nog een bos bloemen. De goedkoopste bos die er een beetje aardig uitziet kost € 6,– en daarmee zit ik al boven de € 10,–. Niets aan te doen, ik ben wel weer een avondje onder de pannen.
Dagtotaal: € 12,35.

Zaterdag

Vanavond geeft een vriend een feestje. In plaats van iets duurs te kopen, ga ik zelf aan de slag. Bij Xenos koop ik voor € 3,– drie fotolijstjes die ik goud spuit. Ik doe er drie foto's van ons samen in. Ik kan weer warm eten in het restaurant waar ik werk (€ 3,–). Wanneer de laatste mensen vertrokken zijn, ga ik naar het feestje. Mijn cadeautjes zijn een groot succes.
Dagtotaal: € 6,–.

Zondag

Ik heb zin in winkelen, maar met € 10,– kom je niet ver. Ik ga toch de stad in en voor het eerst deze week heb ik het moeilijk. In koken heb ik al helemaal geen zin, dus haal ik bij de Surinaamse toko een vegetarische roti. De portie is enorm en kost maar € 4,50. Sigaretje erna: € 3,35.
Dagtotaal: € 7,85.

Maandag

Op de Noordermarkt vind ik een geweldig T-shirt dat ik na een beetje afdingen voor € 6,– krijg. 's Middags ga ik naar het strand met brood-jes, fruit en drinken. Als ik na een lange wandeling thuiskom, staat er nog een halve afhaalmaaltijd in de koelkast. Ik kijk tv en hang aan de tele-foon. Morgen is het gelukkig voorbij.
Dagtotaal: € 6,–.

NAAR: ELLE, OKTOBER 2003

twijfelen	de uitgave	goud
besluiten	mee-eten	spuiten
afhalen	de deodorant	vegetarisch
opeten	het lijstje	de portie

UITVOEREN

3.1   Waar geven jullie allebei geld aan uit? Maak een lijst.

Het gaat niet om vaste kosten als huur, gas, licht, water, enzovoort.
Maar om dingen als eten en drinken, uitgaan, enzovoort.

3.2   Waar kunnen jullie op bezuinigen? Overleg samen.

Jullie wonen samen in één huis en jullie moeten bezuinigen.

3.3   Waar gaan jullie op bezuinigen? Schrijf op.

Jullie moeten het samen eens worden over:
• op welke dingen jullie kunnen en willen bezuinigen;
• hoe jullie dat gaan doen.
Schrijf de afspraken op een vel papier. Bijvoorbeeld: Niet meer uit eten
gaan, maar zelf koken.

Waarop zouden jullie nooit bezuinigen? Schrijf op.

AFRONDEN

4   Vertel elkaar waarop je nooit zou bezuinigen.

Regels   *De conjunctie*

Als en wanneer

Als ik na een lange wandeling thuiskom, staat er nog een halve afhaal-
maaltijd in de koelkast.
Ik vraag het pinpasje van mijn man, als ik rood sta.
Wanneer de laatste mensen vertrokken zijn, ga ik naar huis.
Ik neem broodjes en drinken mee, wanneer ik naar het strand ga.

→   'Als' en 'wanneer' betekenen hetzelfde: 'op het moment dat'. 'Wanneer'
gebruik je vooral in schrijftaal.
Ze introduceren een bijzin en de verba staan in het presens of het perfectum.

Van wie leer je Nederlands?

1   Lees de zinnen. Ben je het ermee eens? Kruis aan ja of nee.

		ja	nee
1	Je leert geen Nederlands door die taal met andere buitenlanders te spreken (bijvoorbeeld tijdens de les).	☐	☐
2	Het is goed om buiten de les altijd Nederlands met de Nederlanders te spreken.	☐	☐
3	Het is moeilijk om bijvoorbeeld in winkels Nederlands te spreken, omdat veel Nederlanders Engels met je willen spreken.	☐	☐
4	Nederlanders hebben geen tijd om naar je Nederlands te luisteren.	☐	☐
5	Je leert genoeg Nederlands door alleen met je docent Nederlands te praten.	☐	☐

2   Waardoor leer jij steeds beter Nederlands spreken? Kruis aan.

Je kunt meerdere antwoorden kiezen.

Ik leer steeds beter Nederlands spreken door:
☐ te zeggen dat ik geen Engels spreek.
☐ met mijn man/vrouw, vriend/vriendin, schoonmoeder/schoonvader steeds vaker Nederlands te spreken.
☐ een Nederlander mijn taal te leren terwijl hij mij Nederlands leert.
☐ in het bejaardentehuis op bezoek te gaan bij iemand en dan Nederlands te spreken.

☐ _____

3   Vertel elkaar wat je bij opdracht 1 en 2 hebt geantwoord.

Vertel elkaar ook waarom je deze antwoorden hebt gegeven. Zijn jullie het met elkaar eens?

4   Bespreek de resultaten van opdracht 1, 2 en 3.

TAAK 3

Ervaringen uitwisselen over cadeaus

1 **Wat voor cadeaus koop je of krijg je graag? Schrijf op.**

_____

_____

_____

COMPUTER

2 **Luister naar de tekst en doe de opdracht.**

3 **Beantwoord de vragen.**

1 Bij welke gelegenheid geef jij een cadeau? Wat voor cadeau geef je dan?

gelegenheid	cadeau
bruiloft	
diploma	
geboorte	
kerst	
sinterklaas	

2   Zijn er cadeaus die je <u>niet</u> wilt kopen of krijgen? Licht je antwoord toe.

_____

_____

Vergelijk je antwoorden met een medecursist.

Nederland bonnenland

Een bon geven als cadeau is in Nederland heel gewoon. Er zijn boeken-
bonnen, cd-bonnen, bioscoopbonnen en nog veel meer, maar ook
algemene bonnen zoals de VVV Geschenkbon. Met deze laatste bon kun
je op 35.000 plaatsen in Nederland iets kopen. Je kunt bonnen kopen
vanaf € 5,–. Op de bon staat het bedrag. Nederlanders geven een bon als
ze niet weten wat ze iemand moeten geven: als ze iemand niet goed
kennen bijvoorbeeld of als iemand 'alles al heeft'. Het kan ook zijn dat ze
geen zin hebben om lang te zoeken naar een cadeau. Nederlanders vinden
een bon een iets persoonlijker cadeau dan geld.
Op de site www.de-cadeaubon.nl kun je meer informatie vinden over
cadeaubonnen.

NAAR: MICHIEL HEGENER, NRC HANDELSBLAD, 3 DECEMBER 2001

de boekenbon

4.1   Lees de teksten en beantwoord de vragen. Licht je antwoorden toe.

Een goed cadeau of niet?

Nayana, uit Nederland:

Ik ben in een Nederlandse familie opgegroeid, maar mijn ouders, broers en zus wonen in Sri Lanka. Toen ik daar voor het eerst naartoe ging, nam ik een zilveren armband mee voor mijn zusje. Achteraf hoorde ik dat ze dat een veel te goedkoop cadeau vond; het had toch zeker een armband van goud moeten zijn.

1   Zou jij voor je zus een zilveren armband of een gouden armband kopen?

Mirjam, uit Nederland:

Een vriend van me, uit Schotland, gaf me voor kerst een vaas van wel € 200,–. Ik voelde me erg ongemakkelijk over dit cadeau, want zelf heb ik niet zoveel geld. Ik zou zelf nooit zoiets duurs kunnen kopen en dat wil ik eigenlijk ook niet.

2   Wat vind jij van zo'n cadeau?

---

3   Wat vind jij? Je hebt van iemand een cadeau gekregen van € 200,–. Moet jij dan voor hem of haar bij de volgende gelegenheid ook een cadeau van € 200,– kopen?

Alex, uit Rusland:

Ik kreeg voor mijn verjaardag van goede vrienden – hij is Russisch, zij is Nederlands – een paar sokken en goedkope eau de toilette. Ik was echt een beetje boos dat zulke goede vrienden zoiets stoms voor me kochten. Wat moet ik nou met zulke cadeaus?

4   Zou jij zo'n cadeau kopen voor een goede vriend? Zo niet, wat zou je dan kopen?

Ibrahim, uit Soedan:

Ik kreeg van een Nederlandse vriend een cadeautje toen ik slaagde voor mijn NT2-examen. Ik was er erg blij mee, maar schrok toen hij zei: 'Als je het niet leuk vindt, kun je het ruilen.' Ik zou nooit een cadeau gaan ruilen.

5   Hoe zou jij je voelen als een vriend zoiets tegen je zou zeggen?

_____

6   Zou jij een cadeau dat je niet mooi vindt, gaan ruilen?

_____

Thijs, uit Nederland:

Een meisje uit Tsjechië had bij ons thuis gelogeerd. Ze wilde voor mijn ouders een bos bloemen kopen om te bedanken. We gingen samen naar de bloemenwinkel. Toen we bijna thuis waren, trok ze de mooie verpakking van de bloemen af.

7   Geef jij weleens bloemen? Zo ja, bij welke gelegenheid?

_____

8   Hoe geef je bloemen? Met of zonder verpakking?

_____

Gamze, uit Turkije:

Toen ik voor het eerst een cadeau kreeg van Nederlandse vrienden pakte ik het cadeau niet uit. Later begreep ik hoe belangrijk het is dat je in Nederland het cadeau uitpakt en er veel aandacht aan geeft: 'O, wat mooi, precies wat ik nodig heb!'
In Turkije wil je niet de indruk geven dat het cadeau belangrijker is dan de persoon die jou het cadeau geeft. Daarom pak je het cadeau pas later uit.

9   Wat zeg jij als je een cadeau krijgt?

_____

10   Pak je een cadeau meteen uit?

_____

| zilver | achteraf | uitpakken |
| de armband | de vaas | |

4.2 **Vergelijk je antwoorden van opdracht 4.1 met twee mede-cursisten. Licht je antwoorden toe.**

Zoek twee medecursisten die uit een ander land komen dan jij.

 5 **Wat doe je? Beantwoord de vragen.**

Licht je antwoord toe.

1   Je bent uitgenodigd bij je Nederlandse buurman die jarig is. Hij heeft gevraagd of je 's avonds even langskomt om iets te drinken. Koop je een cadeautje? Zo ja, wat koop je?

_____

2   Je bent op vakantie geweest. Je komt terug op je werk. Neem je een cadeautje mee voor je baas? Zo ja, wat koop je?

_____

3   Je (Je vrouw) hebt (heeft) net een baby gekregen. Je Nederlandse buren komen langs met een cadeautje. Pak je het meteen uit of niet? Wat zeg je?

_____

4   Je gaat eten bij Nederlanders. Koop je een cadeautje? Zo ja, wat koop je?

_____

 Bespreek je antwoorden met twee medecursisten.

AFRONDEN

 6 **Je docent geeft zelf antwoord op de vragen van opdracht 4 en 5.**

Je kunt je docent vragen stellen over zijn antwoorden.

Een trend beschrijven

1   **Welk trendy artikel koop je weleens? Kruis aan.**

☐   een hippe zonnebril
☐   de nieuwste telefoon
☐   een trendy drankje
☐   het nieuwste parfum

☐   _____

☐   _____

2   **Lees de tekst en beantwoord de vraag.**

Jonge trendwatchers

Mode voor jongeren wordt bepaald door jongeren. Wat sommige
groepen mooi en spannend – cool – vinden, dat wordt de trend.
Bedrijven laten daarom trendgevoelige jongeren onderzoeken wat ze
moeten produceren. Deze jonge trendwatchers kijken goed rond op
straat en in winkels en zij gaan ook praten met jongeren. Vervolgens
geven ze aan hoe de mode voor het volgende seizoen eruit zou moeten
zien. Zo zijn sportschoenen van merken als Nike, Reebok en Puma door
de invloed van jonge trendwatchers gewone, alledaagse schoenen
geworden.

NAAR: NRC HANDELSBLAD, 26 APRIL 2003

de trend	alledaags	rondkijken
gevoelig		

Zou jij trendwatcher willen zijn? Licht je antwoord toe.

_____

3   **Kijk naar de video en doe de opdracht.**

4 **Lees de vragen en kijk nog een keer naar de video. Beantwoord de vragen. Beantwoord de vragen eerst voor jezelf.**

1 Deze video is in 2003 gemaakt. Met een scooter kon je in dat jaar heel trendy zijn in Nederland. Wie is volgens Eddy Zoëy de doelgroep van deze trend?

_____

2 Welke woorden kon je in die tijd gebruiken om te zeggen dat je iets trendy vindt? 'Gaaf' is zo'n woord bijvoorbeeld. Noem twee andere woorden.

_____

_____

Hoor je deze woorden nu ook nog?

_____

3 Voordat ze gaan testen, vertellen de jongens en meisjes welke scooter ze het gaafst vinden. Ze noemen het kenmerk dat hun keuze bepaalt. Welk kenmerk bepaalt de keuze van Daniëlle en Margriet?

_____

4 Welk merk kiest Appie? Waarom kiest hij dat merk?

_____

5   Na het testen gaan de meisjes zitten en beoordelen de scooters (en dus ook de jongens!) die langsrijden. Ze zijn niet enthousiast over scooter nummer twee (Eddy zegt hier Paul, maar bedoelt Mo.) Waarom is Daniëlla niet enthousiast?

6   Waarom is Appie volgens Eddy 'the man'?

7   Zou je zelf één van de scooters willen hebben? Zo ja, welke?
a   de Yamaha Errox
b   de Peugeot Speedfive X-race
c   de Malaguti Five Ox F15 DD Grafico
d   de Aprilia SR Ditech GPE
e   de Gilera Runner Pogialie

Zo nee, waarom niet?

8   Welke andere trends (uit die tijd) zien jullie op de video?

Vergelijk je antwoorden met twee medecursisten.

Bespreek samen de antwoorden.

Kijk eventueel nog een keer naar de video.

UITVOEREN

5   **Maak samen een lijst van heel trendgevoelige artikelen.**

6 **Beschrijf een trend uit jouw schooltijd.**

Beschrijf een trend uit de periode dat jij op de middelbare school zat. Vertel ook wat je toen vond van die trend en of je meedeed aan die trend.

Bijvoorbeeld: Toen ik op de middelbare school zat, hadden bijna alle jongens gel in hun haar. Ik vond dat eerst wel leuk en gebruikte het ook, maar na een jaar of zo vond ik dat ik er eigenlijk wel gek uitzag met die vieze troep in m'n haar. Ik ben er toen mee gestopt.

Wissel twee keer van rol.

7.1 **Zoek informatie over een trend of ga zelf 'trendwatchen'. Schrijf op.**

Kijk op straat, in winkels, op internet, naar tv, in tijdschriften, of boeken. Kies een trend.

Schrijf op:
- om welk artikel het gaat;
- wat de kenmerken van de trend zijn;
- of een bepaald merk belangrijk is;
- in welke groep het een trend is;
- waar het een trend is (bijvoorbeeld op school);
- wat je van de trend vindt en waarom je dat vindt.

Maak van je aantekeningen een verhaal van ongeveer zestig woorden.

7.2 **Lees elkaars verhaal. Kies samen de interessantste of gekste trend.**

7.3 **Per drietal vertelt één cursist over de gekozen trend.**

AFRONDEN

---

8 **Bepaal samen wie er op school het meest trendy uitziet.**

SLOT

1   Wat zou je graag kopen? Maak een top-drie.

Stel dat je drie dingen mag kopen, je hoeft niet op de prijs te letten.
Wat zou je het liefst kopen en wat daarna? Maak een top-drie.

1 _____

2 _____

3 _____

**2   Maak een inventarisatie van alle lijstjes. Welke drie artikelen
worden het meest genoemd?**

VERBINDINGEN	IDIOOM
• dol zijn op	• voor een dubbeltje op de eerste rang willen zitten
• spijt hebben van	• een gat in je hand hebben
• overnemen van	• rood staan
• korting krijgen op	• onder de pannen zijn
• op weg zijn naar	• aan de slag gaan
• aan de telefoon hangen	• tussen de middag
• rondkomen van	• wat is daar mis mee?
• de stad in gaan	• voor iets gaan
• aandacht geven aan	• het wordt nooit wat
• logeren bij	• het is een klap in mijn gezicht
• gevoelig zijn voor	• (er is) niets aan te doen
• achter iets komen	• tot de nok toe
• onzeker zijn over	
• indruk maken (op)	
• bezuinigen op	

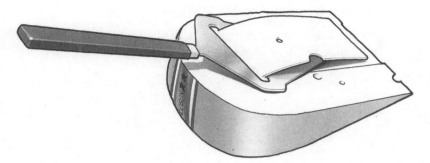

Dunne plakjes

In de jaren zestig en zeventig kregen meisjes die gingen trouwen een pakket van de Felicitatiedienst met daarin degelijke cadeaus. Er zaten levensmiddelen in het pakket, zoals zelfrijzend bakmeel, koffie, thee en rijst van een bepaald merk: je kon een huisvrouw namelijk niet vroeg genoeg leren welke Nederlandse merken ze moest kopen. In het pakket zat ook een kaasschaaf.

Ruim dertig jaar later is de kaasschaaf – voor velen een symbool van Nederlandse zuinigheid – er nog steeds. In bijna elke Nederlandse keuken ligt dit handige ding in de la en hij is zelfs al gesignaleerd in Marokkaanse huizen. Tenminste, in de Utrechtse multiculturele wijk Lombok, waar de wederzijdse cultuurbeïnvloeding wetenschappelijk wordt bestudeerd. Hoewel de Noren zeggen dat de kaasschaaf een Noorse uitvinding is, vinden de Nederlanders het ding typisch Nederlands. Op Schiphol kun je een kaasschaaf kopen met een Delftsblauw heft in een luxe verpakking. Veel Nederlandse bedrijven sturen aan buitenlandse zakenrelaties een kaasschaaf als cadeau.

NAAR: VRIJ NEDERLAND, 1 NOVEMBER 2003

Dit hoofdstuk gaat over muziek.

Jennifer Lopez

1   **Welke muziek heb je weleens gehoord? Kruis aan.**

Ken je ook de naam van bijvoorbeeld een componist of zanger? Schrijf die er dan bij.
Bijvoorbeeld: klassieke muziek, Bach (componist).

☐   klassieke muziek   _____

☐   jazz   _____

☐   blues   _____

☐   soul   _____

☐   pop   _____

☐   rock   _____

☐   wereldmuziek*   _____

☐   dance   _____

☐   hip hop   _____

* = alle muziek uit niet-westerse landen en traditionele muziek uit westerse landen

☐ _____   _____

☐ _____   _____

☐ _____   _____

☐ _____   _____

 Vergelijk je antwoorden met twee medecursisten.

 2   Heeft je telefoon een melodie als beltoon? Laat de melodie aan de groep horen.

Weet je de naam van de melodie? Zo ja, vertel het aan de groep.

TAAK 1
Herinneringen ophalen aan de muziek van je jeugd

VOORBEREIDEN

1   **Schrijf de eerste regels op van een liedje uit je jeugd.**

Het kan een slaapliedje zijn, een liedje dat je zong als je buiten speelde, een liedje van de basisschool, enzovoort.
Schrijf het op in de taal waarin je het lied kent.

_____

_____

_____

COMPUTER

2   **Luister naar de tekst en doe de opdracht.**

3   **Lees de vragen en de tekst. Is de zin waar of niet waar?**

1   De cd *Munia* heeft westerse en Afrikaanse invloeden.
a   waar
b   niet waar

2   Het zingen van verhalen was een gewoonte in de kerk van Bona's geboortedorp.
a   waar
b   niet waar

3   Een Fransman leerde Bona gitaar spelen en noten lezen.
a   waar
b   niet waar

4   Bona koos voor de elektrische bas, omdat hij de muziek van Jaco Pastorius zo goed vond.
a   waar
b   niet waar

Richard Bona

Richard Bona uit Kameroen is niet alleen zanger en componist, hij bespeelt ook allerlei instrumenten. Hoewel je in zijn muziek allerlei westerse invloeden kunt horen, is de basis ervan honderd procent Afrikaans. Bona is een echte verhalenverteller. Op zijn nieuwe cd, *Munia, the tale*, zingt hij verhalen. Hij zingt voornamelijk in het Douala, de taal van het dorp waar hij geboren werd. De muziek op de cd is een mix van Afrorock, bossanova, Congolese rumba en jazzrock.

'In Minta, het dorp waar ik vandaan kom, waren geen radio's. Om in de hoofdstad Yaoundé te komen, moest je twee dagen reizen. Voor informatie waren we afhankelijk van de griotten* die op de markt geschiedenisles gaven en ook verhalen zongen. Daar ben ik mee opgegroeid. En al heel jong begon ik zelf muziek te maken, op mijn vijfde zong ik al in het kerkkoor van ons dorp.'

Met een zelfgemaakte gitaar leerde Bona zichzelf gitaar spelen. Toen hij dertien was, vroeg een Fransman hem om een jazzband op te richten. Bona kreeg toegang tot een kamer vol instrumenten die hij allemaal leerde bespelen. Hij leerde zichzelf ook noten lezen. 'Als kind is het leren bespelen van instrumenten een spel, ik zou het nu niet meer kunnen', zegt Bona. 'Zoveel geduld heb ik niet meer.'
Bona mocht ook de platen van de Fransman lenen. De eerste plaat waar hij naar luisterde, was van de beroemde bassist Jaco Pastorius. Bona oefende net zo lang tot hij die plaat helemaal kon spelen en Pastorius werd zijn persoonljke held. Elektrische bas is sinds die tijd zijn belangrijkste instrument.

* griotten = traditionele vertellers en zangers in Afrika

NAAR: EDO DIJKSTERHUIS, NRC HANDELSBLAD, 3 NOVEMBER 2003

de componist	het koor	de bassist
bespelen	de gitaar	tot
het instrument	oprichten	de held
de basis	de plaat	elektrisch
de hoofdstad	beroemd	de bas
de geschiedenis		

UITVOEREN

4 **Wat weet je nog van de muziek uit je jeugd?**
Beantwoord de vragen die je kunt beantwoorden.

1 Waar hoorde je muziek in je vroege jeugd, tot je twaalfde jaar? Kruis aan.
Ik hoorde muziek …
☐ op radio en tv.
☐ op bandjes, platen of cd's.
☐ op de basisschool.
☐ in de kerk.
☐ op straat.

☐ _____

☐ _____

☐ _____

2   Welke muziek vond je als klein kind mooi? Welke muziek vond je niet
    mooi?

    _____

    _____

3   Zong je zelf graag liedjes? Zo ja, wat voor liedjes zong je dan graag?

    _____

    _____

4   Zong je als klein kind in een koor? Zo ja, in wat voor koor?

    _____

5   Kun je noten lezen?

    _____

6   Heb je een instrument leren spelen? Zo ja, welk instrument? Hoe heb
    je dat leren spelen? Op welke leeftijd? Speel je dat instrument nog
    steeds?

    _____

    _____

7   Naar welke muziek luisterde je graag op de middelbare school?
    Veranderde je smaak toen je in de puberteit zat?

    _____

    _____

8   Ging je uit toen je op de middelbare school zat? Zo ja, waar ging je
    naartoe en welke muziek werd daar gedraaid?

    _____

    _____

9   Heeft de muziek uit je jeugd invloed gehad op je muzieksmaak van
    nu? Zo ja, om welke muziek gaat het?

    _____

5   **Vertel elkaar over de muziek uit je jeugd.**

Gebruik de vragen en antwoorden van opdracht 4. Stel elkaar vragen als je iets niet begrijpt of als je graag meer wilt weten.

6   **Kijk naar het liedje van opdracht 1. Vertel elkaar over het liedje.**

Vertel wat voor liedje het is, waar het over gaat en op welke leeftijd je het hoorde of zong.

AFRONDEN

7   **Voor wie durft: zing het liedje voor de groep.**

De groep mag vragen stellen over het liedje.

Het draaiorgel

Een draaiorgel is een instrument dat je bespeelt door het draaien aan een wiel. Vroeger deed je dat met de hand, nu gaat dat met een motor.

Draaiorgels zijn in veel landen uit het straatbeeld verdwenen, maar in Nederland nog niet. Hoe komt dat?

In de achttiende en negentiende eeuw ging de orgelman van stad tot stad om met zijn (orgel)muziek geld te verdienen. Hij droeg een klein draai-

orgeltje voor zijn buik. Om meer publiek te trekken, had hij soms een aap
of een hond bij zich of hij zong bij zijn orgeltje. Het instrument klonk
vaak een beetje vals, want voor goed onderhoud had de man niet altijd
genoeg geld. De orgelman was daarom ook niet zo populair.
Rond 1900 – de orgels waren inmiddels veel groter geworden – kwam
iemand op het idee om in Amsterdam draaiorgels te gaan verhuren en
vanaf dat moment werd er beter voor het instrument gezorgd. De orgelman kon een draaiorgel huren en hoefde niet meer zelf voor het onderhoud te zorgen. Het draaiorgel werd dan ook steeds populairder, tot een
jaar of veertig geleden.

Langzamerhand veranderde de smaak van het publiek en mocht er ook
niet meer overal gespeeld worden. Maar gelukkig kun je in verschillende
steden het draaiorgel nog horen. Ze zijn nog steeds te huur en als je wilt
kun je er zelf één huren, voor bijvoorbeeld een feest.

NAAR: FOLDER VAN HET NATIONAAL MUSEUM VAN SPEELKLOK TOT PIEREMENT, UTRECHT

het orgel	het onderhoud	de smaak
verhuren		

Regels   *De conjunctie*

Want en omdat

Het was mijn lievelingsliedje, **want** ik **vond** die slak zo zielig.
Het was mijn lievelingsliedje, **omdat** ik die slak zo zielig **vond**.

Waarom ben je zo laat? **Omdat** mijn fiets kapot was.

Omdat ik niet genoeg geld had voor de bus, ben ik gaan lopen.

'Want' en 'omdat' hebben dezelfde betekenis. Er is wel verschil in gebruik.

→ Na 'want' staat de persoonsvorm op de tweede plaats en na 'omdat' aan
  het einde van de zin.

→ Een vraag met 'waarom' kan alleen worden beantwoord met een zin met
  'omdat' en niet met 'want'.

→ Een bijzin die begint met 'omdat' kan voor de hoofdzin staan.

TAAK 2 Nederlandstalige liedjes vergelijken

1 **Waar let jij op als je een liedje voor de eerste keer hoort? Kruis aan.**

☐ de melodie
☐ het ritme
☐ de tekst
☐ de stem van de zanger
☐ de instrumenten

☐ _____

PUTER

2 **Luister naar het liedje van Bløf en doe de opdracht.**

PUTER

3 **Luister naar het liedje van Jeroen Zijlstra en doe de opdracht.**

4.1 **Lees de vragen en luister nog een keer naar de liedjes van Bløf en Jeroen Zijlstra. Beantwoord de vragen eerst voor jezelf.**

1 Welk(e) instrument(en) hoor je?

Bløf: _____

Jeroen Zijlstra: _____

2 Hoe klinkt de muziek voor jou? Vrolijk, verdrietig of ...?

Bløf: _____

Jeroen Zijlstra: _____

3 Waar denk je aan als je deze muziek hoort?

Bløf: _____

Jeroen Zijlstra: _____

Vergelijk je antwoorden met twee medecursisten.

4.2 Lees de vragen en de teksten. Beantwoord de vragen.

1 Wat kan er in het verleden tussen de jongen en het meisje gebeurd zijn?

_____

2 Zal de jongen het meisje weer ontmoeten? Welke informatie geeft de tekst?

_____

Wat zou je doen?

Wat zou je doen
als ik hier opeens weer voor je stond?
Wat zou je doen
als ik viel, hier voor je op de grond?
Wat zou je doen, als ik dat deed?

Wat zou je doen
als ik je gezicht weer in mijn handen nam?
Wat zou je doen
als ik met mijn mond dichtbij de jouwe kwam?
Wat zou je doen, als ik dat deed?

Zou je lachen, zou je schelden?
Zou je zeggen dat ik een klootzak ben?
Zou je janken, zou je vloeken?
Zou je zeggen dat je me niet meer kent?
Zou je lachen, zou je schelden – van verdriet?

Wat zou je zeggen
als ik met mijn vingers door je haar zou gaan?
Wat zou je zeggen
als we samen voor de spiegel zouden staan?
Wat zou je zeggen, als ik dat deed?

Wat zou je zeggen
als ik vertelde over al die tijd?
Wat zou je zeggen
als ik zei: 'Ik heb van al die tijd toch echt geen spijt'?
Wat zou je zeggen, wat zou je doen, als ik dat deed?

Je zou lachen, je zou schelden.
Je zou zeggen dat ik een klootzak ben.
Je zou janken, je zou vloeken
Je zou zeggen dat je me niet meer kent
Je zou lachten, je zou schelden – van verdriet.
Wat zou je doen?

* klootzak = een scheldwoord dat je kunt gebruiken als je heel boos bent op iemand
BRON: BLØF, NAAKT ONDER DE HEMEL, 1994, TEKST: PETER SLAGER

het gezicht	de vinger	janken
vloeken		

3   Welke zin is waar? Licht je antwoord toe met informatie uit de tekst.
a   De jongen vraagt aan het meisje of zij met hem meegaat naar zijn huis.
b   Het meisje vraagt aan de jongen of hij met haar meegaat naar haar huis.

De pont naar Noord?

De maan betovert het stille IJ,
verlicht de pont naar Noord.
De sterren staan er speciaal voor mij,
ik stap verliefd aan boord.

De stad heeft al haar lichtjes aan.
Ze boeit me net als jij.
Ik zie je al bij de reling staan,
jij slaapt vannacht bij mij.

Liefste, de boot is aan.
Wil je met mij naar huis toe gaan?
Kom liefste, pak je fiets.
Wij hebben iets dat nog niemand heeft.

De fietspont vaart naar de overkant.
We zijn op weg naar Noord.
De vraag die op mijn lippen brandt
heb jij al lang verwoord.

Liefste, de boot is aan.
Wil je met mij naar huis toe gaan?
Kom liefste, pak je fiets.
Wij hebben iets dat nog niemand heeft.

BRON: JEROEN ZIJLSTRA, TUSSEN DEN OEVER EN NEW YORK, 2001

TEKST: JEROEN ZIJLSTRA

de pont	boeien	verwoorden
verlichten	de overkant	

Vergelijk je antwoorden met twee medecursisten.

Werk met hetzelfde drietal als bij opdracht 4.1.

5   **Vergelijk en bespreek beide liedjes.**

Vergelijk de liedjes eerst voor jezelf.

Praat over:
- de muziek (melodie, ritme, instrumenten);
- de stemmen van de zangers;
- de uitspraak van het Nederlands (welke zanger kon je het beste verstaan?);
- de teksten;
- wat je echt Nederlands vindt in beide liedjes.

 Per drietal vertelt één cursist wat zijn groepje heeft besproken.

 6   **Zing met zijn allen beide liedjes mee.**

Accent

1.1   **Welke betekenis heeft het woord 'voorkomen'? Beantwoord de vragen.**

Als je het accent in een woord verplaatst, kan de betekenis van dat woord veranderen. Lees de volgende zinnen en kijk in je woordenboek. Schrijf op wat het woord 'voorkomen' in deze zinnen betekent.

1   Het kan voorkomen dat mensen al lang in Nederland wonen en nog weinig Nederlands spreken.

2   De politie kan niet voorkomen dat veel mensen te hard rijden.

1.2   **Hoe spreek je 'voorkomen' in zin 1 uit? En hoe in zin 2? Waar ligt het accent?**

1.3   **Hoe kun je in je woordenboek zien waar het accent in een woord valt?**

_____

_____

2   **Het accent in een zin. Beantwoord de vragen.**

Bij het uitspreken van een zin zal de spreker soms woorden die hij belangrijk vindt, een accent geven. Zo kun je in de zin 'Ik ga met vakantie naar Spanje' verschillende accenten leggen, naast het 'normale' zinsaccent. Bij ieder van de versies van de zin hoort een andere vraag. Lees de vragen en de zinnen. Let op het accent.

• Waar ga je **naartoe**? Ik ga met vakantie **naar Spanje**.
• **Wie** gaat er met vakantie naar Spanje? **Ik** ga met vakantie naar Spanje.
• Ga je voor je **werk** naar Spanje? Ik ga **met vakantie** naar Spanje.

1   Op hoeveel manieren kun je de volgende zin uitspreken? 'Ik ga met de tram naar de bioscoop'.
a   op één manier
b   op twee manieren
c   op drie manieren

2   Kun je bij deze zin ook twee of drie vragen maken? Schrijf de vragen op.

_____

_____

_____

 Vergelijk je antwoorden met twee medecursisten.

 3   **Leg een accent in de zin. Welke vraag hoort erbij?**

Cursist A leest de zin 'Ik ga met de tram naar de bioscoop' hardop voor en geeft een woord in de zin een accent. Cursist B en C moeten zeggen welke vraag bij de zin hoort: kijk naar de antwoorden bij vraag 2 van opdracht 2. Klopt het antwoord? Zo niet, probeer het nog een keer.

Wissel twee keer van rol.

4   **Bespreek de resultaten van opdracht 1, 2 en 3.**

TAAK 3

Informatie over muziek begrijpen

1 **Test je muziekkennis. Is de zin waar of niet waar?**

1 Nederland heeft een aantal wereldberoemde componisten van klassieke muziek.
a waar
b niet waar

2 Nederland en België hebben hetzelfde volkslied.
a waar
b niet waar

3 Het North Sea Jazz festival is over de hele wereld bekend.
a waar
b niet waar

WERKBLAD

2 **Speel de quiz.**

Cursist A krijgt de vragenlijst. De andere drie cursisten krijgen ieder een werkblad met daarop twee verschillende teksten. Cursist A leest de eerste vraag voor. De andere cursisten kijken of ze het antwoord in hun teksten kunnen vinden. Wie het antwoord vindt, vertelt het. Cursist A schrijft het antwoord op. Dan leest hij de tweede vraag voor, enzovoort.
Probeer de antwoorden zo snel mogelijk op te zoeken. Cursist A schrijft op in hoeveel minuten jullie de quiz hebben gedaan.

3 **Welke groep had de meeste antwoorden goed? In hoeveel minuten?**

Controleer de antwoorden. De docent vertelt de juiste antwoorden.

4 **Je krijgt van de docent kopieën van de werkbladen van opdracht 2. Lees alle teksten.**

5 **Stel vragen over de teksten aan de docent.**

AFRONDEN

 6   **De docent laat het Nederlandse volkslied horen.**

Je kunt er ook via internet naar luisteren. Bijvoorbeeld
via: http://www.dordt.nl/diversen/wilhelmus/home.htm

Portret van Willem van Oranje

Regels	*De zin*

Relatieve bijzin met prepositie

Tiësto heeft cd's gemaakt **waarop** hij zijn favoriete muziek mixt.

Andere orkesten **waarmee** ze regelmatig concerten geeft, zijn onder andere
het Concertgebouw Kamerorkest en …

Andere orkesten **waar** ze regelmatig concerten **mee** geeft, zijn onder
andere …

→   Verwijs je met een relatieve bijzin naar een ding? Heeft het verbum een
prepositie? Gebruik dan **waar + prepositie**.

→   Je kunt **waar** en de **prepositie** ook los van elkaar in de bijzin zetten.
De prepositie komt dan voor de persoonsvorm.

TAAK 4
Koren beschrijven en beoordelen

VOORBEREIDEN

1   **Kruis aan. Als ik aan een koor denk, denk ik aan …**

☐ klassieke muziek.   ☐ popmuziek.
☐ traditionele muziek.
☐ religieuze muziek.   ☐ _____.

2   Kijk naar de video en doe de opdracht.

Je gaat naar een programma kijken over koren in Nederland.
In Nederland zingen 600.000 mensen in een koor. In dit programma
treedt een aantal koren op tijdens een speciale korendag in Amsterdam.

UITVOEREN

**3   Lees de vragen en kijk nog een keer naar de video. Vul het
schema in en beantwoord de vragen. Beantwoord de vragen
eerst voor jezelf.**

1   Geef een beschrijving van de verschillende koren en hun dirigent.
Vul het schema in.
Kijk naar:
- geslacht;
- leeftijd (oud, jong);
- hoe ze eruitzien (kleding);
- hoe ze bewegen en kijken.

	popkoor Remix	operakoor Euterpe	popkoor Dijksound	Smart-lappenkoor	Slavuj	Koningin-nenkoor
geslacht						
leeftijd						
uiterlijk						
manier van bewegen en kijken						

2   Bij welk koor hoor je het publiek meezingen?

_____

3   Welk instrument hoor je bij het popkoor Remix en het operakoor Euterpe?

_____

4   Welk instrument hoor je bij het Smartlappenkoor?

_____

Bespreek samen de antwoorden.

4   **Lees de vragen en kijk nog een keer naar de video. Vul het schema in en beantwoord de vragen. Beantwoord de vragen eerst voor jezelf.**

1   Welk koor vind je het best? Waarom? Vul het schema in.
    Let op:
    • de melodie (mooi, lelijk);
    • het ritme (snel, langzaam);
    • zuiver of vals zingen;
    • of je kunt horen in welke taal het koor zingt;
    • of je kunt verstaan wat het koor zingt;
    • of er instrumenten bij zijn.

	popkoor Remix	operakoor Euterpe	popkoor Dijksound	Smart-lappenkoor	Slavuj	Koningin-nenkoor
melodie						
ritme						
zuiver/vals						
taal						
goed/slecht te verstaan						
instrumenten						
andere opmerkingen						

2   Zou je zelf in één van de koren willen zingen? Licht je antwoord toe.

Bespreek de antwoorden met twee medecursisten.

5   **Beschrijf en beoordeel de video in ongeveer honderd woorden.**

   • Vertel kort wat het onderwerp van de video is.
   • Beschrijf minimaal drie koren (zie opdracht 3).
   • Vergelijk deze koren en vertel welke je het beste vindt (zie opdracht 4).

AFRONDEN

www. ←⟩   6   **Zoek op internet de tekst en melodie van het lied 'Aan de Amsterdamse grachten'.**

De video eindigde met dit lied. Probeer het lied mee te zingen.

SLOT

Schrijf een verhaal van ongeveer honderd woorden over de rol van muziek in je leven. Gebruik daarbij één of meer van onderstaande vragen.

- Hoe belangrijk is muziek voor je?
- Is muziek altijd even belangrijk of onbelangrijk voor je geweest?
- Hoe vaak luister je naar muziek en op welke momenten van de dag?
- Naar wat voor muziek luister je?
- Luister je naar cd's, naar de radio, naar muziek op internet of op tv?
- Heeft muziek invloed op je emoties? Draai je bijvoorbeeld muziek om vrolijk te worden? Is er muziek waar je verdrietig van wordt? Is er muziek waaraan je je ergert?
- Heb je een speciale herinnering aan een lied (of aan andere muziek)? Schrijf op welke muziek het is, wanneer je die muziek hoorde en wat er toen gebeurde.

VERBINDINGEN

- muziek draaien
- richten op
- toegang krijgen tot
- noten lezen
- afhankelijk zijn van
- invloed hebben op
- op mijn vijfde
- vechten tegen
- gebrek aan
- onder leiding van

IDIOOM

- uit je hoofd kennen
- op de lippen branden
- de lakens uitdelen
- het einde zijn
- sinds jaar en dag
- van heinde en verre

EXTRA

Heeft muziek een biologische functie?

Onderzoekers vragen zich af of muziek, net als taal, een biologische functie heeft. Voor taal is de functie, vanuit de evolutie gezien, duidelijk: hiermee konden we beter en directer met onze soortgenoten communiceren. En door beter te communiceren kregen we grotere overlevingskansen. Maar hoe zit het nou met muziek?

Darwin had daar al een theorie over: we maken muziek om, net als een vogel, een partner te lokken voor het spel van de liefde. Mannen die muziek maken lijken inderdaad, biologisch gezien, aantrekkelijk te zijn. Onderzoekers van de universiteit van Liverpool ontdekten namelijk dat mannen van een symfonieorkest meer testosteron hebben dan mannen die geen muziek maken. Als je meer testosteron hebt, heb je meestal ook meer zaad, dus een betere kans op overleving, zo zeggen de Britse onderzoekers.

Muziekpsycholoog David Huron uit Columbus is niet tevreden met deze – alleen op mannen gerichte – verklaring. Huron en zijn collega's kiezen een andere, bredere evolutionaire theorie. Muziek zorgt voor een sociale band in een groep, zeggen zij. 'Met muziek kun je de stemmingen van mensen in een groep op één lijn krijgen', aldus Huron. En hoe sterker de groep, hoe groter de kans op overleving. Samen zingen en dansen, maar ook samen luisteren naar muziek brengt mensen tot elkaar. Ze vormen een team, een dorp of een natie en dat was vroeger – en nog steeds – belangrijk. Daarom heeft ieder land een volkslied, daarom zingen we in de kerk, daarom is er muziek bij rituelen romdom dood en geboorte. Dat muziek in de puberteit zo'n belangrijke rol speelt, past goed binnen deze theorie volgens Huron. 'In deze periode maak je je los van je ouders. Je leeftijdgenoten worden belangrijker. Muziek is een goede manier om de onderlinge band sterker te maken.'

Steven Pinker, psycholoog in Cambridge, gelooft niet in een evolutionaire functie. Voor hem is muziek niet meer dan een toevallige ontwikkeling. 'Taal, zien en horen kunnen we niet missen, muziek wel. De overleving van onze soort zal er niet door veranderen.'

Hoe het ook zij, we blijven van muziek genieten. En daarvoor heb je geen kennis nodig. Elvis Presley zei ooit: 'Ik weet niets van muziek. En volgens mij hoeft dat ook niet.'

NAAR: WWW.INTERMEDIAIR.NL

CODE

Hoofdstuk 23
Jong en oud

Dit hoofdstuk gaat over generaties.

Kijk naar de illustratie en lees de tekst. Beantwoord de vraag.

Vijf generaties

Dit is een familie van vijf generaties. De jongste is baby Dennis en hij
is tien weken oud. Zijn moeder Annet is twintig jaar. Links staat de
moeder van Annet, de grootmoeder van Dennis. Zij is 39 jaar.
Daarnaast zit de grootmoeder van Annet, de overgrootmoeder van
Dennis dus. Dat is de 63-jarige mevrouw Kelder-Van Dijk. Zij heeft
zelf ook nog een moeder; zij zit rechts op de foto. Dit is mevrouw Van
Dijk-Hildema en zij is 85 jaar.

de grootmoeder   de overgrootmoeder

Wie is jouw oudste familielid? En wie is de jongste? Hoe oud zijn ze? Wat is
de familierelatie met jou? Schrijf op.

_____

_____

TAAK 1 Praten over contact tussen generaties in een familie

VOORBEREIDEN

1 **Lees de zinnen. Ben je het ermee eens? Kruis aan ja of nee.**

1 'Ik vind de familieband het allerbelangrijkst. Wat er ook gebeurt, je moet altijd op je familie kunnen rekenen en je familie op jou.'
☐ ja
☐ nee

2 'Mijn vrienden zijn voor mij belangrijker dan mijn familie. Familie heb je, vrienden kies je.'
☐ ja
☐ nee

2 **Kijk naar de video en doe de opdracht.**

3 **Lees de teksten en beantwoord de vragen.**

1 Hoe vaak ziet Bulent Özdemir zijn oudste dochter? Waarover praat hij met haar?

2   Hoe vaak ziet hij zijn andere kinderen en kleinkinderen?

Bulent Özdemir

Bulent Özdemir, zestig jaar: 'Wij hebben een sterke band met onze kinderen. In onze cultuur moeten kinderen hun ouders op latere leeftijd verzorgen. Onze oudste dochter is niet getrouwd en komt elke dag langs, maakt schoon en kookt vaak voor ons. We praten veel met elkaar; dat hebben we altijd gedaan. Dan halen we herinneringen op aan Turkije en de eerste tijd dat we hier woonden. Zij weet daar nog veel van, want ze was toen al tien. Haar jongere zusjes en broertje zijn daar veel minder in geïnteresseerd; die zijn allemaal hier geboren. Met hen hebben we ook wel een goed contact, maar toch anders. Ze hebben alledrie een eigen gezin en we zien elkaar maar één of twee keer per week. We hebben al zeven kleinkinderen, dus als iedereen er is, is het huis vol! We eten dan met elkaar, kijken tv en zo. Praten met de klein-kinderen is soms een beetje moeilijk, vooral voor mijn vrouw. Ze spreekt niet zo goed Nederlands en de kleinkinderen spreken heel slecht Turks. Dus dat is weleens moeilijk voor haar. Maar ja, zo gaat dat hè ...'

3   Wie ziet Hans Peters het vaakst? Zijn eigen familie of zijn schoonouders?

4   Hoe vaak ziet hij zijn schoonouders?

Hans Peters

Hans Peters, veertig jaar: 'Ik heb een heel slechte relatie met mijn familie. Ze hebben mijn vrouw eigenlijk nooit geaccepteerd. In het begin probeerden we het wel, maar het werd altijd ruzie. Mijn moeder liet altijd merken dat ze Helma een slechte huisvrouw vindt en ze had ook altijd kritiek op de opvoeding van de kinderen. Daar kregen we schoon genoeg van en nu zien we elkaar alleen maar op de verplichte dagen, zoals kerst en de verjaardagen. Met de ouders van mijn vrouw hebben we een veel beter contact. Die zien we iedere week, want dan zijn de kinderen bij hen. We hebben er vier. Onze oudste is dertien en de jongste is vijf. Iedere donderdag zijn alle kinderen na schooltijd bij mijn schoonouders. Die halen ze dan van school en brengen ze na het avondeten weer thuis. Dat is zo gegroeid. Mijn schoonouders passen ook altijd op als we 's avonds uitgaan. Dat vindt iedereen heerlijk. Zo leren de kinderen hun grootouders goed kennen.'

accepteren   verplicht   oppassen
de opvoeding

5   Hoe vaak ziet Nina Kasjlevic haar ouders en haar zussen?

_____

6   Wie ziet Nina Kasjlevic het vaakst? Haar familie in Bosnië of haar
    familie in Keulen? Waarover praat ze met hen?

_____

Nina Kasljevic

Nina Kasljevic, twintig jaar: 'Sinds ik studeer, woon ik in een studenten-
flat. Dat vonden mijn ouders prima. Daarin zijn ze heel modern. Wel
willen ze graag dat ik in het weekend thuiskom. Dat wil ik zelf ook.
Dan help ik mijn moeder met boodschappen doen en met koken,
samen met mijn zussen. Ik verheug me altijd op het weekend: lekker
vertrouwd zo met elkaar, gewoon jezelf zijn. Het grootste deel van mijn
familie zie ik bijna nooit. Ze wonen in Bosnië en daar gaan we maar één
keer per jaar naartoe. We gaan dan langs de hele familie. We bellen
natuurlijk wel heel veel en sinds kort kunnen mijn opa en oma ook
mailen! Ik heb ook nog familie in Duitsland, in Keulen. Dus dat is niet zo
ver. Zij komen best vaak langs en wij gaan daar ook weleens een weekend
naartoe. Dan ga ik met mijn neven en nichten de stad in en soms gaan
we uit. Met hen heb ik een heel goed contact. We praten over van alles,
ook over dingen waar we met onze ouders niet over kunnen praten.
Het zijn echt vrienden van ons geworden.'

zich verheugen

4   **Lees de vragen en kijk nog een keer naar de video. Beantwoord
    de vragen. Beantwoord de vragen eerst voor jezelf.**

    1   Heeft de oude dame contact met mensen van haar generatie binnen
        haar familie?

_____

    2   Zo ja, met wie?

_____

3   Heeft ze contact met mensen van andere generaties binnen haar familie?

_____

4   Zo ja, met wie?

_____

Bespreek samen de antwoorden.

UITVOEREN

 5   **Voer een gesprek.**

Praat met elkaar over het contact tussen de verschillende generaties in je familie. Maak gebruik van onderstaande vragen.
Stel elkaar vragen als je meer wilt weten of als iets niet duidelijk is.

1   Hoeveel broers en zussen heb je?
2   Waar wonen je broers en zussen?
3   Hoe vaak zien je broers en zussen je ouders? Hoe vaak zie jij ze?
4   Heb je nog grootouders?
5   Hoe vaak zien je broers en zussen je grootouders? Hoe vaak zie jij ze?
6   Over welke dingen praat je met je ouders?
7   Over welke dingen praat je niet met je ouders?
8   Over welke dingen ben je het helemaal niet eens met je ouders?
9   Maak je weleens ruzie met je ouders? Zo ja, waarover?

AFRONDEN

 6   **Kijk nog een keer naar opdracht 1. Bespreek de antwoorden met twee medecursisten.**

Regels   *De zin*

Identiteitsconstructie

Dit is **een familie van vijf generaties**.
Dat is **de 63-jarige mevrouw Kelder-Van Dijk**.
Het is **een meisje**.
Dit zijn **de kinderen van mijn tante**.
Dat zijn **de ouders van Jan**.
Het zijn echt **vrienden** van ons geworden.

Informatie verzamelen over de bevolkingssamenstelling in je land

VOORBEREIDEN

1   Lees de opdracht.

Je gaat in deze taak een tekst schrijven over de bevolkingssamenstelling
in je eigen land. Je leest een tekst over de situatie in Nederland en je
bekijkt een tabel en enkele grafieken. Daarna zoek je zelf informatie over
de situatie in je eigen land en schrijf je een verslag.

2   Kijk naar de tabel.

1   Welke twee dingen vallen je op? Beschrijf ze.

_____

_____

2   Hoeveel inwonders heeft Nederland in 2003?

_____

Aantal inwoners

perioden	totale bevolking	mannen	vrouwen
1950	10 026 773	4 998 251	5 028 522
1955	10 680 023	5 320 759	5 359 264
1960	11 417 254	5 686 152	5 731 102
1965	12 212 269	6 090 529	6 121 740
1970	12 957 621	6 465 081	6 492 540
1975	13 599 092	6 771 613	6 827 479
1980	14 091 014	6 994 280	7 096 734
1985	14 453 833	7 149 620	7 304 213
1990	14 892 574	7 358 482	7 534 092
1995	15 424 122	7 627 482	7 796 640
2000	15 863 950	7 846 317	8 017 833
2001	15 987 075	7 909 855	8 077 220
2002	16 105 285	7 971 967	8 133 318
2003	16 192 572	8 015 471	8 177 101

NAAR: WWW.CBS.NL

3   Lees de vragen en de tekst en bekijk de grafieken. Beantwoord de vragen.

1   Wat is op 1 januari 1998 het percentage jongeren jonger dan 25 jaar?

_____

2   Wie worden ouder, mannen of vrouwen?

_____

3   Hoe oud worden vrouwen gemiddeld?

_____

4   De levensverwachting is in de twintigste eeuw veranderd. Wat is de oorzaak van die verandering?

5   Wat is de oorzaak van de vergrijzing in Nederland?

6   Hoe groot zal de vergrijzing in 2050 zijn?

Leeftijdsopbouw in Nederland

Inleiding
De leeftijdsopbouw van de Nederlandse bevolking is in de loop van de twintigste eeuw sterk veranderd. In deze tekst worden deze veranderingen besproken en wordt gekeken naar de oorzaken en gevolgen hiervan.

Verhouding ouderen en jongeren
Op 1 januari 1998 waren er in Nederland 4,8 miljoen personen jonger dan 25 jaar. Samen vormden zij ruim dertig procent van de bevolking van ons land. Een generatie eerder maakte de jeugd nog bijna vijftig procent van de bevolking uit. Een belangrijke oorzaak van deze daling is de afname van het aantal geboorten in de jaren zeventig en tachtig van de twintigste eeuw. Tussen 1975 en 1985 werden per jaar rond de 175 duizend kinderen geboren tegen gemiddeld 240 duizend in de jaren vijftig en zestig. In de jaren negentig steeg het aantal geboorten weer tot gemiddeld ruim 190 duizend per jaar. Daarnaast blijven mensen langer leven, waardoor het aantal ouderen naar verhouding toeneemt en het aantal jongeren relatief kleiner wordt. Zowel in 2025 als in 2050 zal naar verwachting ongeveer een kwart van de bevolking jonger dan 25 jaar zijn.

Gemiddelde leeftijd
Doordat de gezondheidszorg en de levensomstandigheden sinds de eerste helft van de twintigste eeuw sterk verbeterd zijn, blijven de mensen langer leven en stijgt dus de gemiddelde levensverwachting. Vooral de sterfte van baby's en kleine kinderen nam in de twintigste eeuw heel sterk af. De gemiddelde leeftijd van vrouwen is nu ruim 80 jaar en van mannen ruim 75 jaar.
Onder de ouderen vormen vrouwen duidelijk de grootste groep. Onder de 65-plussers is het aantal vrouwen anderhalf keer zo groot als het aantal mannen. Het aantal tachtigjarige vrouwen is zelfs meer dan tweemaal zo groot. Vrouwen leven gemiddeld vijf jaar langer dan mannen.

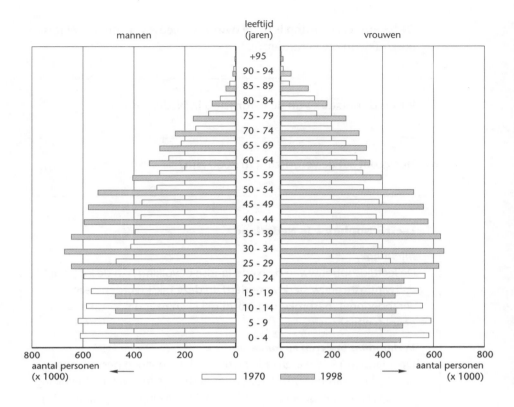

Vergrijzing

Doordat het percentage ouderen in Nederland sneller groeit dan het percentage jeugdigen, kunnen we spreken van een vergrijzing van de bevolking.

De vergrijzing in Nederland is het gevolg van het ouder worden van de babyboomers* die tussen 1945 en 1955 geboren zijn. In de vergrijzing zien we drie fasen. In de eerste fase, waarin we nu zitten, vergrijst de beroepsbevolking. In tien jaar tijd is het aantal 50- tot 64-jarigen toegenomen van 2,3 naar 2,9 miljoen. In de tweede fase groeit het aantal 65-plussers sterk. In 2050 zal het aantal 65-plussers ongeveer veertig procent zijn. Vanaf 2020 zullen de alleroudsten binnen de groep ouderen sterk in aantal toenemen. Dit is de derde fase van de vergrijzing. Op dit moment zijn er één miljoen personen van 75 jaar of ouder. In 2050 zal dit aantal naar verwachting meer dan verdubbeld zijn tot 2,2 miljoen.

*babyboomer = een Engels woord. Hiermee wordt iemand bedoeld die na de Tweede Wereldoorlog (tussen 1945 en 1955) in Europa of in de Verenigde Staten werd geboren. In deze relatief korte periode werden veel baby's geboren.

Nederlandse bevolking van vijftig jaar en ouder

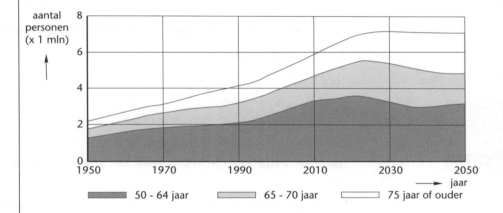

Conclusies

Door de verbeterde levensomstandigheden sinds het begin van de twintigste eeuw wordt de bevolking van Nederland gemiddeld steeds ouder. Het percentage jongeren neemt voortdurend af waardoor de bevolking vergrijst.

NAAR: WWW.CBS.NL

de opbouw	stijgen	de vergrijzing
de bevolking	de oudere	de jeugdige
de verandering	de verhouding	de golf
uitmaken	relatief	de fase
de daling	de omstandigheid	toenemen
de afname	de verwachting	voortdurend

UITVOEREN

4   Hoe is de situatie in je eigen land?

Verzamel informatie aan de hand van de zes vragen bij opdracht 3.
Je kunt informatie vragen aan anderen, in boeken kijken of op internet.
Gebruik dan bijvoorbeeld een zoekmachine zoals Google en kies dan
zoekwoorden als 'population', 'Ghana'.

**5   Schrijf een tekst van ongeveer tweehonderd woorden over de
bevolkingsopbouw in je eigen land.**

Je begint met een 'inleiding'. Daarin beschrijf je kort wat er in de tekst volgt.
Daarna volgt een 'middenstuk'. Dit is het langste deel. Hierin behandel je
na elkaar de twee onderwerpen: het aantal inwoners en de leeftijdsopbouw.
Je geeft cijfers en noemt ook oorzaken. Gebruik als het kan ook tabellen of
grafieken.
Je eindigt met een 'slot'. Daarin schrijf je een mening of een conclusie op.

Geef je tekst aan de docent.

AFRONDEN

**6   Is de bevolkingssituatie in je eigen land hetzelfde als die in
Nederland?**

Vertel aan de groep of de bevolkingssituatie in je eigen land hetzelfde is
als die in Nederland.
Noem overeenkomsten en verschillen. Praat hier met elkaar over.

Het gebruik van woordenboeken

**1   Welke woordenboeken gebruik je en hoe gebruik je ze?
Beantwoord de vragen.**

1   Welk(e) woordenboek(en) gebruik je?
a   Een eentalig woordenboek, namelijk:
☐   het Pocketwoordenboek NT2
☐   het Basiswoordenboek Nederlands

☐   _____

b   Een tweetalig woordenboek, namelijk: _____

2   Welk woordenboek gebruik je het meest?
a   mijn eentalige woordenboek
b   mijn tweetalige woordenboek

3   Welke informatie zoek je op in het eentalige woordenboek?
☐   de betekenis van een woord

☐   _____

☐   _____

☐   _____

4   Welke informatie zoek je op in het tweetalige woordenboek?
☐   de vertaling van een woord

☐   _____

☐   _____

☐   _____

5   Kijk in je woordenboek(en). Welke informatie kun je er nog meer in vinden?

_____

_____

2   **Bespreek je antwoorden van opdracht 1 met twee medecursisten.**

Gebruiken jullie dezelfde woordenboeken? Zoeken jullie dezelfde soort informatie op in het woordenboek? Kunnen jullie in alle woordenboeken evenveel informatie vinden?

3   **Bespreek samen de resultaten van opdracht 1 en 2.**

Discussiëren over opvoeding

VOORBEREIDEN

1   Beantwoord de vragen.

1   Kreeg je in je jeugd weleens straf? Zo ja, wat voor straf was dat dan?

2   Wat mocht je vroeger absoluut niet van je ouders? Geef een voorbeeld.

 COMPUTER

2   Luister naar de tekst en doe de opdracht.

Nee is nee en soms toch ja?

In de jaren zestig en zeventig van de vorige eeuw ontstond er in sommige westerse landen, waaronder Nederland, het idee dat opvoeden vooral betekende: je kind vrij laten en een kind zelf laten onderzoeken wat goed en niet goed is. Veel ouders vonden het niet goed om kinderen te dwingen zich aan regels te houden. In sommige gezinnen wordt er daarom over veel beslissingen – hoe laat ga je naar bed?, hoe laat kom je thuis na het uitgaan?, hoeveel zakgeld krijg je? – lang gediscussieerd. De ouders zeggen niet: regels zijn regels en je doet gewoon wat ik zeg. Nee, de regels staan ter discussie; er wordt tussen de ouders en de kinderen over de regels onderhandeld. Men noemt dit ook wel een 'onderhandelingscultuur'. De laatste tijd is er kritiek op deze manier van opvoeden. Men wil niet terug naar vroeger, naar de tijd van 'vaders wil is wet', maar de tijd van 'alles mag' lijkt voorbij. Volgens sommigen is de maat vol: overal schreeuwende kleuters en pubers die precies doen wat ze zelf willen. De opvoeders van nu moeten de teugels maar weer eens aanhalen, vindt men. Het valt op dat zelfs jonge mensen vaak zelf zeggen dat zij in de toekomst hun eigen kinderen 'toch wel wat strenger' zullen opvoeden. Jongeren vinden het misschien eerst wel leuk dat niemand ze achter de broek zit bij het maken van hun huiswerk. Maar als ze later merken dat ze weinig discipline hebben, gaan ze toch wel een beetje anders denken over de manier van opvoeden van hun ouders …

opvoeden	de beslissing	discussiëren
dwingen	het zakgeld	onderhandelen

Vader (44 jaar) en dochter (16 jaar)

 3   **Kies een stelling.**

Lees de stellingen over opvoeding en kies er één uit om over te praten.

Stellingen

1   De tijd van 'vaders wil is wet' is voorbij. Het is goed dat kinderen over heel veel dingen meebeslissen.

2   Kinderen moeten gewoon doen wat hun ouders zeggen.

3   Strenge straffen zijn goed voor kinderen.

4   Voer de discussie.

Discussieer over de stelling die jullie hebben gekozen. Eén van jullie is de gespreksleider. De gespreksleider zorgt ervoor dat iedereen aan het woord komt, dat iedereen zijn eigen mening kan formuleren en argumenten kan geven voor zijn mening. De gespreksleider geeft aan het eind van het gesprek een korte samenvatting van alle meningen van iedereen. Als jullie klaar zijn met een stelling en er is nog tijd over, dan kunnen jullie nog een volgende kiezen.

 5   Voer de discussie met de groep.

Voer de discussie van opdracht 4 met de groep. Per viertal doet één cursist mee aan de discussie. De docent is gespreksleider. Luister goed naar de anderen als je zelf niet praat. Komen er nieuwe argumenten naar voren? Zijn er veel verschillende meningen?

 6   Bespreek hoe de discussie ging.

Wat ging volgens jullie goed? Wat ging niet zo goed? Wat zou beter kunnen? Hoe dan?

 7   Luister naar de docent.

De docent vat de discussie samen en trekt enkele conclusies.
Let op of de docent alle belangrijke punten noemt. Vul aan als hij iets vergeet.

Informatie verwerken over een Nederlandse uitvaart

1   Wat weet je over uitvaarten in Nederland? Schrijf op.

_____

_____

2   Lees de vragen en de tekst. Is de zin waar of niet waar?

Je leest een rouwkaart waarmee wordt bekendgemaakt dat iemand overleden is.

1   Jeanne, Simone, Patrick, Eva, Carolien, Frits en David zijn familie van de overledene.
a   waar
b   niet waar

2   De overledene is 85 jaar geworden.
a   waar
b   niet waar

3   De overledene is thuis tot de dag van de uitvaart.
a   waar
b   niet waar

4   Na de begrafenis kun je de nabestaanden condoleren.
a   waar
b   niet waar

Voorbij, voorbij, o en voorgoed voorbij …
J.C. Bloem

Na een mooi en lang leven vol liefde en zorg voor allen die hem dierbaar waren, is zacht en kalm van ons heengegaan mijn lieve man, onze lieve vader, schoonvader en opa

Jan van der Linden

* Amsterdam, 21 juli 1923   † Amsterdam, 24 januari 2003

Jeanne van der Linden - Melchers
Simone en Patrick
Eva, Jeroen en Tom
Carolien en Frits
David en Nadja

Van Boshuizenstraat 720
1081 EW Amsterdam

Er is gelegenheid tot afscheid nemen en condoleren op maandag 27 januari van 19.00 tot 19.45 uur in Uitvaartcentrum Zuid, Frederik Roeskesstraat 91 te Amsterdam.

De begrafenis zal plaatsvinden op dinsdag 28 januari om 10.00 uur op de begraafplaats Zorgvlied, Amsteldijk 273 te Amsterdam.

Ook zal er na de plechtigheid gelegenheid zijn tot condoleren in de ontvangstkamer van de begraafplaats.

de zorg	heengaan	de plechtigheid
dierbaar	condoleren	de ontvangst
kalm	de begraafplaats	

3   **Lees de vragen en de tekst. Op welke vragen vind je een antwoord in de tekst? Kruis aan.**

☐ Wie is Annelies?
☐ Hoe maakt men in Nederland meestal een overlijden bekend?

☐ Wie houdt er meestal een toespraak op een begrafenis of bij een
   crematie?
☐ Wordt er in Nederland altijd gezongen op een begrafenis of bij een
   crematie?
☐ Wie draagt in Nederland vaak de kist met de overledene naar het graf?
☐ Worden er vaak bloemen op de kist gelegd?
☐ Wordt er meestal ook een kerkdienst gehouden?
☐ Drinkt men na de begrafenis of crematie meestal koffie met elkaar?

Annelies

Elke dag loop ik naar de brievenbus om te kijken of er leuke post is.
Een paar dagen geleden was er een bijzondere envelop. Een witte met
een zwart randje. Dat was het toppunt van mijn integratie, te weten
wat zo'n envelop betekent. In Turkije kennen we ze niet; een overlijden
wordt daar anders meegedeeld, iets persoonlijker. In Turkije gaat de
aankondiging van mond tot mond. De directe familie vertelt het aan de
naaste familie, en de naaste familie vertelt het rond. Ik opende de
envelop en keek; het was Annelies, een vriendin van mij. Ik had haar al
vijf jaar niet meer gezien of gesproken, maar ik kende haar vroeger goed.

Ik ben naar haar begrafenis gegaan; ze was net zo oud als ik, 28 jaar.
Pas als iemand sterft, bedenk ik me dat de dood zo dichtbij is.
Natuurlijk weet ik dat wel, maar ik sta er nooit bij stil.
We gingen naar een crematorium, er werden veel toespraken gehouden
– wat ik altijd heel bijzonder vind, zo mooi en zo intens. Daarna kwam
er muziek. Ze hadden een lied geschreven voor Annelies en dat werd
gezongen. Dit is in de Turkse cultuur onmogelijk, dat er muziek
gespeeld wordt op je begrafenis. Toen ik mijn tante had verteld dat ik
dat ook op mijn begrafenis wilde, begon ze te huilen. Niet om mijn
dood, maar van de schrik dat ik zo verwesterd was. Ze zei: 'Hoe haal je
het in je hoofd om iedereen naar muziek te laten luisteren, terwijl men
aan het huilen en rouwen is.'

Vervolgens gingen we naar een kille, lelijke kamer waar we een kopje
koffie met een broodje kaas kregen. Dat vind ik het allerergste bij
Nederlandse begrafenissen, die koffie met broodjes. Op dat moment
voelde ik een intense behoefte om met Annelies te praten …

NAAR: NILGÜN YERLI, TURKSE TROEL, 2000

het toppunt	**naaste**	**intens**
de integratie	**het crematorium**	**rouwen**
meedelen	**de toespraak**	**kil**
de aankondiging		

4   **Lees de vragen en de tekst. Beantwoord de vragen.**

1   In Nederland kun je iemand op veel manieren begraven. Waar of niet
     waar?
a   waar
b   niet waar

2   Er wordt een aantal voorbeelden gegeven van nieuwe begrafenis-
     rituelen in Nederland. Schrijf er één op.

Nieuwe rituelen bij begrafenis en crematie in Nederland

De laatste veertig jaar kwamen veel mensen uit tot dan toe onbekende
landen en culturen naar Nederland. De bevolkingssamenstelling
veranderde en daarmee kwamen nieuwe rituelen naar Nederland.
Dus ook nieuwe rituelen bij begrafenis en crematie. De nieuwe Nederlanders willen rouwen zoals zij dat gewend waren in eigen land en zoals
dat past bij hun geloof. De Nederlandse overheid heeft daarom de wet
op een aantal punten aangepast. Moslims mogen nu de overledenen
zonder kist begraven en met het hoofd naar Mekka. Op de Zuider-
begraafplaats in Rotterdam is een aparte hoek voor moslims en daar
kun je goed zien dat de graven er anders uitzien.
Hindoestanen begraven hun doden niet; zij worden altijd gecremeerd.
De overledene wordt mooi aangekleed, helemaal in het wit, en bij het
afscheid nemen worden er bloemen en parfum op hem gegooid.
Zo heeft elke cultuur en elk geloof zijn eigen rituelen bij begraven en
cremeren.

de samenstelling	de overheid	begraven
het ritueel	de kist	het graf
de crematie		

5.1 **Wat weet je nu van een uitvaart in Nederland? Kruis aan weet ik wel of weet ik niet.**

		weet ik wel	weet ik niet
1	Kun je kiezen of je wilt worden begraven of gecremeerd?	☐	☐
2	Hoe wordt het overlijden bekend- gemaakt?	☐	☐
3	Waar kun je afscheid nemen van de overledene?	☐	☐
4	Waar kun je de nabestaanden condoleren?	☐	☐
5	Wat zeg je als je iemand wilt condoleren?	☐	☐
6	Kan de familie eigen rituelen kiezen voor de uitvaart?	☐	☐
7	Wordt er vaak een kerkdienst gehouden?	☐	☐
8	Kunnen de nabestaanden de kist zelf dragen?	☐	☐
9	Kunnen er toespraken worden gehouden?	☐	☐
10	Kan er muziek gespeeld worden?	☐	☐
11	Worden er vaak bloemen op de kist gelegd?	☐	☐

Bespreek het ingevulde schema met een medecursist.

Vergelijk wat jullie wel en wat jullie niet weten. Geef elkaar informatie als een van jullie iets wel weet en de ander niet.

5.2   Wat wil je nog meer weten over een uitvaart in Nederland? Bedenk samen één vraag.

_____

6   Inventariseer de vragen van opdracht 5.2. Beantwoord samen de vragen.

Bespreek samen de vragen en probeer antwoord te geven. Als jullie op een vraag geen antwoord kunnen geven, beantwoordt de docent de vraag.

7   Schrijf een tekst van ongeveer honderdvijftig woorden over een uitvaart in Nederland.

Gebruik de vragen en antwoorden van opdracht 5.1, 5.2, en 6 en de informatie uit de teksten. Schrijf ook op wat je het meest opvalt bij een Nederlandse uitvaart.

AFRONDEN

8.1   Wat hoort er niet bij? Kruis aan.

Hieronder staan vier woorden. Eén woord hoort er niet bij.

☐ muziek   ☐ toespraak
☐ dansen   ☐ condoleren

8.2   Wat hoort er niet bij? Maak samen een rijtje van vier woorden.

Maak een rijtje van vier woorden. Drie daarvan hebben met een uitvaart te maken. Eén woord hoort er niet bij.

☐ _____

☐ _____

☐ _____

☐ _____

8.3   Wat hoort er niet bij? Bekijk het rijtje van twee and

Welk woord hoort niet in het rijtje? Bespreek de antwoorden tweetal.

Toen en dan

Dan halen we herinneringen op aan Turkije.
Ik probeer **dan** mijn zin te krijgen.
De ouders van mijn vrouw zien we iedere week, want **dan** zijn de kinderen bij hen.

Toen mocht ik een dag geen tv kijken.
Mijn vader kon **toen** niet weg.
Hij mocht **toen** alleen naar klassieke muziek luisteren.

→ 'Toen' en 'dan' betekenen hetzelfde: op dat moment.
→ Je gebruikt 'toen' met een imperfectum en 'dan' met een presens.

SLOT

Lees de vragen en kijk nog een keer naar de video. Beantwoord de vragen. Beantwoord de vragen eerst voor jezelf.

1   Je ziet een aanleunwoning op de eerste verdieping van een bejaarden-huis. Wat lijken jou de voordelen van zo'n woonvorm voor ouderen?

_____

2   En wat de nadelen?

_____

3   Zou je het prettig vinden als je ouders in een aanleunwoning gaan wonen als ze oud zijn? Leg je antwoord uit.

_____

Bespreek je antwoorden met drie medecursisten.

VERBINDINGEN	IDIOOM
• herinneringen ophalen	• ergens schoon genoeg van krijgen
• geïnteresseerd zijn in	• van mond tot mond gaan
• kritiek hebben op	• iets in je hoofd halen
• de jaren tachtig, de jaren negentig	• zijn (vaders) wil is wet
• een rol spelen	• de maat is vol
• in de meerderheid zijn	• de teugels aanhalen
• ergens bij stilstaan	• iemand achter de broek zitten
• zich aan de regels houden	• uit de tijd zijn
• ter discussie staan	• geen kik geven
• je zin krijgen	
• op slot	
• ergens niet uitkomen	
• naar voren komen	

EXTRA

Lees het gedicht.

Zijn jas

Mijn vader J was nog maar net
gestorven toen mijn moeder A
zijn nieuwe regenjas voorzichtig
van de kapstok nam. Pas eens,
zei ze, hij was er zo trots op.

Daar stond ik dan en voelde
aan de mouwen en bij het sluiten
van de knopen hoe dood hij was
en hoe ver mijn jeugd. Oud
en zwak zou ik worden, in deze
plooien zou mijn huid gaan hangen
om mijn knoken.

UIT: RUTGER KOPLAND, HET ORGELTJE VAN YESTERDAY, 1968

Hoofdstuk 24

Helemaal op de hoogte

Dit hoofdstuk gaat over taal en media.

Lees de krantenkoppen en beantwoord de vragen. Schrijf ze op.

1 Welke krantenkoppen vind je zakelijk?

_____

_____

_____

_____

2 Welke krantenkoppen vind je sensationeel?

_____

_____

_____

_____

1 **Gewonden brand in Amsterdam**

2 **Vrouw springt van flat op motorrijder**

3 **Woning vol dode dieren**

4 **Helft Nederlanders somber over eigen financiën**

5 **Vuilnisbakken op Schiphol vol drugs**

6 **NS denken over luxe treinen**

Kranten met elkaar vergelijken

VOORBEREIDEN

1   **Lees de vragen. Schrijf de antwoorden op.**

1   Welke Nederlandse kranten ken je?

_____

_____

_____

2   Welke krant(en) lees je weleens?

_____

_____

3   Wat weet je van de verschillen tussen de kranten?

_____

MPUTER

2   **Luister naar de tekst en doe de opdracht.**

3

Cursist A leest tekst 1 en cursist B leest tekst 2. Vul het schema in.

Wat weet je over:

de dader

_____

_____

de slachtoffers

_____

_____

de gebeurtenis

_____

_____

Tekst 1

Achttien jaar voor doden buurvrouw en kind

15 december 2003
Breda – Voor het wurgen van zijn 23-jarige buurvrouw, een prostituee uit Litouwen, en haar tweejarig dochtertje is maandag voor de rechtbank in Breda de 36-jarige C. van D. uit Klundert veroordeeld tot achttien jaar gevangenisstraf. Hij stak in de vroege ochtend van 17 maart vorig jaar de vrouw met een mes neer en wurgde haar daarna met een audiokabel. Haar tweejarig dochtertje werd door Van D. bedwelmd met chloroform, waarna hij haar met een panty om het leven bracht. De woning van de slachtoffers aan de Eikenlaan brandde die ochtend volledig uit. Van D. zou hiermee alle sporen hebben willen uitwissen. Men kon niet bewijzen hoe de brand is ontstaan. Daarom werd Van D. vrijgesproken van het in brand steken van de woning.
De man had tijdens die nacht veel gedronken en een grote hoeveelheid drugs gebruikt.
Van D. zou een seksuele relatie hebben gehad met de vrouw. Beiden zouden ook betrokken zijn bij de handel in harddrugs.

NAAR: DE TELEGRAAF, 15 DECEMBER 2003

wurgen	neersteken	uitwissen
de prostituee	mes	vrijspreken
de rechtbank	bedwelmen	seksueel
veroordelen	panty	de handel
de gevangenis	het spoor	

Tekst 2

Achttien jaar voor wurgen buren

15 december 2003
Breda - Een inwoner van Klundert is gisteren door de rechtbank in
Breda tot achttien jaar gevangenisstraf veroordeeld voor het wurgen
van zijn buurvrouw en haar tweejarige dochter. Hij stak de vrouw met
een mes neer en wurgde haar daarna met een audiokabel. Haar dochter
werd door de man, die had gedronken en bovendien een grote
hoeveelheid harddrugs had gebruikt, eerst bedwelmd met chloroform
en daarna met een panty om het leven gebracht. De man stak daarna
de woning van de slachtoffers in brand om de sporen uit te wissen.

NAAR: NRC HANDELSBLAD, 16 DECEMBER 2003

**4.1   Vergelijk de informatie en voer een gesprek. Maak gebruik van
onderstaande vragen.**

1   Wat is hetzelfde?
2   Wat zijn de verschillen?
3   Welke informatie uit de tekstjes vinden jullie belangrijk?

4.2   Lees nu het andere artikel en beantwoord de vragen.

1   Welk artikel vinden jullie het moeilijkst?
2   Kies samen het beste artikel. Motiveer je keuze.

**5   Je krijgt een krant van de docent. Bekijk de krant en beantwoord
de vragen.**

1   Welk nieuws staat er op de voorpagina?

_____

_____

2   Waarover gaat het belangrijkste artikel op de voorpagina?

_____

3   Beschrijf de grootste foto op de voorpagina.

_____

4 Bij welk artikel hoort die foto?

_____

5 Welke emoties voel je bij de foto? Kruis aan.
☐ verbazing
☐ vreugde
☐ verdriet
☐ agressie
☐ angst
☐ geen emotie

6 Welke dingen staan altijd op de voorpagina, denk je?

_____

_____

7 Wat vind je van de voorpagina? Kruis aan.
☐ saai
☐ zakelijk
☐ sensationeel

Waar zie je dat aan?

_____

8 Hoeveel ruimte is er voor onderstaande onderwerpen?

	aantal pagina's
binnenland	_____
buitenland	_____
regionaal	_____
financieel	_____
sport	_____
opinie	_____
cultuur	_____

Positieve test Rusedski door ATP-supplement

LONDEN – De Britse proftennisser Greg Rusedski is positief bevonden in een dopingtest door een product dat hem als supplement was verstrekt door de spelersvakbond ATP. De advocaat van de speler heeft dit meegedeeld. Rusedski werd onlangs vrijgesproken van doping door een panel van de ATP. Hij ontkent dat hij juridische stappen onderneemt tegen de organisatie. (Reuters)

9 Kies drie onderwerpen bij het buitenlandse nieuws die je in██
vindt.

_____

_____

_____

10 Is de krant een ochtend- of een avondkrant?

_____

Per drietal presenteert één cursist de resultaten aan de groep.

6   **Voer een gesprek.**

Vergelijk de verschillende kranten. Maak gebruik van onderstaande vragen.

1   Welke krant heeft de meeste foto's?
2   Welke krant heeft het meeste buitenlandse nieuws?
3   Welke krant heeft het meeste financiële nieuws?
4   Welke krant heeft het meeste nieuws over sport?
5   Welke woorden passen volgens jullie bij de verschillende kranten?

Kies uit: zakelijk – objectief – saai – sensationeel – gezellig – makkelijk – moeilijk.

:k over kranten.

over de volgende punten:
elangrijk aan een krant?
een ochtendkrant of een avondkrant. Waarom?
(en) zou je regelmatig willen lezen?
rerschillen tussen de belangrijkste kranten in jouw land?

Regels   *Het verbum*

Zijn + aan het + infinitief = bezig zijn te …

Je moet je ook kunnen ontspannen als je de krant **aan het lezen** bent.
Ik was **aan het schoonmaken** toen de telefoon ging.
Ik ben naar het journaal **aan het kijken**.

De belangrijkste punten uit het nieuws weergeven

TAAK 2

VOORBEREIDEN

1 Lees de vragen. Zoek de informatie op in de tekst. Schrijf de antwoorden op.

1 Wat is een ander woord voor het nieuws op televisie?

_____

2   Op welke zenders en op welke tijden kun je het nieuws zien op de televisie?

_____

_____

_____

Televisie Nederland

	Nederland 1	Nederland 2	Nederland 3	RTL 4
18.00	18.30 AVRO: Get the picture. Quiz		18.00 NPS: Sesamstraat. 18.15 VPRO: Villa Achterwerk. Met: Bukbeestjes, Kijkers en Heb jij dat ook? 18.30 NPS: (TT) Het Klokhuis 18.49 NOS: (TT) Jeugdjournaal	18.00 RTL Nieuws 18.10 Editie NL. Nieuwsprogramma 18.30 RTL Boulevard. Mix
19.00	19.00 NCRV: Man bijt hond. Magazine waarin groot nieuws klein kan zijn en klein nieuws groot 19.30 EO: (TT) Ingang Oost. Serie over de Spoed Eisende Hulp afdeling in een ziekenhuis	19.25 TROS: (TT) Lingo. Woordspel 19.55 Ralph Inbar. Ingelaste uitzending: Ivo Niehe brengt een hommage aan de plotseling overleden Tros-programmamaker Ralph Inbar	19.02 VPRO: (TT) Loenatik. Nederlandse serie 19.30 VARA: B&W. Praatprogramma	19.15 Volgens hem, volgens haar. Nederlandse serie 19.30 RTL Nieuws
20.00	20.00 NOS: (TT) Journaal 20.30 AVRO: (TT) Netwerk. Actualiteiten	20.30 TV Masque. Ingelaste uitzending uit 1992 waarmee de overleden Ralph Inbar een Gouden Roos	20.00 Becker. Amerikaanse comedyserie 20.27 (TT) Per seconde wijzer. Quiz	20.00 (TT) Goede tijden, slechte tijden. Nederlandse soap 20.30 Woonbrigade. Consumenten-

PUTER

2   **Luister naar de tekst en doe de opdracht.**

UITVOEREN

3   **Kijk naar het NOS journaal van 18.00 uur op Nederland 2. Beantwoord de vragen.**

Je hoort van de docent op welke dag je deze opdracht moet doen.

1   Welke onderwerpen zijn er op het journaal?

_____

_____

2   Welke onderwerpen vind je belangrijk. Waarom?

_____

_____

4 **Kijk op dezelfde dag naar het NOS journaal van 20.00 uur op Nederland 1. Beantwoord de vragen.**

1 Kies twee onderwerpen waarvan je de belangrijkste punten opschrijft. Maak aantekeningen zodat je het onderwerp later kunt navertellen.

Onderwerp 1: _____

_____

_____

_____

Onderwerp 2: _____

_____

_____

_____

2 Is er verschil tussen het journaal van 18.00 uur en het journaal van 20.00 uur?

_____

5 **Vertel over de belangrijkste punten van de onderwerpen van opdracht 4.**

Gebruik je aantekeningen van vraag 1 van opdracht 4. Stel elkaar vragen als je iets niet begrijpt.

AFRONDEN

6   Zijn de onderwerpen goed naverteld?

De docent laat het journaal nog een keer zien. Controleer of de onderwerpen goed zijn naverteld.

Verzuiling

Tot ongeveer 1970 speelde verzuiling een belangrijke rol in de Nederlandse samenleving. Het betekende dat de samenleving in groepen verdeeld was op basis van geloof of levensbeschouwing. Er was een protestantse, een katholieke, een socialistische en een liberale zuil. Katholieken bijvoorbeeld, gingen naar katholieke scholen, zaten op katholieke sportverenigingen en lazen een katholieke krant. Ook in de wereld van radio en televisie was er sprake van verzuiling. Iedere zuil had zijn eigen omroep.
Nederland heeft tegenwoordig vijf radiozenders en drie televisiezenders waarvan de zendtijd verdeeld is onder de verschillende omroepen.
Een omroep verzorgt de programma's op radio en televisie. Hoeveel tijd een omroep krijgt, hangt af van het aantal leden van de omroep.
Nederland heeft als enige in de wereld dit systeem; het is het product van de 'verzuiling'. Als je in Nederland naar de televisie kijkt, zie je linksboven in het scherm het logo van de omroep die de uitzending verzorgt. Naast de omroepen is er nog een flink aantal commerciële Nederlandse zenders. Net als de omroepen, hoorden ook de kranten en tijdschriften tot de jaren zeventig heel duidelijk bij een groep met een bepaalde levensbeschouwing.

Voorbeelden van verzuiling tot 1970:

levensbeschouwing	omroep	krant
rooms-katholiek	KRO	De Volkskrant
protestants-christelijk	NCRV/EO	Trouw
socialistisch	VARA	Het Vrije Volk
liberaal	AVRO	NRC Handelsblad

Nu speelt verzuiling geen grote rol meer in de pers. Kranten en tijdschriften zijn verdeeld in progressieve kranten (De Volkskrant), kranten die in het midden zitten (NRC Handelsblad) en conservatieve kranten (De Telegraaf). Ook de verschillen tussen de omroepen zijn steeds kleiner aan het worden.

de verzuiling	de omroep	de uitzending
het geloof	de zender	het tijdschrift
de beschouwing	commercieel	de pers
katholiek	het systeem	progressief
socialistisch	het logo	conservatief
liberaal		

Nederlands lezen buiten de les

1   Beantwoord de vragen.

1   Welke manieren van lezen ken je?

☐   Zoekend lezen (= extensief lezen): de informatie zoeken die je nodig hebt.

☐   Globaal lezen (= extensief lezen): de tekst snel doorlezen.

☐   Woord-voor-woord lezen (= intensief lezen): de tekst helemaal lezen.

2   Lees je buiten de les? Zo ja, wat lees je dan?

☐   Ja, ik lees _____

☐   Nee.

3   Lees je voor je plezier? Zo ja, wat lees je graag?

☐   Ja, ik lees graag _____

☐   Nee.

4   Welke manier van lezen gebruik je het meest?

☐   intensief lezen

☐   extensief lezen

5   Hoe lees je intensief?

☐   met een woordenboek Nederlands – eigen taal

☐   met een woordenboek Nederlands – Nederlands

☐   zonder woordenboek

6   Zoek je elk woord op dat je niet kent?

☐   ja

☐   nee

7   Vind je lezen belangrijk voor het leren van het Nederlands? Licht je antwoord toe.

☐   Ja, omdat _____

☐   Nee, omdat _____

2   **Lezen jullie de teksten op dezelfde manier?**

Vertel elkaar wat je bij opdracht 1 hebt geantwoord.

3   **Bespreek de resultaten van opdracht 1 en 2.**

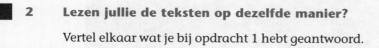

TAAK
3   Meedoen aan een taalquiz

VOORBEREIDEN

1   **Kijk naar de zenderinformatie bij opdracht 1 van taak 2 pagina 187. Welke programma's zijn taalspelletjes?**

_____

_____

2   **Lees de vragen en de tekst. Beantwoord de vragen.**

1   Bestaat er een officiële spelling van jouw moedertaal?

_____

2   Vind je goed spellen belangrijk? Waarom wel? Waarom niet?

_____

3   Kun je in je eigen taal goed spellen?

_____

4   En in het Nederlands?

_____

Het Groot Dictee der Nederlandse Taal

Het Groot Dictee der Nederlandse Taal

In bijna alle Nederlandse kranten staan taalpuzzels en ook op de televisie
zijn veel taalspelletjes te zien. Heel bekend is het Groot Dictee der
Nederlandse Taal dat één keer per jaar wordt georganiseerd en op
televisie wordt uitgezonden. Het dictee wordt voorgelezen aan dertig
bekende en dertig onbekende deelnemers uit Nederland en België.
De deelnemers proberen de voorgelezen zinnen foutloos op te schrijven.
Zij worden getest op spelling, volgens de regels zoals die zijn
vastgelegd in de 'Woordenlijst der Nederlandse Taal' van 1995. Deze
woordenlijst is samengesteld in opdracht van de Nederlandse en de
Belgische regering en heet in de volksmond 'het Groene Boekje' .
De regels van de spelling zijn niet altijd gemakkelijk toe te passen en
ook geoefende schrijvers maken nog fouten. Het gemiddeld aantal
fouten per deelnemer aan het Groot Dictee ligt meestal tussen de
twintig en dertig fouten!

het dictee	de deelnemer	toepassen
voorlezen	vastleggen	

 Vergelijk je antwoorden met twee medecursisten.

UITVOEREN

3   **Doe de taalquiz.**

Kies samen de antwoorden. Kijk aan het eind van de taalquiz hoeveel punten jullie hebben gehaald. De goede antwoorden vind je achter in het boek.

1   Is de spelling van het woord goed of fout? Kruis aan.

		goed	fout
1	achttien	☑	☐
2	hondert d	☐	☑
3	babies baby's	☐	☑
4	interessant	☐	☑
5	volledig	☑	☐
6	plotseling	☑	☐
7	chaufeur	☐	☑
8	generatie	☑	☐
9	portie	☑	☐
10	dicsipline	☐	☑
11	baggage	☐	☑
12	file	☑	☐
13	conducteur	☑	☐
14	millieu o~ l	☐	☑
15	verzekeringspolis	☑	☐

Controleer de antwoorden. Voor elk goed antwoord krijg je een punt.

Score: _____

2   Test je kennis van het idioom. Welk woord hoort in het gat? Vul in.

1   Een gat in je ____hand____ hebben. A hole in the hand.

2   Eten wat de ____pot____ schaft.

3   Bont en ____blauw____ zijn.

4   Een ____vinger____ aan de pols houden.

5   ____voet____ bij stuk houden. to insist. to be sure.

6   Je ____schouders____ ophalen.

7   Iemand van het ____kaste____ naar de muur sturen. No one helps you go from I place/person to the next.

8   Iets uit je ____hoofd____ zetten.

9   Een ____vat____ vol tegenstrijdigheden.

10 De _____Sterren_____ van de hemel zingen.

11 Iets uit je hoofd _____zetten_____.

12 Het is een _____Klap_____ *A slap in the face.* in mijn gezicht.

13 *When you realize something too late.* Dan weet je wel hoe _____laat_____ het is.

14 Die vraag _____brandt_____ mij op de lippen.

15 De _____maat_____ is vol. *it is enough*

Controleer de antwoorden. Voor elk goed antwoord krijg je een punt.

Score: _____

3   Welke woorden kun je in het woordenvierkant vinden? Schrijf op.
    De woorden moeten van links naar rechts of van boven naar beneden
    te lezen zijn.

b	u	s	a	r
o	r	d	l	a
f	e	e	s	t
e	n	e	e	o
m	a	n	k	n

raton
bus
feest
man
als   bof
een / uren
rat / nee
ene   notar
       ton
bree
na
bord
drena

Voor een woord van twee letters krijg je één punt.
Voor een woord van drie letters krijg je twee punten.
Voor een woord van vier letters krijg je drie punten.
Voor een woord van vijf letters krijg je vier punten.

Score: _____

4   Maak nieuwe woorden. Schrijf op.
Maak zoveel mogelijk nieuwe woorden met de letters van het woord
'taalvaardigheid'. Je mag de letters ook in een andere volgorde
gebruiken.

taalvaardigheid

vaardig	dag
taal	haalde
laat	laat
ei aard	de
gevaar haar	

Voor elk woord krijg je één punt. Score: _____

5   Welke fouten zitten er in de tekst? Onderstreep de fouten.

Het is 20 juli. Eva en Pieter zijn vijfentwintig jaar getrouwd, ~~want~~ *dus* ze
geven een groot feest. Ze hebben hun familie en al hun vrienden een
uitnodiging gestuurd om naar café Het Kalfje te komen. Eva en Pieter
zijn al vroeg aanwezig en wachtten op de gasten. Al snel is het druk en
gezellig. Het wordt een heerlijke avond. Maar als Eva en Pieter komen *thuis*
thuis, blijkt dat er een dief in hun huis is geweest. Wat een chaos!
De televisie, een schilderij en nog andere kostbare dingen is gestolen.
Gelukkig vergoed de inboedelverzekering de schade. Zo hebben Eva en
Pieter dus goede en slechte herinneringen van hun trouwdag.
aan

kostbaar

Controleer de antwoorden. Voor elk goed antwoord krijg je een punt.

Score: _____

4   **Vergelijk de resultaten van de taalquiz. Welk team heeft de
meeste punten?**

AFRONDEN

 5 **Praat met elkaar over taalspelletjes.**

Maak gebruik van onderstaande vragen.

Houd je zelf van taalspelletjes?
Staan er in jouw land taalspelletjes in de krant?
Zijn er in jouw land taalspelletjes op de televisie?
Zijn die spelletjes populair?
Heb je weleens naar zo'n taalspelletje gekeken?
Vertel de anderen iets over dat spelletje.

TAAK 4
Een column schrijven over het leren van een taal

VOORBEREIDEN

 1.1 **Zoek columns in kranten.**

Een column is een stukje van een schrijver die regelmatig (iedere dag, iedere week of iedere maand) iets schrijft voor een krant of tijdschrift. Zoek in de kranten van taak 1 naar artikelen waarvan je denkt dat het columns zijn.

De kenmerken van een column zijn:
1   Je weet altijd wie de schrijver is. Soms staat er een foto bij.
2   Een column staat op een vaste plaats in de krant.
3   Een column staat op een vaste dag in de krant.
4   Het onderwerp van een column is vaak een persoonlijke ervaring of mening.
5   Een column heeft meestal geen zakelijke stijl.

1.2   Welke kenmerken uit opdracht 1.1 passen bij de columns die jullie gevonden hebben? Vul in en kruis aan.

Schrijf de titel van de column in het schema en kruis aan welke kenmerken erbij passen.

Titel _____   _____   _____

Kenmerk _____   _____   _____

1	☐	☐	☐
2	☐	☐	☐
3	☐	☐	☐
4	☐	☐	☐
5	☐	☐	☐

2   Lees de vragen en de tekst. Beantwoord de vragen.

1   Wat is de beste samenvatting van deze column?
a   Een nieuwe taal leer je het beste buiten de school.
b   Het leren spreken van verschillende talen geeft maatschappelijke status.
c   Leven in een meertalige situatie heeft ook negatieve kanten.

2   Waarom pakt de bakkersvrouw het brood niet?
a   Ze heeft Amira niet goed verstaan.
b   Ze wil meer weten over het brood dat Amira wil.
c   Het volkoren brood is op.

3   Waarvan vindt de schrijfster de situatie van Fanny en Chen een voorbeeld?
a   Mensen kunnen zich in verschillende talen verschillend gedragen.
b   Het is niet makkelijk om met iemand uit een andere cultuur te trouwen.
c   Het is bijna onmogelijk om een nieuwe taal perfect te leren.

Een half volkoren, alstublieft

Het taleninstituut waar ik naartoe ging om Nederlands te leren was voor mij in het begin het paradijs. In de eerste plaats omdat we allemaal buitenlanders waren die in Nederland waren komen wonen en in de tweede plaats omdat het binnen de school normaal was om geen Nederlands te kunnen spreken. Buiten de school leed ik elke dag wel een nederlaag. De eerste keer dat ik naar de bakker ging om een brood te kopen bijvoorbeeld. Ik leerde de naam van het brood dat ik ging kopen uit mijn hoofd. Als ik aan de beurt was moest ik om een half volkoren vragen. Ik voelde me al geweldig omdat ik het woord goed had uitgesproken, maar de bakkersvrouw had niet de minste neiging om het genoemde brood voor me te gaan pakken. Ze vroeg mij iets dat ik niet begreep en bleef staan wachten op mijn antwoord. Ik kon niet anders doen dan mijn schouders ophalen en maar een van de broden aan te wijzen met mijn vinger. Later ben ik te weten gekomen dat de bakkersvrouw me die dag gevraagd moet hebben of ik fijn, middel of grof volkoren wilde hebben, met acht of met twaalf verschillende granen, of ik het ongesneden of gesneden wilde hebben, met maanzaad, zonnebloempitten of sesam ...

Het staat goed meerdere talen te kennen, het geeft status en veel mensen verdienen er zelfs hun brood mee. Maar eigenlijk wordt er nooit gesproken over de negatieve kanten van veeltaligheid. Als je in een situatie leeft waarin je steeds van taal moet wisselen, kan dat een verwarrende ervaring zijn. Het leven in een meertalige situatie heeft mijn leven op belangrijke punten cultureel en maatschappelijk beïnvloed en het heeft ook gevolgen gehad voor mijn gedrag. Het gaat zover dat je kunt zeggen dat ik veranderd ben in een mens met meerdere gezichten. Bij elke taal waarin ik me uitdruk laat ik een andere persoonlijkheid zien. Wanneer iemand die me alleen in het Nederlands kent, over mij zou spreken met iemand die mij alleen in het Spaans kent, kunnen ze de indruk hebben over twee verschillende mensen te spreken. In het Spaans praat ik veel en aarzel ik niet mijn mening te geven over wat voor onderwerp dan ook. De Nederlandse en zeker ook de Engelse versie van mijn persoonlijkheid is verlegen.

Een vriendin van mij heeft dat ook ervaren. Mijn vriendin Fanny is met een Chinees getrouwd. Fanny en Chen hebben elkaar in Londen leren kennen. Na enkele maanden gingen ze samenwonen en

binnen een jaar trouwden ze. Al die tijd hoorde Fanny Chen no[...]
met iemand Chinees spreken. Er waren geen andere Chinezen in h[...]
omgeving. De mensen die Chen kenden hadden van hem het beeld
van een kalme, rustige jongen. Hoewel Chen perfect Engels sprak,
beperkte hij zich wanneer hij sprak, hij glimlachte nauwelijks en
echt lachen deed hij bijna nooit. Fanny was heel verbaasd toen zij
Chen op een dag voor het eerst Chinees hoorde spreken. Zij ontdekte
dat Chen in het Chinees het schreeuwerigste, lawaaierigste type is
dat ze zich kon voorstellen. Toen Fanny zag hoe haar man zich in het
Chinees gedroeg, had zij het idee dat hij een ander was, een totaal
onbekende Chinees!

NAAR: AMIRA ARMENTA, EEN NIEUWE TONG, 2004

het instituut	status	aarzelen
het paradijs	verwarrend	perfect
aanwijzen show	maatschappelijk	glimlachen
het graan	de persoonlijkheid	zich gedragen

UITVOEREN

3 **Schrijf een column van tweehonderd woorden over het leren van een nieuwe taal.**

Het onderwerp kan zijn:
- een grappige gebeurtenis die ontstond doordat je de taal nog niet goed sprak;
- een ervaring die je had bij het leren van de taal;
- hoe je je voelt als je in de nieuwe taal in verschillende situaties moet communiceren;
- of meertaligheid invloed heeft op je persoonlijkheid.

 influence

AFRONDEN

4 **Kies de beste column.**

Je krijgt van de docent drie columns die geschreven zijn door mede-cursisten. Vertel aan de groep waarom jullie deze keuze hebben gemaakt.

beste column.

tijdschrift of schoolkrant waar jullie deze column naartoe

Het passief

Er wordt nooit gesproken over de negatieve kanten van veeltaligheid.
Deze krant wordt veel gelezen.

  In passieve zinnen:
* gebruik je een vorm van worden + een participium;
* staat niet wie de actie van het verbum uitvoert.

Wil je wel noemen wie de actie uitvoert? Gebruik dan 'door'.
Deze krant wordt ook veel **door studenten** gelezen.
Dit programma wordt **door jongeren** gemaakt.

Let op:
Dit programma wordt door jongeren gemaakt.	presens
Dit programma werd door jongeren gemaakt.	imperfectum
Dit programma is door jongeren gemaakt.	perfectum
Dit programma was door jongeren gemaakt.	plusquamperfectum

SLOT

Lees de tekst en de vragen. Beantwoord de vragen.

1   Is er in jouw land een standaardtaal?

_____

2   Wordt in de kranten in jouw land de officiële spelling gebruikt?

_____

3   Spreekt iedereen op de radio en op de televisie in jouw land de
standaardtaal of hoor je ook wel varianten?

_____

4   Vind je dat er in de media alleen de standaardtaal gebruikt moet
    worden? Licht je antwoord toe.

Standaardnederlands in de media

In de media van Nederland, Vlaanderen, Suriname, de Nederlandse
Antillen en Aruba wordt het Standaardnederlands gebruikt. Deze
standaardtaal bestaat uit regels over spelling, uitspraak en de woorden
van het Nederlands. Vroeger sprak men ook wel van ABN (Algemeen
Beschaafd Nederlands), maar tegenwoordig gebruikt men liever de
term Standaardnederlands. Door het woord 'beschaafd' kan namelijk
het idee ontstaan dat mensen die een andere variant van het Nederlands
spreken niet beschaafd zouden zijn.
In kranten en tijdschriften wordt de standaardtaal gebruikt en daarbij
worden de spellingsregels uit 'het Groene Boekje' van 1995 toegepast.
Maar wie regelmatig kijkt of luistert naar programma's op de televisie
of de radio weet al lang dat er ook presentatoren, weermannen en
filevrouwtjes zijn die geen Standaardnederlands meer spreken. Moeten
we ons zorgen maken over het verdwijnen van de standaardtaal?
Zoveel taaldeskundigen, zoveel meningen ...

NAAR: WWW.RNW.NL/SPECIAL

de standaard   de variant   de deskundige
beschaafd

  Vergelijk je antwoorden met twee medecursisten.

VERBINDINGEN	IDIOOM
• betrokken zijn bij	• voet bij stuk houden
• bezig zijn met	• je neus ophalen
• op de hoogte zijn van	• er het zwijgen toe doen
• een nederlaag lijden	• in de volksmond
• mis zijn met	• iemand om het leven brengen
• met name	
• de neiging hebben om	
• in brand steken	
• zonde zijn van	
• in opdracht van	
• zich zorgen maken (om)	
• op basis van	

Remco Campert (CA) is schrijver en columnist. Om de dag schrijft hij een column CAMU op de voorpagina van de Volkskrant. Jan Mulder (MU) schrijft de column de andere dag. Deze CAMU-column is van Campert. Op het moment dat hij de column schrijft, is hij op een poëziefestival in Indonesië.

CA | MU

Zwijgen

Midden in de feestavond die de burgemeester van Makassar de dichters van het internationale poëziefestival aanbood werd ik door Willy Rendra, de inspirator van het evenement, bij de arm gepakt en meegevoerd naar buiten, de warme geheimzinnige avond in, vol verlokkende geluiden. Daar stond een auto klaar. 'Wat gaan we doen, Mas Willy?' Vier Indonesische dichters en ik gingen naar een televisiestudio om daar een discussie aan te gaan over het belang van de poëzie. Het programma was live en werd landelijk uitgezonden. Even later werd ik geschminkt en maakte ik me zorgen. Zou ik de vragen die mij zouden worden gesteld wel verstaan? Het Engels dat hier gesproken wordt is soms nauwelijks te volgen. Maar dat viel deze keer mee en toen me halverwege het programma een vraag werd gesteld, bracht ik het er, leek me, redelijk vanaf.

Voor die tijd had ik gezwegen en ook na die tijd kon ik er het zwijgen toe doen. De Indonesiërs praatten graag en lang. Mijn rol was aanwezig te zijn en belangstellend te luisteren. Dat is moeilijk als je de taal niet verstaat. Wat voor gezicht moet je trekken? Het mocht niet al te neutraal zijn, want dat zou de indruk kunnen wekken dat ik er niet bij was met mijn hoofd. Ik besloot tot een licht wenkbrauwfronsen dat een diep meedenken moest suggereren. Zo af en toe werd er door alle deelnemers gelachen en dan lachte ik mee. Niet al te uitbundig: ik plooide mijn lippen in een waarderende grijns en er verscheen een kleine monkeling* achter mijn brillenglazen. Intussen voelde ik me met de seconde dommer en overbodiger worden. Later zei een kenner dat mijn zwijgen als teken van wijsheid werd ervaren. Hoe minder je zegt, hoe wijzer je bent. Je hebt geen woorden nodig.

*monkeling = (glim)lach

UIT: REMCO CAMPERT, CAMU, DE VOLKSKRANT, 12 APRIL 2002

Hoofdstuk 25

Tijd voor jezelf

Lees de vragen en de tekst. Beantwoord de vragen.

1 Wat doet de gemiddelde Nederlander in zijn vrije tijd? Teken de gegevens in het diagram.

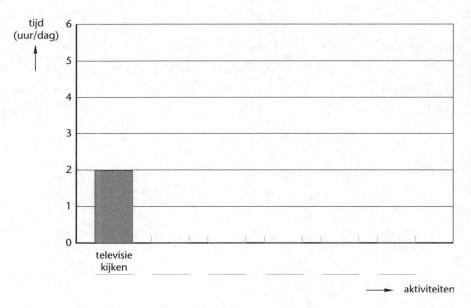

Zes uur vrije tijd per dag

Waaraan besteden Nederlanders van twaalf jaar en ouder hun tijd? Van de 24 uur wordt gemiddeld tien uur besteed aan slapen, wassen en eten. Zes uur wordt doorgebracht als vrije tijd en ruim drie uur per dag wordt besteed aan de verzorging van anderen en aan huishoudelijke taken. Een groot deel van de vrije tijd, gemiddeld twee uur per dag, wordt naar de televisie gekeken. Contact met familieleden, vrienden en kennissen neemt anderhalf uur in beslag. Ongeveer een half uur per dag brengt de Nederlander door met spelletjes, muziek maken of andere hobby's. Aan niets doen en lui zijn gaat eveneens een half uur op. Nog minder dan een half uur besteden mensen gemiddeld aan sport.

NAAR: WWW.CBS.NL

huishoudelijk	lui	opgaan

2 Kijk naar het diagram. Lijkt jouw vrijetijdsbesteding op die van de gemiddelde Nederlander?

Vertellen wat je in je vrije tijd doet

1   Lees de vragen en de tekst. Beantwoord de vragen.

1   Vind je dat Nederlanders veel vrije tijd hebben?

_____

2   Hebben mensen in jouw land meer of minder vrije tijd dan in Nederland?

_____

3   Vinden mensen vrije tijd in jouw land belangrijk?

_____

Nederlander werkt het minste aantal uren

Nederlanders zijn niet het ijverigste volk ter wereld. Tenminste, als je kijkt naar het aantal uren dat per jaar gewerkt wordt. Uit een onderzoek van de Internationale Arbeidsorganisatie blijkt dat Nederlanders gemiddeld 1340 uur per jaar werken. De Duitsers komen tot 1467 uur terwijl Belgen 1528 uur per jaar aan hun werk besteden. Een Fransman is gemiddeld 1531 uur bij zijn baas aanwezig.
Amerikanen, van wie bekend is dat ze maar weinig vakantie hebben, werken gemiddeld 1825 uur. Zuid-Koreanen werken het hardst: 2447 uur per jaar.
Dat het aantal uren dat Nederlanders gemiddeld werken zo laag is, komt doordat 33% van de werkende bevolking een parttimebaan heeft.

NAAR: HET PAROOL, 1 SEPTEMBER 2003

ijverig

het volk   people / population

2   **Kijk naar de video en doe de opdracht.**

Lijden aan vrijetijdsstress

Mensen presenteren zich tegenwoordig steeds meer aan de hand van wat zij in hun vrije tijd doen. In de jaren vijftig bijvoorbeeld schreef iemand in een contactadvertentie dat hij of zij het financieel goed had, of welk geloof hij of zij had. Maar nu presenteren mensen zich aan de hand van hun vrijetijdsbesteding. Kijk maar eens naar onderstaand voorbeeld.

> Man, 43 jr, 1m 85, 91 kg, eigen bedrijf,
> zoekt een zelfstandige vrouw met humor.
> Ik kook zelf en goed. Ik houd van verwennen
> en verwend worden, film- en museumbezoek,
> kunst, cultuur, lezen en muziek (klassiek en
> pop), reizen en steden: terrasje in Maastricht?

Tegenwoordig zijn er ook steeds meer mogelijkheden om je schaarse uurtjes vrije tijd te besteden en dat leidt weer – geloof het of niet – tot dat wat vrijetijdsstress is gaan heten. Mensen kunnen en willen zoveel dat ze niet meer weten wat ze moeten kiezen. Sterker nog, ze vinden geen voldoening in wat ze hebben gedaan, maar voelen zich ontevreden over de dingen die ze niet hebben gedaan. Ze komen tijd tekort en het gevolg is vrijetijdsstress.

NAAR: AMERSFOORTSE COURANT/VELUWS DAGBLAD, 27 SEPTEMBER 2003

Voer het gesprek.

Maak gebruik van onderstaande vragen. Licht je antwoorden toe.

1   Vind je dat je zelf voldoende vrije tijd hebt?
2   Wat is je mening over vrijetijdsstress?

3   Heb je daar zelf weleens last van?
4   Is het bij jou thuis weleens druk omdat familieleden veel dingen in
    hun vrije tijd 'moeten' doen?

| presenteren | het terras | voldoening _satisfied_ |
| verwennen _indulge_ | schaars _scarice_ | |

verwend, spoiled

lijden – when you have pain
not leiden

3   **Wat doe je in je vrije tijd? Beantwoord de vragen.**

1   Welke dingen doe je weleens in je vrije tijd? Hoe vaak doe je ze? Iedere
    dag, iedere week, iedere maand? Welke dingen doe je niet, maar zou
    je weleens willen doen? Vul in.

activiteit	hoe vaak
televisie kijken	Soms
naar muziek luisteren	Altijd
muziek maken	Af en toe
naar de film gaan	Nooit
een museum bezoeken	Soms
sporten	Altijd
wandelen	Vaak
fotograferen	Vaak
ik zou weleens _____	_____

2   Zijn er nog andere dingen die je in je vrije tijd doet? Vul in.

activiteit	hoe vaak
Paard rijden	_____
_____	_____
_____	_____

4   **Wat doe je in je vrije tijd? Voer het gesprek.**

Maak gebruik van onderstaande vragen en de antwoorden van opdracht 3.

1   Welke dingen doe je in je vrije tijd?
2   Hoeveel tijd besteed je daaraan?
3   Welke dingen deed je in je eigen land in je vrije tijd die je in Nederland niet doet?
4   Welke dingen doe je in Nederland in je vrije tijd die je in je eigen land niet deed?

5   **Wat heb je het afgelopen weekend gedaan? Voer het gesprek. Vertel elkaar wat je hebt gedaan.**

TAAK 2 Een vakantiereis kiezen

1 **Lees de vragen en de tekst. Beantwoord de vragen.**

1 Wat voor vakantie is dit?
a een rondreis
b een cruise
c een strandvakantie
d een stedenreis

2 Hoe kun je de reis boeken?

_____

_____

3 Zou je deze reis willen maken? Waarom wel? Waarom niet?

_____

Uniek Cappadocië
Gloednieuwe achtdaagse reis naar Antalya, Avanos en Konya.
Slechts €319,– !! Vertrekdata: iedere woensdag van 7-4 t/m 27-10.

Maak kennis met een van de meest bijzondere gebieden ter wereld: het Turkse Cappadocië. Deze reis neemt u mee door een prachtig landschap met vreemd gevormde rotsen in allerlei zachte kleuren. En de prijs ... Daar hoeft u echt niet voor thuis te blijven. U kunt deze reis namelijk al boeken voor een prijs van slechts €319,– !! U logeert in goede hotels inclusief ontbijt en diner. Informatie en boekingen: 24 uur per dag, 7 dagen per week via **www.reiswinkel.nl**. Of van maandag tot en met zaterdag van 9.00 uur tot 17.00 uur via telefoonnummer: 030 – 8889211. U kunt ook langskomen bij een van de Reiswinkels bij u in de buurt.

---

gloednieuw	inclusief	de boeking
de rots *cliff/rock*	het diner	

COMPUTER

2 **Luister naar de tekst en doe de opdracht.**

3 **Beantwoord de vragen.**

1 Wat vind jij belangrijk als je op vakantie bent? Kruis aan.
Je kunt meerdere antwoorden kiezen.

☑ mooi weer
☐ actief zijn   } allebei
☐ lui zijn
☑ cultuur
☑ natuur
☐ rust
☑ lekker eten en drinken
☐ uitgaan
☑ veel verschillende dingen zien
☐ nieuwe mensen ontmoeten
☐ familie bezoeken
☐ vrienden bezoeken

☐ _____

2 Wat voor soort vakantie trekt je het meest aan? Waarom?

☑ Een rondreis, omdat _het is heel interessant_

☐ Een strandvakantie, omdat _____.

☐ Een stedenreis, omdat _____.

☐ Een actieve vakantie, omdat _____.

☐ _____.

  Vergelijk je antwoorden met twee medecursisten.

UITVOEREN

4   **Lees de vragen en de teksten. Beantwoord de vragen.**

1   Welke reis zou je graag willen maken? Waarom?

Ik zal ~~graag~~ altijd naar Afrika gaan. Ik vind het een erg mooi continent

2   Welke reis wil je niet maken? Waarom niet? *Ik heb geen zin maar een koud land te gaan.*

Vakantie 1

Weekendje Brussel

Al vanaf € 130,– ! U reist per trein en verblijft twee nachten in Hotel Leopold.

Al sinds de Middeleeuwen is Brussel het politieke hart van Europa. Het is een stad met stijl, een stad vol cultuur. In het centrum vindt u de middeleeuwse Grote Markt, een schitterend plein omringd door historische gebouwen. En Brussel telt maar liefst zeventig musea! Maar Brussel is ook de stad van eten, drinken en uitgaan. Er zijn ruim 1800 restaurants en eethuisjes en 's avonds kunt u genieten van muziek in de muziekcafés in de Afrikaanse buurt. Brussel is een bruisende stad!

remain
verblijven   **historisch**   **het eethuis**
de middeleeuwen   **tellen**   **bruisend**
middle ages   *bursting w/ life*

Vakantie 2

Schiermonnikoog: Uit in eigen land!
Voor €79,– per persoon! Drie dagen, eigen vervoer inclusief hotel met ontbijt.

Schiermonnikoog, het kleinste bewoonde waddeneiland van Nederland; zestien kilometer lang en vier kilometer breed. Het grootste
gedeelte van dit eiland is natuurgebied, vol rust en stilte. Alleen de
bewoners van het eiland mogen hier autorijden. Er zijn uitgebreide
mogelijkheden om te wandelen, te fietsen, of om gewoon lekker lui
aan het strand te liggen. Zelfs in het toeristenseizoen wonen op
Schiermonnikoog nog altijd veel meer vogels dan mensen!

for the greater part

het waddeneiland	het gedeelte	de toerist

Vakantie 3

Genieten zonder zorgen!
*Negen dagen Curaçao Avila Beach Hotel**** vanaf €599,– !*

Volop genieten van zon, zee en strand. U logeert in een van de
beroemdste hotels van Curaçao. Het hotel ligt op een unieke plek,
vlakbij het centrum van Willemstad en direct aan een prachtig privé-
strand. Wilt u kennismaken met de vele gezichten van dit bijzondere
eiland, boek dan een stadstour, een tour rond het eiland of ga een dag
naar de zee om gebruik te maken van de vele mogelijkheden voor
watersport.

volop

Vakantie 4

Achtdaagse reis Egypte + Nijlcruise
Vanaf €749,– !

Vanaf de stad Hurghade aan de Rode Zee vertrekt u vroeg in de ochtend
per bus naar Aswan waar u aan boord gaat van uw cruiseschip. Via Kom
Ombo en Edfu vaart u in vier dagen naar de eeuwenoude stad Luxor.
Terwijl u met de boot over de Nijl vaart, kunt u genieten van alles wat er
om u heen te zien is. Onderweg stopt u bij alle toeristische plaatsen.
Aan het eind van de Nijlcruise vliegt u naar Caïro, waar u het Egyptisch
museum en de piramides van Gizeh bezoekt.
Een ervaring om nooit te vergeten!!

het schip	toeristisch	de piramide
eeuwenoud		

5 **Je gaat met elkaar op vakantie. Kies een rei**

Je vertelt de anderen welke reis je het liefst wilt m
Je vertelt ook welke reis je liever niet wilt maken
Kies samen een reis die jullie alle drie willen ma

Vertel aan de groep welke reis jullie hebb

AFRONDEN

---

6 **Voer een gesprek over vakantie.**

Maak gebruik van onderstaande vragen.

1   Ga je weleens op vakantie? Zo ja, hoeveel keer per jaar? Zo nee, wat doe je dan als je vrij bent?
2   Vind je vakantie belangrijk?
3   Met wie ga je op vakantie? Alleen? Met vrienden? Met een onbekende groep?
4   Ga je liever twee keer kort op vakantie of één keer lang?
5   Ga je weleens op vakantie naar je eigen land?
6   Ben je weleens in Nederland op vakantie geweest? Zo ja, waar?
7   Weet je manieren om op vakantie te gaan zonder dat het veel geld kost?

7 **Schrijf een tekst van ongeveer honderd woorden over een vakantiereis die je hebt gemaakt.**

Schrijf waar je bent geweest en wat je daar hebt gedaan. Vond je deze vakantie leuk? Waarom wel? Waarom niet?

Regels   *Het verbum*

Lopen, staan, zitten, liggen, hangen + te + infinitief

Ik zit ook graag een paar uur te lezen.
We lopen al dagen te zoeken naar een nieuwe televisie.   *Wij zijn aan het zoeken*
Hij staat te wachten op zijn vader.
Hoe lang hangt die was al te drogen?
Ze ligt al de hele middag op bed te lezen.   *Ze is aan het lezen.*

Deze constructie geeft de houding van het subject aan. De actie is nog niet klaar.

1 **Lees de zinnen. Kruis aan ja of nee.**

		ja	nee
1	Ik droom nog steeds in mijn moedertaal.	☐	☐
2	Om nieuwe woorden goed te begrijpen vertaal ik ze in mijn moedertaal.	☐	☐
3	Als ik een tekst schrijf bedenk ik eerst in mijn eigen taal wat ik wil zeggen, daarna vertaal ik het in het Nederlands.	☐	☐
4	Er zijn woorden in mijn moedertaal die lijken op woorden in het Nederlands.	☐	☐
5	Als ik praat, komen er steeds woorden uit mijn moedertaal tussendoor.	☐	☐

2 **Welke grammaticale onderwerpen zijn voor jou extra moeilijk? Kruis aan.**

Je kunt meerdere antwoorden kiezen.

Door mijn moedertaal zijn de volgende grammaticale onderwerpen extra moeilijk:
☐ de woordvolgorde
☐ het artikel
☐ het pronomen
☐ de spelling
☐ het pluralis
☐ het gebruik van de tijden van het verbum

☐ _____

3 **Vergelijk je antwoorden van opdracht 1 en 2 met twee mede-cursisten.**

Hebben jullie dezelfde antwoorden gegeven? Vinden jullie dezelfde dingen moeilijk? Vertel elkaar ook waarom je deze antwoorden hebt gegeven.

4 **Bespreek samen de resultaten van opdracht 1, 2 en 3.**

Informatie zoeken en geven over een sport of hobby

VOORBEREIDEN

1   **Wat zou je willen weten over pianoles? Schrijf op.**

Je wilt piano leren spelen. Je meldt je aan bij de muziekschool. Welke dingen zou je willen weten? Schrijf de vragen op.

Mag iemand inschrijven voor deze school?

Hoe moet ik inschrijven?

Wat kost piano les?

Hoe vaak zijn de les?

2   **Luister naar de teksten en doe de opdracht.**

UITVOEREN

3   **Lees de vragen en de tekst. Beantwoord de vragen.**

Cursist A leest tekst 1. Cursist B leest tekst 2

Cursist A   Je hebt een beetje last van je rug en je wilt gaan zwemmen. Je wilt je conditie verbeteren en je wilt nieuwe zwemslagen leren. Je werkt en kunt alleen 's avonds sporten.

1   Is zwemmen een geschikte sport voor jou?

Ja, zweemmen is geschikte voor jouw rug.

2   Welke cursus(sen) kies je?

Cursus   zwemslagen

3   Hoeveel kost het?

15 pu ls

4   Wanneer ga je dan zwemmen?

Maandag + Woensdag

5   Wat weet je over het zwembad?

Het is modern.

6   Waar kun je je aanmelden? Wat heb je daarvoor nodig?

Op het zwembad plaats

Tekst 1

Zwemmen doe je bij De Zwanen!

Zwemvereniging De Zwanen biedt mogelijkheden voor iedereen die wil zwemmen. Of je nu gewoon wat baantjes wilt trekken voor je conditie, of serieus wilt trainen en je techniek wilt verbeteren: er is altijd wel een cursus die geschikt voor je is. Je kunt je aanmelden voor een van onze cursussen bij de balie van het zwembad. Je hebt dan een geldig legitimatiebewijs nodig. Een pasfoto is niet nodig, want we maken ter plaatse een digitale foto.

Zwemmen

Zwemmen is een uitstekende sport om je conditie te verbeteren en bovendien is het een heel veilige sport. Zwemmen is bij uitstek geschikt voor mensen die rugklachten hebben. Tijdens het zwemmen gebruik je al je spieren zonder die te veel te belasten. De kans op lichamelijke klachten door het zwemmen is uiterst klein. Bij onze vereniging kun je verschillende cursussen doen. Als je een langere afstand wilt zwemmen, kun je bijvoorbeeld een cursus conditiezwemmen doen. Maar ook voor hen die verschillende zwemslagen willen leren of hun techniek willen verbeteren, hebben we leuke cursussen. Vrij zwemmen kan op maandag en op vrijdag.
Er wordt gezwommen in het Sloterparkbad. Dit is een van de modernste zwembaden van Europa. Als je na het lezen van deze informatie niet weet welke cursus het meest geschikt voor je is, dan kun je natuurlijk ook een keer langskomen. Je kunt dan zelf bekijken welk niveau het beste bij je past.

HET SLOTERPARKBAD President Allendelaan 2 - 4, 1064 GW Amsterdam

	Maandag	Woensdag	Vrijdag
cursus zwemslagen	07.45 - 08.30		
vrij zwemmen	07.45 - 08.30		07.45 - 8.30
conditiezwemmen	07.45 - 08.30		
cursus zwemslagen			20.15 - 21.45
vrij zwemmen	21.00 - 22.15		
conditiezwemmen	07.45 - 08.30	21.15 - 22.15	
basiscursus	21.00 - 22.15	21.15 - 22.45	
TARIEVEN			
cursus zwemslagen	€ 15,– / zes lessen		
basiscursus	€ 13,50 / zes lessen		
conditiezwemmen	september/juni € 63,50		
	januari/juni € 46,–		
	april/juni € 28,50		

de zwaan	het zwembad	lichamelijk
serieus	digitaal	uiterst
trainen	belasten	de zwemslag
aanmelden sign-up		

Cursist B   Je wilt afvallen en je wilt je conditie verbeteren.

1   Is fitness een geschikte sport voor jou?

_____

2   Je weet niet precies welke oefeningen je kunt doen. Wat moet je doen?

_____

3   Kun je ook op zondag sporten?

_____

4   Welke spullen heb je nodig?

_____

5   Hoeveel kost het?

_____

Tekst 2

Breng jezelf in vorm! Kom naar de Fitness Factory.

Een van de redenen waarom fitness zo populair is, is dat iedereen er
baat bij kan hebben. Of je nu man, vrouw, jong of oud, dun of dik bent,
fitness heeft voor iedereen wat te bieden. Steeds meer mensen beginnen
met fitness omdat zij er beter uit willen zien, zich beter willen voelen en
een gezondere manier van leven willen. Fitness is heel geschikt om
deze doelen te bereiken. Het is een goede manier om je conditie te
verbeteren, je spieren sterk te maken en om gewicht te verliezen.
Fitness heeft nog een groot voordeel: je bepaalt zelf de tijden waarop je
wilt sporten. De fitnessruimte is de hele week open, ook in het weekend.
Heb je niet of nauwelijks ervaring met fitness, of heb je het al wel eerder
gedaan, maar ben je een tijdje gestopt dan kun je het beste een
afspraak maken voor persoonlijke begeleiding. In het sportcentrum kan
dit op maandag tot en met vrijdag van 11.00 tot 23.00 uur. Je ontvangt
dan een programma voor de eerste weken. Daarin maak je kennis met
de oefeningen en de fitnessapparaten. Heb je wél ervaring dan kun je
zo aan de slag. Het gebruik van sportkleding en schone sportschoenen
is verplicht. Gebruik een handdoek om op te zitten.

WANNEER IS HET FITNESSCENTRUM GEOPEND?	Maandag t/m vrijdag	Zaterdag en zondag
	9.00 - 23.00 uur	10.00 - 19.00 uur
TARIEF	€ 45,– per maand	€ 240,– per zes maanden

guide/support

de begeleiding   geopend zijn

 4.1   Vraag en geef informatie.

Je bent cursist A en je wilt aan fitness gaan doen bij de Fitness Factory; je wilt afvallen. Vraag informatie aan cursist B. Cursist B geeft informatie en gebruikt de antwoorden van opdracht 3.

Cursist A   Vraag:
- of fitness een geschikte sport voor jou is;
- wanneer je kunt trainen;
- of je uitleg over de oefeningen en de apparaten krijgt;
- wat je nodig hebt;
- hoeveel het kost;
- wat je moet doen om lid te worden.

 4.2   Vraag en geef informatie.

Je bent cursist B en je wilt gaan zwemmen; je hebt pijn in je rug. Vraag informatie aan cursist A. Cursist A geeft informatie en gebruikt de antwoorden van opdracht 3.

Cursist B   Vraag:
- of zwemmen een geschikte sport voor jou is;
- hoe je je conditie kunt verbeteren;
- of je ook nieuwe zwemslagen kunt leren;
- waar je kunt zwemmen;
- wanneer je kunt zwemmen;
- hoeveel het kost;
- wat je moet doen om je aan te melden.

4.3   Controleer de informatie.

Cursist A leest tekst 2 en controleert de informatie over fitness.
Cursist B leest tekst 1 en controleert de informatie over zwemmen.

AFRONDEN

www. ←]   **5**   **Zoek op internet de website van een muziekschool.**

Ga bijvoorbeeld naar www.demuziekschool.com. Kijk naar de vragen die je bij opdracht 1 hebt opgeschreven. Kun je het antwoord op deze vragen vinden op de website?

www. ←]   **6**   **Welke hobby of sport zou je willen doen? Schrijf een e-mail.**

Zoek op internet of in de Gouden Gids of er een club bij jou in de buurt is waar je lid van zou willen worden. Je wilt graag meer informatie; bedenk vijf dingen die je wilt weten. Schrijf een e-mail van ongeveer honderd woorden naar de club, waarin je de informatie vraagt.

Regels   *Het adverbium*

Frequentie

altijd
    steeds *always*
      vaak
        regelmatig
          soms
            af en toe
              nooit

Jij schrijft je adres altijd verkeerd.
Waarom kom je steeds te laat?
Vaak doe ik op zaterdag dan ook nog mee aan de conditietraining.
Maar ik vind het wel leuk om regelmatig wedstrijden te boksen.
Soms ga ik daarna dan nog iets drinken in het café van de vereniging.
Ik ga af en toe even naar buiten als ik wil roken.
Van dat programma heb ik nog nooit gehoord.

TAAK 4

Vertellen hoe je een apparaat gebruikt

VOORBEREIDEN

1 **Luister naar de tekst en doe de opdracht.**

2 **Beantwoord de vragen**

1 Je hebt een nieuw apparaat gekocht. Wat doe je?

a Ik lees eerst de gebruiksaanwijzing voor ik het apparaat ga gebruiken.

b Ik ga het apparaat direct gebruiken. De gebruiksaanwijzing kan ik altijd nog lezen als ik iets niet begrijp.

c Ik probeer de gebruiksaanwijzing te lezen, maar op bladzijde twee heb ik er al genoeg van en ga ik het apparaat gewoon gebruiken.

d _Ik vraag aan mijn man het apparaat te installeren!_

2 Welke apparaten gebruik jij in je vrije tijd?

Ik gebruik een camera en een Ipod en natuurlijk mijn computer!

3 **Lees de vraag en de tekst. Beantwoord de vraag.**

Noem drie voordelen van een digitale camera.

1. _Een digitale camera is makkelijk te gebruiken._

2. _Als je een foto niet mooi vinden, kan je het verdwijderen._

3. _Alles van jouw fotos kunt op de computer opslaan._

Fotograferen met de digitale camera

Voordelen

Als u eenmaal een digitale camera hebt vastgehouden, begrijpt u meteen waarom steeds meer mensen deze camera's gebruiken. Ten eerste is de digitale camera bijzonder makkelijk te bedienen. U kunt hiermee heel gemakkelijk foto's maken.

Ten tweede kunt u uw foto's meteen bekijken op het LCD-scherm, dat aan de achterkant van de camera zit.
Foto's die u niet mooi vindt, kunt u verwijderen en daarna kunt u gewoon weer nieuwe foto's maken totdat u helemaal tevreden bent.
Zodra u eenmaal de eerste foto's hebt gemaakt, zult u nog veel meer voordelen van de digitale fotografie leren kennen.
Zo kunt u de foto's opslaan op de computer. U kunt zelf kiezen welke foto's u wilt afdrukken en welke u bijvoorbeeld via de e-mail naar vrienden wilt sturen.

fotograferen	zodra	opslaan _put on_
digitaal	de fotografie	afdrukken _press_
vasthouden _used accustomed to_	verwijderen	bedienen _operate_

UITVOEREN

WERKBLAD

4.1 Stel vragen en geef informatie over een digitale camera.

Cursist A beantwoordt de vragen van cursist B en zoekt de informatie in de tekst op het werkblad. Cursist B stelt vragen aan cursist A.

WERKBLAD

4.2 Stel vragen en geef informatie over een digitale camera.

Cursist B beantwoordt de vragen van cursist A en zoekt de informatie in de tekst op het werkblad. Cursist A stelt vragen aan cursist B en probeert het antwoord te begrijpen.

4.3 Gebruik de teksten op de werkbladen. Welk woord hoort in het gat? Vul in.

Maak samen de opdracht.

Foto's maken

1 _Zet_ eerst de camera aan.

2 Vervolgens _schuift_ u de keuzeschakelaar in opnamestand.

3 _Druk_ de knop half in om scherp te stellen.

4 Om een foto te maken _drukt_ u de opname knop helemaal in.

Foto's bekijken

5   _Zet_ de keuzeschakelaar in de weergavestand.

6   Om langs de opnamen te gaan, _gebruik_u de ▶▶ toetsen.

De camera op de computer aansluiten

7   _Zet_ eerst de computer aan.

8   _Steek_ de kleine stekker van de kabel in de camera.

9   _Steek_ het andere eind van de kabel in de computer.

10   Zet de camera _aan_ .

11 _Breng_ de verbinding tot stand.   _arrange_

12   Nu kunt u de foto's op uw computer _opslaan_

13   Daarna kunt u de foto's printen en op cd _zetten_ / _branden_

14   Per e-mail kunt u de foto's _versturen_ .

5   **Leg uit hoe je mobiele telefoon werkt.**

Pak je mobiele telefoon. Leg aan je twee medecursisten uit hoe je telefoon werkt. Maak gebruik van onderstaande vragen.

1   Wat moet je doen om te bellen?
2   Wat moet je doen om een sms-bericht te versturen?
3   Wat kun je nog meer doen met jouw telefoon?

SLOT

Lees de vragen en kijk nog een keer naar de video. Beantwoord de vragen. Beantwoord de vragen eerst voor jezelf.

1 Wie heeft welke hobby? Kruis aan.

	moeder	vader	zoon 1 Joris	zoon 2 Mark	dochter Dorien
zingen	☐	☐	☐	☐	☐
voetbal	☐	☐	☐	☐	☐
tennis	☐	☐	☐	☐	☐
tuinieren	☐	☐	☐	☐	☐
muziek maken	☐	☐	☐	☐	☐
fitness	☐	☐	☐	☐	☐
dansen	☐	☐	☐	☐	☐
schaatsen	☐	☐	☐	☐	☐
fietsen	☐	☐	☐	☐	☐

2 Vind je dat de familie in de video last heeft van vrijetijdsstress? Licht je antwoord toe.

_____

3 Wat voor kleding dragen de mensen van het koor op de foto in Haarlem? Waarom dragen ze die kleding, denk je?

_____

4 Wat doet de vader met de schaatsen?

_____

5 Welke muziekinstrumenten zie je in de video?

_____

_____

_____

6 Hoe oud zijn de kinderen, denk je?

_____

Bespreek samen de resultaten.

VERBINDINGEN	IDIOOM

- zitten op (een club/vereniging) *to be a member of*
- leiden tot *to lead to*
- omringd worden door *surround*
- gebruikmaken van *to make use of*
- kennismaken met *to acquaint w/*
- lijden aan *to suffer from*
- genieten van *enjoy from*
- verbinden met *connect to*
- ervaring hebben met *experience*
- in beslag nemen *to confiscate*
- aan de hand van *according to*

- bij uitstek gesch *to be perfectl*
- aan de slag kun
- scherp stellen
- om de beurt *n*
- je hart ophalen
- op stap gaan *to go on a short trip*
- baantjes trekken *to do laps in a pool*
- van kinds af (aan) *ever since he was young*
- op je kont zitten *sit on your tail*
- ergens baat bij hebben *to get an advantage from something*
- tot stand brengen *to be effected.*

EXTRA

Je kunt dit lied beluisteren op de computer. Ga naar hoofdstuk 25 en kies 'Oefenen'. Kies 'Luisteren' en klik op opdracht 1.

Zoveel te doen

M'n boodschappen nog doen
En straks de vuile was
M'n haar dat wil ik groen
Maar dat kan morgen pas
De huur nog overmaken
En de tandarts zo meteen
Naar Valkenburg of Aken
Waar moet ik dit jaar nou weer heen
008 bellen
Had ik dat boek nou uit of niet
Girokaarten bijbestellen
Vergeet de vuilniszakken niet
Die afspraak was veranderd
En, oh, verrek, dat feest
Naar de nieuwe van Fellini
Ben ik gelukkig al geweest
Ik ben geweest

Zoveel te doen
Ik heb nog zoveel te doen
Ik moet de zon in Japan onder zien gaan
Zoveel te doen
Ik heb nog zoveel te doen
Ik moet het oerwoud eens in bloei zien staan

Met m'n vriendin moet ik praten
Over de rol van man en vrouw
Sinterklaasgedichten maken
Hoewel, het is pas juni nou
De krant ligt nog te wachten
Ik moet wat doen aan sport
Slapeloze nachten
Want de dagen zijn te kort
Ze zijn te kort

Zoveel te doen
Ik heb nog zoveel te doen
Ik moet nog eens wat jatten van een Italiaan
Zoveel te doen
Ik heb nog zoveel te doen
Ik moet nog zwemmen in de Stille Oceaan

M'n bed moet ik verschonen
Ik moet naar de wc
Belastingformulieren
Te laat zo'n week of twee
Ik zou langs bij haar vanavond
Of kwam ze nou bij mij
M'n agenda moet ik bijhouden
Maar ik heb te weinig tijd
Te weinig tijd
Zoveel te doen
Ik heb nog zoveel te doen
Ik moet nog hinkstapspringen op de maan
Zoveel te doen
Ik heb nog zoveel te doen
Ik moet hier ooit nog eens vandaan

Ik moet de zon in Japan onder zien gaan
Ik moet het oerwoud eens in bloei zien staan
Ik moet nog eens wat jatten van een Italiaan
Ik moet nog zwemmen in de Stille Oceaan
Ik moet nog hinkstapspringen op de maan
Ik moet hier ooit nog eens vandaan

BRON: TOONTJE LAGER, STIEKEM DANSEN, 1983

TEKST: BERT HERMELINK

Lees de tekst.

Gezond en ongezond gedrag van jongeren

Veel jongeren in Nederland vinden dat ze best wat gezonder zouden kunnen leven. Uit een onderzoek naar gezond en ongezond gedrag bij jongeren van 12 tot 29 jaar bleek het volgende:

- 56,5 % van de jongeren vindt dat ze meer zouden moeten bewegen.
- 64,1 % vindt dat ze te veel roken.
- 46,1 % vindt dat ze vaak te laat naar bed gaan.
- 6,8 % vindt dat ze te snel een pijnstiller nemen.
- 44,9 % vindt dat ze gezonder zouden moeten eten.
- 7,8 % vindt dat ze te veel alcohol drinken.
- 80,1 % vindt dat ze veilig genoeg vrijen.

NAAR: WWW.CBS.NL

de pijnstiller	de alcohol	vrijen

TAAK 1 Discussiëren over de overheid en de volksgezondheid

VOORBEREIDEN

1 **Beantwoord de vragen.**

Mag je in jouw land overal roken? Zo niet, waar mag je niet roken?

Nee! In Amerika, bijna overal, mag je
niet roken. Bijvoorbeeld, je mag niet
in een cafe, openbaar gebouwen, openbaar vervoer,
hotelen, musea, schoolen en beeros roken.

Kun je in jouw land overal alcohol kopen?

Nee, niet overal. Het hang er af aan
welke "state" en welke stad of dorp je
zit in.

2 **Lees de vraag en de tekst. Beantwoord de vraag.**

Met welke maatregelen ben je het wel eens? Met welke maatregelen ben je
het niet eens?

wel mee eens	niet mee eens
Geen roken in openbaar ruimtes	
" " de werkruimte	
	roken in cafe's

Roken en de overheid

De Nederlandse overheid probeert met allerlei
maatregelen het roken terug te dringen.

De prijs van sigaretten gaat steeds verder omhoog en op elk pakje staat
een waarschuwing dat roken dodelijk kan zijn of ziektes kan veroorzaken.
Er mag geen reclame gemaakt worden voor sigaretten en er wordt harde
voorlichting gegeven over de gevolgen van roken. Aan kinderen onder
de zestien jaar mogen geen sigaretten verkocht worden.

De overheid wil niet alleen het roken terugdringen, maar ook de mensen
die niet roken beschermen tegen de gevaren van 'meeroken'. In openbare ruimtes (zoals bibliotheken, ziekenhuizen, enzovoort) en in het
openbaar vervoer mag niet gerookt worden. Wie het toch doet, kan
een boete krijgen.

In 2004 ging de overheid zich bemoeien met roken op het werk.
Werknemers hebben sinds 1 januari van dat jaar recht op een rookvrije
werkruimte. Werkgevers kunnen een boete krijgen als ze daar niet voor
zorgen. Roken op het werk mag alleen nog in speciale ruimtes; als die
er niet zijn, moeten de rokers naar buiten. Voor cafés en restaurants
wordt voorlopig nog een uitzondering gemaakt.

Overigens hebben de meeste Europese landen tegenwoordig een
streng antirookbeleid. Noorwegen heeft het strengste beleid: daar is
ook een totaal rookverbod in cafés en restaurants. In veel andere
Europese landen hebben restaurants aparte rookvrije ruimtes. Enkele
staten en steden in de Verenigde Staten, Canada en Australië hebben
net zulke strenge antirookwetten als Noorwegen. En in Tokio en
Singapore geldt zelfs een rookverbod op straat.

NAAR: WWW.ROKENENDEWET.NL EN ELSEVIER, 3 JANUARI 2004

terugdringen *push back*	de werkgever *employer*	de uitzondering *exception*
dodelijk *deadly*	de boete *fine, penalty*	overigens *after all, moreover*
de reclame	voorlopig *provisional*	de staat *state / condition*
de voorlichting *advice guidence*	*voor the time being*	

MPUTER

3   Luister naar de tekst en doe de opdracht.

4   Lees de teksten en de vragen. Beantwoord de vragen.

1   In Nederland mag je onder de zestien jaar geen alcohol kopen. Schrijf
één of meer overheidsmaatregelen uit jouw land op die te maken hebben met alcohol.

In Amerika, je moet achteien jaar zijn
als je wil alcohol te kopen.

2   Is overgewicht in jouw land een probleem? Zo ja, probeert de overheid
daar iets aan te doen?

Ja wel! De overheid doet minder aan de problem van
overgewicht in mijn land. Kleine beetje educatie.

3   Vind je dat de overheid zich met overgewicht moet bemoeien?

Nee, ik denk dat → de verantwoordelijkheid van ouders
voor zijn Kinderen een jouw iegen zelf is.

Alcohol en de volksgezondheid

Aan overmatig alcoholgebruik zijn grote risico's verbonden. Volgens de
WHO (wereldgezondheidsorganisatie) is alcohol wereldwijd een groter
gevaar voor de gezondheid dan roken. Relatief veel jonge mensen
worden ziek of gaan dood als gevolg van overmatig alcoholgebruik,
vooral door ongelukken of geweld. Een beetje alcohol is waarschijnlijk
niet slecht voor de gezondheid, maar overmatig gebruik kan zeer
schadelijke gevolgen hebben, bijvoorbeeld voor de lever. Onder de
volwassen mannen in Nederland drinkt 14% overmatig, onder de
volwassen vrouwen 2%. Een man is een overmatige drinker als hij meer
dan drie glazen alcohol per dag drinkt; een vrouw als zij meer dan twee
glazen per dag drinkt. Het is ook erg ongezond om op minstens één
dag per week meer dan zes glazen alcohol te drinken. De groep die dat
doet – de zogenoemde zware drinkers – is nog groter dan de groep
overmatige drinkers. Relatief veel jongeren zijn zware drinkers. Zij drinken
vooral in het weekend.
Vanaf zestien jaar mag je in Nederland zwak alcoholische dranken

kopen, zoals wijn en bier. Sterke drank (dat is drank met meer dan 15% alcohol) mag je vanaf achttien jaar kopen.

NAAR: WWW.ALCOHOLVOORLICHTING.NL, WWW.WHO.INT EN

NATIONAAL KOMPAS VOLKSGEZONDHEID, 26 FEBRUARI 2004

overmatig *excessive* ~~superior~~	schadelijk *harmful*	zogenaamd *so-called*
verbinden *connect*	de lever	zwak *weak, mild*
wereldwijd	volwassen	

conscious
Bewust Onbeschonken *no alcohol have drunk*
Bestuurde

Bob jij of Bob ik?

Overgewicht en de volksgezondheid

Naast roken en drinken is overgewicht een groot probleem dat de volksgezondheid in gevaar brengt. Overgewicht verhoogt de kans op allerlei ziektes, zoals diabetes. Bovendien kan overgewicht ernstige sociale en psychische problemen tot gevolg hebben.
Over de hele wereld is het aantal volwassenen en kinderen met overgewicht enorm gegroeid. Ook in Nederland is het aantal dikke mensen snel toegenomen. Begin jaren tachtig was 33% van de volwassenen in Nederland te zwaar. In 2002 was dat al 45%. Daarnaast is in deze periode het aantal volwassenen met ernstig overgewicht toegenomen van 5% naar 10%. Van de kinderen tot achttien jaar is 10% te zwaar.

NAAR: WWW.CBS.NL

het overgewicht	diabetes	psychisch
verhogen *increases*		

5   **Kies twee onderwerpen. Bespreek samen de vragen bij de onderwerpen.**

Zoek drie cursisten die dezelfde onderwerpen hebben gekozen en bespreek samen de vragen.

1   Roken
Wat vinden jullie van de maatregelen tegen roken die in opdracht 2 worden genoemd? Licht je mening toe.

Hij is dronken!

2   Alcohol   *dronken zijn*
Welke overheidsmaatregelen kennen jullie op het gebied van alcohol? Wat vinden jullie van die maatregelen? Licht je mening toe.

influence
onder invloed
van alcohol
gebeuren veel
ongelukken.

3   Overgewicht
Moet de overheid iets doen aan het probleem van overgewicht?
Waarom wel of niet? Wat zou de overheid kunnen doen aan het
probleem? Licht je mening toe.

AFRONDEN

6   Schrijf een tekst van ongeveer honderd woorden over roken, alcohol of overgewicht.

Maak gebruik van onderstaande punten.

Roken of alcohol
Begin de tekst met een (paar) algemene zin(nen) over roken of alcohol en
de overheid.
Beschrijf dan:
• welke overheidsmaatregelen je goed vindt;
• welke overheidsmaatregelen je eventueel niet goed vindt.
Licht je mening toe.

Overgewicht
Begin de tekst met een (paar) algemene zin(nen) over het probleem van
overgewicht.
Geef dan:
• je mening over overheidsmaatregelen tegen overgewicht;
• argumenten bij je mening.
Als je vóór overheidsmaatregelen bent: aan wat voor maatregelen denk je
dan?

1 **Beantwoord de vragen.**

1 Waar koop of haal jij meestal medicijnen?
- ☐ bij de apotheek
- ☐ bij de drogist
- ☑ bij de dokter

2 Wat doe je als je een medische klacht hebt?
- ☑ Ik ga naar de huisarts.
- ☐ Ik ga naar een alternatieve arts.
- ☐ Ik bel een arts in mijn eigen land.
- ☐ Ik ga naar een arts in het ziekenhuis.

3 Aan wie vraag je weleens medisch advies?
- ☐ oma
- ☐ vader of moeder
- ☐ broer of zus
- ☑ vriend of vriendin

4 Zoek je weleens medische informatie op internet?

Ja, soms.

MPUTER

2 **Luister naar de tekst en doe de opdracht.**

3 **Lees de adviezen en de tekst. Welk advies vind je het best?**

- ☐ Je moet veel sinaasappelsap drinken. Door de vitamine C ben je er zo weer bovenop. Je moet nog niets eten.
- ☐ Ik zou naar de huisarts gaan. Misschien gaat het wel vanzelf over, maar je wilt er toch zeker van zijn dat er niets ernstigs aan de hand is?
- ☐ Je hoeft niet naar de dokter te gaan. Begin met een glaasje water. Als je daar geen last van krijgt, mag je voorzichtig proberen weer wat te eten.

Misselijk, overgeven en diarree

Gisteravond heb ik met vrienden in een restaurant gegeten. Ik had een heerlijk gerecht met garnalen. Toen ik thuiskwam was er nog niks aan de hand, maar 's nachts werd ik heel erg misselijk en moest ik wel vier keer overgeven. Ik kreeg er ook nog eens diarree bij. Ik voel me nu erg slap.

misselijk *siek*	de diarree	slap *sleep*
overgeven *give over vomit*	het gerecht *just* *tribunal – food dish*	de vitamine

4.1   Welk advies zou je Joeri geven? Licht je advies toe.

Jullie hebben geluisterd naar de luistertekst van opdracht 2. Joeri moet tentamen doen, maar hij voelt zich beroerd. Hij heeft hoofdpijn. Hij denkt dat hij griep heeft. Vertel elkaar welk advies je hem zou geven en waarom. Je kunt de lijst van opdracht 4.2 gebruiken.

4.2   Geef advies aan een vriend. Licht je advies toe.

Een vriend vraagt je advies. Hij heeft veel last van puistjes in zijn gezicht. Vertel elkaar welk advies je hem zou geven en waarom. Je kunt de lijst hieronder gebruiken.

- een speciale crème kopen
- de dokterstelefoon bellen
- je neus snuiten
- een arts in je eigen land bellen
- een glas alcohol drinken
- een pijnstiller nemen
- een slaappil nemen
- een ui naast je bed leggen
- een warme douche nemen
- gaan sporten
- geen chocola eten
- in de zon gaan zitten
- informatie op internet zoeken
- je gezicht wassen met speciale zeep

- je moeder bellen
- je ontspannen met ...
- naar de apotheek gaan voor ...
- naar de drogist gaan voor ...
- naar de eerste hulp gaan in het ziekenhuis
- naar de fysiotherapeut gaan
- naar de huisarts gaan
- naar een alternatieve arts gaan
- neusdruppels nemen
- niets eten of drinken
- oefeningen doen
- pillen kopen tegen reisziekte
- regelmatig pauzes nemen
- warme melk drinken

5 **Geef een medisch advies en reageer op een advi**

Je kunt de lijst van opdracht 4.2 gebruiken. Lees eerst on
instructie.

- Iedere cursist krijgt twee medische problemen. Cursist A
- Cursist A: lees je eerste probleem. Vertel de anderen wat h... probleem is.
- Cursist B en C: luister naar cursist A en denk even na. Geef elk een
  advies aan cursist A.
- Cursist A: luister naar de adviezen. Besluit dan wat je gaat doen. Vertel
  het aan de anderen. Schrijf de adviezen en je besluit op het werkblad.

Wissel van rol.

AFRONDEN

6 **Vertel de groep welk adviezen je hebt gekregen en wat je hebt besloten.**

De docent kiest een probleem en leest het probleem voor. Elke cursist die
dat probleem op zijn werkblad heeft, vertelt aan de groep welke adviezen
hij kreeg en wat zijn besluit was. Zijn er veel verschillende adviezen en
besluiten?

Regels   *Het verbum*

Zullen: iets beloven

Moet je niet even doorgeven dat je ziek bent?
Goed dat je het zegt. Dat zal ik doen.

De groeten aan je moeder.
Zal ik doen.

Help je me even met afwassen?
Ik zal je zo helpen. Ik kom eraan.

Als je het hulpwerkwoord 'zullen' in het presens gebruikt, kan het de
betekenis hebben van 'iets beloven'.

Moeten en niet hoeven + te + infinitief

Je moet veel sinaasappelsap drinken.
Ik moet nog even naar de apotheek.
Je hoeft niet naar de dokter te gaan.
Je hoeft niet meer op hem te wachten.

→

De negatieve vorm van het hulpwerkwoord 'moeten' is 'niet hoeven te'.

Schrijven

1 **Lees de zinnen. Kruis aan ja of nee.**

		ja	nee
1	Als ik een schrijfopdracht ga maken, maak ik eerst een schema van de tekst die ik wil gaan schrijven (inleiding, middenstuk, conclusie).	☑	☐
2	Als ik een schrijfopdracht voor de tweede keer doe, maak ik minder fouten, en bij een derde keer nog minder.	☑	☐
3	Als ik schrijf, gebruik ik altijd een eentalig en een tweetalig woordenboek.	☑	☐
4	Als mijn docent aangeeft wat fout is, kan ik zelf de fouten verbeteren.	☐	☑

2 **Waarin maak jij vooral fouten? Je kunt meerdere antwoorden kiezen.**

☑ de plaats van de persoonsvorm
☐ de keuze van de woorden
☑ het artikel van een substantief (de/het)
☑ de spelling van een woord
☑ de vormen van verba
☐ de pluralisvormen van woorden

☐ _____

3   **Vertel elkaar wat je bij opdracht 1 en 2 hebt geantwoord.**

Hebben jullie dezelfde antwoorden?

4   **Bespreek de resultaten van opdracht 1, 2 en 3.**

TAAK 3 | Meningen en ervaringen uitwisselen over pijn

VOORBEREIDEN

1   **In het Nederlands zeg je 'au' als je pijn hebt. Wat zeg je in jouw taal?**

Duch!   Duw!

2   **Lees de tekst en de vragen. Beantwoord de vragen.**

Pijn, pijn en nog eens pijn

Pijn en taal

Pijn is een ervaring die zich moeilijk laat beschrijven. Toch is een dokter voor een deel van zijn diagnose afhankelijk van de beschrijving van pijn. Hij zal de patiënt vragen om aan te geven waar de pijn precies zit en om deze zo nauwkeurig mogelijk onder woorden te brengen. Daarbij kan hij de patiënt een beetje op weg helpen met vragen als: is de pijn zeurend of stekend?

In je eigen taal is het vaak al niet gemakkelijk om pijn precies te beschrijven, maar in een vreemde taal is het nog veel moeilijker om met een dokter te communiceren. Wie de taal niet goed onder de knie heeft, begrijpt de dokter niet volledig en staat met zijn mond vol tanden. Taalproblemen kunnen een verkeerde diagnose in de hand werken.

Pijn en reactie

Elk mens heeft zijn eigen manier van reageren op pijn: je kunt pijn
zoveel mogelijk verbergen, maar je kunt ook duidelijk laten zien dat je
pijn lijdt. De één houdt zijn mond als hij zich in de vingers snijdt en
vertrekt misschien geen spier, de ander schreeuwt, huilt of vloekt. Hoe
je met pijn omgaat is, behalve persoonlijk, ook cultureel bepaald. Uit
Amerikaans onderzoek blijkt bijvoorbeeld dat er tussen patiënten van
verschillende herkomst grote verschillen bestaan in het aangeven van
de intensiteit van pijn.

Pijnbestrijding

In Nederland worden elk jaar zes miljoen pijnstillers verkocht. Waarom
zou je pijn lijden als je er iets tegen kunt doen? Zo redeneren ook veel
vrouwen die een kind krijgen. In Nederland worden nog steeds veel
kinderen thuis geboren, zonder pijnbestrijding. Pijn wordt dan
beschouwd als iets natuurlijks wat bij een bevalling hoort. Toch wordt
de groep vrouwen die zonder pijn een kind wil krijgen steeds groter.
Zij gaan liever naar het ziekenhuis waar pijnbestrijding mogelijk is.
De 'ruggenprik', waarmee je bijna geen pijn meer voelt, wordt steeds
populairder.

NAAR: HENK DRIESSEN, PIJN EN CULTUUR, 2002

de diagnose	de herkomst	redeneren
aangeven	de intensiteit	de bevalling
nauwkeurig	de bestrijding	de prik
verbergen	lijden	

1   Stel dat je morgen naar een Nederlandse arts zou gaan met een pijn-
    klacht. Hoe kun je het gesprek met de arts <u>voorbereiden</u>?

    _____

    _____

    _____

2   Vind je dat je mag schreeuwen, vloeken of huilen als je pijn hebt?
    Licht je antwoord toe.

    Ik begrijp het niet.

    _____

3   Is het beter om je pijn te verbergen of juist om je pijn te laten zien en
    erover te praten? Licht je antwoord toe.

    Het hangt er af met wie je praten en
    welke soort pijn je hebt.

4   Heb je weleens heel veel pijn gehad? Zo ja, beschrijf:
    • wanneer dat was;
    • waar je pijn had;
    • hoe je daar op reageerde.

    Ja wel. Ik had veel pijn tuin ik was bij
    een hond gebeten. De pijn was in mijn arme.
    Ik heb mijn arme in warme water gezet en
    ook een pijnstiller opgeneemd.

5   Sommige mensen nemen meteen een pijnstiller als ze hoofdpijn
    hebben, andere mensen houden niet van pillen en nemen nooit een
    pijnstiller. Wat voor iemand ben jij?

    Ik neem graag een pijnstiller als ik hoofdpijn
    of rugpijn hebben. Waarom niet?

6   Wat vind je van pijnbestrijding bij een <u>bevalling</u>? Licht je antwoord toe.

    Ik denk dat een keuze van de
    vrouw is.

3   Bespreek je antwoorden van opdracht 2 met twee medecursisten.

4   Bespreek de antwoorden van een paar vragen van opdracht 2 met de groep.

AFRONDEN

5   Zeg allemaal 'au' in je eigen taal.

Nederlandse dokters willen niet op een lijstje

In Amerika bestaan al jaren lijsten van de beste dokters in het land. Zo'n lijst wordt samengesteld op basis van het oordeel van collega's en hij verandert steeds, want om de zoveel tijd wordt de artsen opnieuw om een oordeel gevraagd. Patiënten kunnen deze lijst, die op internet staat, gebruiken als zij een arts zoeken.

Een medisch tijdschrift in Nederland wilde onderzoeken of zo'n lijst ook in Nederland gemaakt zou kunnen worden. Men vroeg drieduizend specialisten welke naam ze zouden noemen, als iemand uit hun eigen familie de beste specialist zou zoeken voor een bepaald medisch probleem.

Slechts 237 artsen gaven een antwoord op de vraag en dat waren er veel te weinig om een lijst van te kunnen maken.

Waarom lukt in Nederland niet wat in Amerika kennelijk geen probleem is? Een boze specialist schreef in een reactie: 'We krijgen straks de Beste Cardioloog van Nederland, met foto's van de man, zijn huis en misschien ook wel van zijn hond en zijn partner. In een verhaaltje erbij wordt natuurlijk ook zijn favoriete muziek genoemd.'

In het tijdschrift werd de volgende conclusie getrokken: Nederlanders houden niet van een rangorde. Natuurlijk weten artsen best welke naam ze zouden noemen, maar ze zeggen het liever niet. Je mag in Nederland niet van jezelf zeggen dat je de beste bent en van een ander doe je dat ook niet zo gauw. 'Doe maar gewoon, dan doe je al gek genoeg.'

NAAR: MEDISCH CONTACT, 19 DECEMBER 2003

| de specialist | kennelijk | de hond |
| medisch | de cardioloog | de rangorde |

TAAK 4 Praten over stress

1 **Lees de vraag en de tekst. Beantwoord de vraag.**

Welke oorzaken van stress worden in de tekst genoemd?

_____

_____

_____

_____

Stress

Stress is een verzamelnaam voor allerlei lichamelijke en psychische klachten. Deze klachten kunnen bijvoorbeeld optreden als je te veel wilt doen in te weinig tijd. Stress kan ook ontstaan door relatieproblemen, door voortdurend lawaai in je omgeving en door nog veel meer. Een beetje spanning kan soms effectief zijn: om je te concentreren, besluiten te nemen en om goed te functioneren. Maar teveel stress heeft negatieve gevolgen. Bijvoorbeeld wanneer je werkgever te hoge eisen aan je stelt. Dan moet je voortdurend op je tenen lopen, waardoor je 's nachts niet lekker slaapt en 's morgens moe opstaat. Vervolgens kun je je niet meer goed concentreren op je werk waardoor je nog slechter gaat slapen en zo gaat het maar door. Dus stress kan veel schade veroorzaken, zowel lichamelijk als psychisch.

NAAR: WWW.CARIENKARSTEN.NL

corporal / bodily

lichamelijk	**concentreren**	**effectief**
de spanning	**functioneren**	

tension / pressure

2   **Lees de zin. Ben je het ermee eens?**

Onder invloed van stress presteer je beter.

(a) mee eens
b niet mee eens

3.1   **Hoe gestresst ben jij? Doe de test.**

Test

Onderdeel 1
Zegt iemand uit je omgeving weleens tegen je:

	ja	nee
dat je een beetje op jezelf moet passen?	☑	☐
dat je er slecht uitziet?	☐	☑
dat je te hard werkt?	☑	☐
dat je niet gezellig bent?	☐	☑

Onderdeel 2
Waar heb je weleens last van? Kruis aan ja of nee.

	ja	nee
hoofdpijn	☑	☐
nek- en rugpijn	☑	☐
concentratieproblemen	☐	☑
dingen vergeten	☑	☐
angst	☑	☐
niet tevreden zijn	☑	☐
irritatie	☐	☑
nergens zin in hebben	☐	☑

2 →

Onderdeel 3

1 Kun je je 's avonds goed ontspannen als je het erg druk hebt op je werk of met je studie?
a Ja, zodra ik naar huis ga of stop met studeren, ben ik alles vergeten.
b Nee, ik kan mijn werk of studie niet loslaten. Ik ga ermee naar bed en ik sta ermee op.
c Ja en nee, ik blijf er soms aan denken, maar meestal kan ik het wel loslaten.

2 Je bent erg moe, maar je moet nog veel dingen doen. Wat doe je dan?
a Ik doe het even heel rustig aan. Die dingen komen later wel.
b Ik ga die dingen doen, anders ben ik niet tevreden over mezelf.
c Ik ga er extra hard tegenaan, die moeheid is onzin.

3 Je hebt een te druk programma. Wat doe je?
a Ik probeer alles te doen, ook al heb ik er niet genoeg tijd voor.
b Ik doe mijn best, maar het lukt niet allemaal. Ik krijg hoofdpijn en houd op.
c Ik doe alleen wat ik echt belangrijk vind.

4 Wat doe je als je een probleem hebt?
a Ik blijf er maar aan denken en aan het eind van de dag heb ik nog geen oplossing.
b Ik bekijk het probleem van alle kanten en bedenk een oplossing.
c Ik denk een tijd na over het probleem. Als ik geen oplossing kan bedenken, probeer ik het weer los te laten.

de test	de concentratie	druk
de nek	de irritatie	

3.2 **Tel je punten op.**

Onderdeel 1 en 2
elk ja = 1 punt
elk nee = 0 punt

Onderdeel 3
1 a = 0, b = 4, c = 2
2 a = 0, b = 2, c = 4
3 a = 4, b = 2, c = 0
4 a = 4, b = 0, c = 2

Aantal punten: _____

Minder dan 5 punten: je hebt helemaal geen last van stress.
5 tot en met 13 punten: je zit in de risicogroep.
Meer dan 13 punten: je hebt duidelijk last van stress.

NAAR: WWW.CARIENKARSTEN.NL EN TOP SANTÉ, FEBRUARI 2004

COMPUTER

4   **Kijk naar de video en doe de opdracht.**

5   **Kijk met de groep nog een keer naar de video. Beantwoord de vragen. Beantwoord de vragen eerst voor jezelf.**

1   De dokter heeft andere ideeën over de oorzaak van Saskia's klachten dan Saskia zelf. Aan welke oorzaak denkt Saskia en aan welke oorzaken denkt de dokter?

Nek
headache

De dokter denkt Saskia dat een stress-nek heeft.

Saskia denkt dat ze een hersentumor heeft.

2   Van welke klacht, die vaak bij stress voorkomt, heeft Saskia minder last? De dokter vraagt ernaar.

prevent   *less*
difficulty

Sleep probleem.

3   De dokter verwijst haar naar een manueel therapeut. Wat doet zo'n therapeut?

Hij zal haar nek los maken.

4   Welk advies krijgt ze van de dokter?

Minder achter de computer zitten.

Ze moet met haar colleges praten oan hoe ze ken meer rustig werken.

5   Wanneer moet Saskia terugkomen bij de dokter?

Als ze nog problemen achter de therapeut heeft.

6   Stel dat jij Saskia was. Zou je dan tevreden zijn met de verwijzing en
    het advies van de dokter? Licht je antwoord toe.

_____

7   Vergelijk dit doktersbezoek met een bezoek aan een arts in je eigen
    land. Wat is anders en wat is hetzelfde?

_____

8   Bedenk een tip voor Saskia om stress op haar werk te <u>voorkomen.</u> *prevent*

_____

Bespreek samen de vragen 6, 7 en 8.

UITVOEREN

---

6   **Praat met elkaar over stress. Kies een van de volgende opdrachten.**

Vooral voor de mensen met meer dan 5 punten. Vertel:
• over een gebeurtenis in je leven waardoor je erg gestresst was;
• waardoor jij in het algemeen gestresst raakt;
• wat je eraan probeert te doen en of dat lukt.

Vooral voor de mensen met minder dan 5 punten. Vertel:
• over het gedrag van iemand in je omgeving die vaak gestresst is;
• over een aantal oorzaken van stress in het algemeen;
• over tips om stress te voorkomen.

7   **Beschrijf in ongeveer 125 woorden wat je bij opdracht 6 hebt
    verteld.**

AFRONDEN

---

8   **Kijk nog een keer naar opdracht 2. Praat met elkaar over deze zin.**

SLOT

Wat vind je van je eigen gezondheid? Lees de zinnen. Kruis aan ja of nee.

In de introductie van dit hoofdstuk heb je kunnen lezen hoe gezond jongeren in Nederland zichzelf vinden. Wat vind je van je eigen gedrag?

	ja	nee
Ik moet meer bewegen. move	☐	☑
Ik moet minder roken.	☐	☑
Ik ga vaak te laat naar bed.	☑	☐
Ik neem te snel een pijnstiller.	☐	☑
Ik zou gezonder moeten leven.	☑	☐
Ik drink te veel alcohol.	☑	☐

VERBINDINGEN

- als gevolg van because of
- doortrekken naar go to /thru
- een conclusie trekken take a conclusion
- een interview afnemen
- een telefoontje plegen to phone
- ergens van opknappen feel better
- het eens zijn met agree with
- iemand op weg helpen
- iets doen tegen do against someone
- in gevaar brengen to endanger
- onder woorden brengen explanation of your thoughts
- op een gegeven moment at a given moment
- recht hebben op have the right
- slaan op beat up something
- zich bemoeien met interfere

IDIOOM

- er tegenaan gaan to get busy / to accomplish a task
- ergens bovenop komen to recover from something
- ergens uitkomen to come to resolution of problem
- geen spier vertrekken to stand completely still
- het kan me niet(s) schelen I don't care about it
- iets niet zien zitten to think something is a bad idea
- iets onder de knie hebben to learn to do something
- in de hand werken to cause something to happen
- met de mond vol tanden staan Flabbergasted
- op je tenen lopen to push to the limit

Afslankkampioenen

Maar liefst vijftig procent van de Nederlandse huisdieren is veel te dik. Dit betekent dat er ongeveer 1,8 miljoen katten en honden zijn met zo'n hoog gewicht dat hun gezondheid eronder lijdt.

In 1995 organiseerde een diervoederfabrikant voor het eerst een Nationale Afslankwedstrijd voor honden en katten. Dit jaar deden er 73 veel te dikke dieren aan de wedstrijd mee. Onder begeleiding van dierenartsen volgden zij een intensief afslankprogramma. Ze kregen speciaal voedsel en moesten veel bewegen.
Youp, een labrador uit Odijk, werd door zijn eigenaar naar de dieren-arts gebracht toen hij 46 kilo woog en ziek was. Hij moest meteen op dieet. 'Het was wel afzien voor Youp, hoor', zegt zijn baasje. 'Ik had hem al die tijd veel te veel brokken gegeven. Wist ik veel. Ik was afgegaan op wat er op de verpakking van het voedsel stond. Ik had er niet bij stilgestaan dat hij al lang te zwaar was.' Youp is veertien kilo afgevallen, snurkt niet meer en rent en springt weer als hij buiten is. Ook kan hij weer gewoon plassen. Door zijn overgewicht moest hij bij het plassen gaan zitten.
Poes Cliff is ook enorm opgeknapt nadat hij 3,7 kilo was afgevallen. Hij woog tien kilo. Dat kun je vergelijken met een gewicht van 180 kilo bij de mens. Het viel niet mee om de kat aan het bewegen te krijgen. Zijn baasje kocht bij de dierenwinkel een balletje met gaten erin. Die gaten vulde ze met brokjes en daar wilde de kat wel achteraan rennen. Kampioen onder de honden werd de newfoundlander Kinky, die in één jaar zeventien kilo afviel. Kinky was zo dik dat hij niet meer in de auto paste. Nummer één onder de katten werd Rafael die altijd het eten van zijn zusje opat. Beide eigenaars kregen een reischeque van 1500 euro.

NAAR: WWW.DOGGY.ONZEHOND.NL, WWW.REISKRANT.NL EN WWW.DVHN.NL

In topvorm

Dit hoofdstuk gaat over sport.

Lees de tekst en de vraag. Beantwoord de vraag.

Sportieve prestatie?

'Wat is uw grootste sportieve prestatie?' Op die vraag antwoordde 44% van een groep Nederlandse geïnterviewden 'een zondagse bos- wandeling'. De rest had wat meer gepresteerd: 13% was kampioen geworden van zijn tennisvereniging en 7% had zelfs meegedaan aan de marathon van New York.

(handgeschreven boven "prestatie": achievement)

NAAR: VOLKSKRANT MAGAZINE, 20 SEPTEMBER 2003

Wat is jouw grootste sportieve prestatie?
- ☐ een boswandeling
- ☐ tennissen
- ☐ een marathon lopen
- ☐ trainen op de sportschool
- ☐ fietsen naar school
- ☐ vakantie op de fiets
- ☐ zwemmen
- ☑ *Paard rijden*

VOORBEREIDEN

1 **Lees de zinnen en bekijk de grafieken. Zijn de zinnen waar of niet waar?**

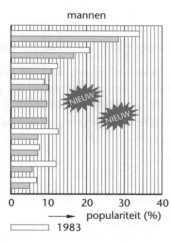

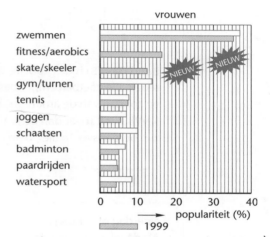

bewering – statement that is not proven as to whether it is true or not.

1 Voetbal is sinds 1983 populairder geworden bij mannen.
   a waar
   b niet waar

2 Fitness is vooral bij vrouwen erg populair.
   a waar
   b niet waar

3 Tennis is bij vrouwen populairder dan bij mannen.
   a waar
   b niet waar

4 Paardrijden is de enige sport die wél populair is bij vrouwen, maar niet bij mannen.
   a waar
   b niet waar

2   Lees de zinnen en de tekst. Welke zin hoort in het gat? Vul in.

Van iedere alinea is de eerste zin weggelaten. Kies een van de vijf zinnen hieronder en schrijf die op de goede plaats in de tekst.

1   'Voetbal is oorlog', zeggen sommigen.
2   Voetbal heeft heel eenvoudige regels.
3   Voetbal is ook leuk om naar te kijken.
4   Voetbal is een van de populairste sporten in Nederland.
5   Voetbal is ook 'big business'.

Nederland voetballand

_____# 4_____

_____ De Koninklijke Nederlandse Voetbal Bond (KNVB) is de grootste sportorganisatie in ons land. De KNVB regelt alle voetbalcompetities in Nederland: de wedstrijden op zaterdag en zondag van de amateurs, maar ook van het betaald voetbal. De KNVB heeft meer dan een miljoen leden. Ongeveer duizend daarvan zijn beroepsvoetballer, de rest is amateur.

_____3_____ Duizenden supporters gaan iedere zaterdag of zondag naar het voetbalveld om te zien hoe hun club speelt. Als de uitslagen van de competitie op de televisie bekendgemaakt worden of wanneer op zondagavond de samenvattingen van de wedstrijden te zien zijn, moet je veel Nederlanders met rust laten. En als het Nederlandse elftal meedoet aan een internationale wedstrijd, trekt de uitzending al gauw negen miljoen kijkers.

_____1_____ Ze denken dan aan het geweld op de voetbalvelden tussen de spelers, maar ook aan de vechtpartijen rond de voetbalvelden tussen de supporters van de verschillende clubs. Er wordt van alles tegen gedaan: speciale treinen die de supporters zo dicht mogelijk bij het stadion brengen. Er is politie die alles in de gaten houdt en ervoor zorgt dat de supporters van de twee clubs in het stadion niet bij elkaar in de buurt zitten. Maar niets helpt echt.

_____5_____ Een bedrijf als Philips heeft al sinds 1931 zijn eigen voetbalclub, PSV (Philips Sportvereniging). Philips gebruikt al sinds die tijd voetbal om reclame te kunnen maken. Ook de salarissen van spelers bij topclubs laten zien dat voetbal niet meer alleen een leuk spelletje is. Die salarissen kunnen oplopen tot één miljoen euro per jaar en bij een 'transfer' van een speler worden soms miljoenen euro's betaald.

_____

_____2_____ Misschien is het daardoor ook zo

populair. Kort gezegd: twee teams, van ieder elf spelers, proberen de bal met hun voet of hun hoofd in het doel van de tegenstander te krijgen. Dat is alles en daar genieten iedere keer weer miljoenen mensen van.

3   **Luister naar de tekst en doe de opdracht.**

**4   Wat weet je over de populairste sport in je eigen land?
Beantwoord de vragen.**

Is voetbal de populairste sport in jouw land? Kies dan de sport die daarna
het meest populair is. Schrijf de antwoorden op van de vragen die je kunt
beantwoorden.

1   Hoe heet de sport?

Ik denk dat het baseball of paard wegstrijd is.

2   Wat zijn de belangrijkste regels van de sport?

Dat iedereen van start tot einde gaat.

De winner moet geen drugs heb gebruiken.

3   Is het een teamsport of een individuele sport?

Het is een individuele sport.

4   Is het een sport voor amateurs of zijn er ook beroepsspelers?

Voor allebei.

5   Waar kun je de sport beoefenen?

*Je kan alleen op een racitrack of
opleiding track doen.*

6   Moet je voor die sport lid zijn van een club?

Ja.

7   Worden er wedstrijden georganiseerd? Is er bijvoorbeeld een competitie?

Ja natuurlijk! Ja.

8   Is het een gevaarlijke sport? Kun je snel blessures krijgen?

Ja, erg gevaarlijke.

9   Zijn er beroemde clubs of spelers van deze sport in je land?

*Er zijn veel beroemde spelers en paarden
van deze sport.*

5   **Vertel elkaar over de populairste sport in je eigen land.**

Gebruik de antwoorden van opdracht 4. Stel elkaar vragen als je iets niet begrijpt of als je graag meer wilt weten.

AFRONDEN

---

6   **Vertel over een sport.**

Kies samen drie sporten waar jullie iets over willen horen. Per drietal vertelt één cursist zijn verhaal van opdracht 5 aan de groep.

Regels   *Pronomina*

Zelf en elkaar

Zelf (singularis of pluralis)
Ze willen alles zelf doen.
Heb je zelf vroeger ook gevoetbald?

Elkaar (pluralis)

personen
We kennen elkaar van onze studententijd.
We zijn elkaar altijd blijven zien.

zaken
De auto's reden achter elkaar.

De elfstedentocht

Als je aan Nederland en sport denkt, dan denk je ook aan schaatsen. Bij alle internationale schaatswedstrijden winnen Nederlanders grote prijzen. Maar dat is niet het enige. Zodra het in de winter hard gaat vriezen, krijgt Nederland de 'elfstedenkoorts'. Dan kun je overal de vraag horen: 'Wat denk je, zou er een elfstedentocht komen?'.

In 1909 werd de eerste elfstedentocht gereden. De elfstedentocht is een schaatstocht van meer dan tweehonderd kilometer langs elf steden in Friesland. De start en de finish zijn altijd in Leeuwarden en onderweg komen de schaatsers langs oude plaatsen zoals Dokkum en Stavoren. Sinds 1909 is de tocht maar vijftien keer gereden. Al die andere jaren lag er geen ijs of was het ijs te dun.

Elfsteden-route

De laatste keer dat de tocht werd gereden was in 1997. Toen deden er ruim 16.000 schaatsers, mannen en vrouwen, aan mee. Lang niet iedereen haalt de finish. Tweehonderd kilometer is heel veel en soms is het zo koud en waait het zo hard, dat oren en ogen bevriezen. De tocht is ontzettend zwaar, maar misschien ook daardoor extra mooi en spannend.

Waarom is de elfstedentocht zo bijzonder? Elly van Mourik (52) vertelt: 'Ik groeide op in een klein dorp aan het water. Toen ik acht was, stond ik voor het eerst op het ijs. We gingen op de schaats naar school; dat was korter en makkelijker dan over de weg. Op de weg lag namelijk ook ijs. Mijn oudste broer deed toen mee aan de elfstedentocht. Hij haalde de finish niet; na twaalf uur werd hij van het ijs gehaald met bevroren ogen. Het was al donker en het werd veel te gevaarlijk. In ons dorp, waar verder nooit iets bijzonders gebeurde, werd hij de volgende dag ontvangen als een held. Ik weet nog goed dat ik dacht: Dat wil ik ook, ik wil ook een held worden. In 1985 heb ik zelf meegedaan. Ik was toen drie maanden zwanger, maar dat maakte me niets uit. Ik wilde gewoon meedoen. Het was een fantastische ervaring. Overal langs de kant stonden mensen. Iedereen moedigde je aan en echt, ik voelde me een held. Ik deed er in totaal veertien uur over, waarvan de laatste vier uur in het donker. Om zeven uur 's ochtends was ik gestart en om negen uur 's avonds kwam ik over de finish in Leeuwarden. De keer daarna, in 1997, deed ik weer mee en het was weer net zo fantastisch!'

Een sport kiezen en je keuze toelichten

1 **Bekijk de illustratie en lees de tekst. Hoe denk je dat deze sport heet?**

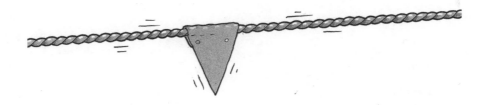

Een complete sport

Alle spieren in het lichaam staan strak, de meeste kracht komt uit je benen, voor je armen wordt het vooral volhouden. Het wordt steeds zwaarder, het touw doet pijn aan je handen … Het gaat om een combinatie van techniek, samenwerking, kracht en de wil om te winnen. Ook voor vrouwen is het een fantastische sport. Want kracht lijkt misschien het belangrijkste, maar techniek speelt zeker ook een heel grote rol.

NAAR: FOLDER VAN DE TOUWTREKVERENIGING VECHTLUST, MUIDEN

PUTER

2 **Luister naar de tekst en doe de opdracht.**

3 **Wat weet je over deze sporten? Vul in ja of nee.**

Hieronder staat een lijst met sporten en vragen over die sporten. Overleg samen over de antwoorden, kies welk antwoord het beste past en vul dan 'ja' of 'nee' in.

	Kun je de sport alleen doen?	Doe je de sport buiten?	Moet je speciale kleren dragen?	Is het een dure sport?
zwemmen				
fietsen				
hardlopen				
fitness				
paardrijden	✓	✓	✓	✓
dansen				
surfen				
basketbal				
schaatsen				
tennis				
klimmen				
wandelen				
boksen				
hockey				

UITVOEREN

4 **Beantwoord de vragen.**

1 Houd je ervan om naar sport te kijken?
2 Vind je het leuk om te sporten? Zo ja, welke van de sporten van het schema heb je weleens gedaan of zou je zelf wel willen doen?
3 Houd je niet van sport? Waarom niet?
4 Welke van de sporten van het schema vind je het leukste om zelf te doen? Waarom?
5 Doe je een sport die niet in het schema staat? Zo ja, welke?

 Bespreek je antwoorden met twee medecursisten.

5   **Kies een sport en schrijf een tekst van ongeveer 125 woorden.**

Kies een sport die je het leukst vindt om zelf te doen. Dit kan een sport zijn
uit het schema of een andere sport. Beschrijf de sport en leg uit waarom je
die zo leuk vindt. Gebruik de resultaten van opdracht 3 en 4.
Als je helemaal niet van sport houdt, schrijf je op waarom dat zo is.

AFRONDEN

6   **Laat aan de groep zien welke sport je hebt gekozen.**

Doe dat zonder woorden. De groep raadt om welke sport het gaat.
Wie niet van sport houdt, probeert dat te laten zien.

Uitspraak

1   **Beantwoord de vragen.**

1   Ik spreek goed Nederlands als:
☐   Nederlanders niet meer kunnen horen dat ik uit een ander land kom;
☐   iedereen me begrijpt. Nederlanders mogen best horen dat ik uit een
ander land kom.

2   Deze klanken vind ik nog moeilijk:
☑ huilen
☑ keuken
☐ boer
☐ school
☐ mijn / klein

☐ _____

☐ _____

3   Je kunt je uitspraak van klanken verbeteren door:
☐ naar jezelf te luisteren op een cassette;
☐ veel te leren over de theorie van de uitspraak;
☐ te oefenen voor een spiegel;
☐ goed naar Nederlanders te luisteren;
☐ hulp van Nederlanders te krijgen.

☐ _____

2   Bespreek de antwoorden van opdracht 1 met twee medecursisten.

3   Bespreek samen de resultaten van opdracht 1 en 2.

TAAK 3

Je mening vormen over doping

VOORBEREIDEN

1   **Lees het citaat. Ben je het ermee eens?**

'Iedereen moet zelf weten wat hij gebruikt. Sommige sporters nemen vier, vijf koppen koffie om beter te presteren, weer anderen drinken een paar glazen cola of ze nemen een tabletje. Ik vind het allemaal prima.'

    a   eens

    ⓑ oneens

    c   geen mening

2.1   **Lees de kopjes en de tekst. Welk kopje hoort in het gat? Vul in.**

    1   Start internationale acties tegen doping.

    2   Nieuwe lijst.

    3   Twee criteria dopinglijst IOC.

    4   Discussie niet afgelopen.

    5   Dopinglijst IOC niet altijd duidelijk.

Wat is doping en wat niet?

Op 13 juli 1967 overleed de Engelse wielrenner Tom Simpson op de Mont Ventoux, tijdens een etappe in de Tour de France. De hitte, te weinig vocht en het gebruik van doping bleken de oorzaak te zijn. Simpsons dood leidde tot veel discussie en tot internationale acties tegen het gebruik van doping, door sportorganisaties en door overheden.

Toch is het gebruik van verboden stimulerende middelen in de loop van de tijd niet <u>gedaald</u>. Sporters <u>slikken</u> en spuiten nog steeds om beter te presteren en er komen nog steeds nieuwe <u>middelen</u> bij.

Tom Simpson

middelen - by means of

Er zijn in de loop van de jaren veel lijsten gemaakt van <u>middelen</u> die als doping werden beschouwd, onder andere door het IOC, het Internationaal Olympisch Comité. Het was echter niet altijd duidelijk waarom het ene middel wel op de lijst van het IOC stond en het andere niet. Zo is EPO (de stof erytropoietine) bijvoorbeeld verboden maar creatine niet, hoewel de stoffen goed <u>vergelijkbaar</u> zijn. *comparable* Beide verbeteren de prestaties en beide worden ook door het lichaam zelf gemaakt. Daardoor is moeilijk aan te tonen dat een sporter deze stof extra heeft geslikt. Dit is ook een reden waarom ze zo populair zijn.

Het blijkt dat het IOC een aantal criteria had om te <u>bepalen</u> *fixed* of een stof op de lijst van verboden middelen moest staan. Ten eerste werd bekeken of een stof de prestaties echt verbeterde. Een tweede criterium voor het IOC was het gevaar voor de gezondheid. Om die reden staat bijvoorbeeld creatine niet op de lijst, maar EPO wel. Van EPO is gebleken dat gebruik ervan kan leiden tot een plotselinge hartstilstand, maar creatine leek <u>onschadelijk</u>. Te veel nemen is namelijk onmogelijk: alles wat het lichaam niet gebruikt, komt er gewoon met de urine weer uit.

not damaging

In de sportwereld was veel kritiek op de lijst van het IOC, vooral omdat men het niet eens was met de keuze van wat wel en niet verboden was. Daarom werd besloten dat de lijst van het IOC moest worden vervangen. Er moest een nieuwe lijst gemaakt worden waar alle sportorganisaties het mee eens zouden zijn. Deze lijst is samengesteld door het WADA (World Anti-Doping Agency) en is vanaf januari 2004 geldig. Op die lijst staat niet alleen de naam van de stof, maar ook bij welke sporten die stof verboden is. Ook staat erbij welke hoeveelheid van de stof verboden is. De dopinglijst lijkt erg op die van het IOC, maar er is een derde criterium bijgekomen, namelijk of gebruik van een bepaalde stof 'past bij sport'. Over dit derde criterium is veel verschil van mening aangezien het zo onduidelijk en subjectief is. Past bijvoorbeeld het drinken van alcohol of het gebruik van softdrugs, zoals hasj, bij sport? En wie bepaalt wat niet bij sport past? De sportorganisaties of de sporters zelf?

Met de lijst van het WADA is er dus nog geen definitief einde gekomen aan de discussie. De meeste mensen lijken het er wel over eens te zijn dat doping verboden moet blijven, maar welke stoffen wel of niet als doping beschouwd moeten worden, blijft een vraag. Daarom hoor je ook wel een heel ander geluid: stop met al die lijsten en laat iedereen doen wat hij zelf wil. Bij sport gaat het om winnen en hoe je ervoor zorgt dat je wint, dat maakt niet uit. Laat iedere sporter dat zelf bepalen: veel of weinig trainen, lang of kort slapen, stimulerende middelen nemen of niet.

BRON: WWW.NRC.NL/DOSSIERDOPING

2.2   Lees de vragen en lees de tekst van opdracht 2.1 nog een keer. Beantwoord de vragen.

1   Wie was Tom Simpson?

Hij was een fietser in de Tour de France dat heeft overleden geworden van doping.

2   Noem één reden waarom EPO en creatine zo populair zijn als doping.

Het kan door het lichaam zelf gemaakt zijn.

3   Waarom was creatine niet verboden door het IOC?

Want, te veel te nemem is onmogelijk.

4   Wat is het belangrijkste verschil tussen de lijst van het IOC en de lijst van het WADA?

Op het WADA lijst staat welke sporten stoffen verboden is.

5   Waarom is er met de lijst van het WADA nog geen einde gekomen aan de discussie over het verbod op doping?

Want alle mensen zijn niet in akoord met elkaar aan welke stoffen moeten worden beschouwd

MPUTER

3   Luister naar de tekst en doe de opdracht.

4   **Wat zijn argumenten voor een verbod op doping en welke tegen? Kruis aan.**

	voor	tegen
• Het risico voor de gezondheid is gewoon veel te groot.	☑	☐
• Iedereen moet zelf weten wat hij met z'n lichaam doet.	☑	☐
• Sporters staan onder druk van hun trainers om doping te gebruiken.	☑	☐
• Je kunt niet objectief vaststellen of een sporter beter presteert door doping.	☐	☑
• Sporters moeten tegen zichzelf beschermd worden; ze doen alles om maar te winnen	☑	☐
• Het gebruik van doping is niet eerlijk.	☑	☐
• Echt goede controle op het gebruik van doping is onmogelijk	☐	☑

passen bij is { does it suit ---
horen bij)

UITVOEREN

---

5   **Beantwoord de vragen.**

Denk na over de vragen en beantwoord ze voor jezelf.

1   Waarom gebruiken veel sporters doping, volgens jou? Denk je dat ze daar zelf voor kiezen of niet?
2   Vind je dat doping verboden moet zijn? *Ja, wel*
3   Vind je dat sportorganisaties moeten bepalen welke middelen verboden zijn of moet de overheid dat doen?
4   Ben je het eens met het criterium van het WADA: 'past de stof bij sport'? Waarom wel of waarom niet?
5   Denk je dat het gebruik van doping goed te controleren is? Zo ja, hoe dan? *Nee*

6   **Stem over een stelling.**

Stem over de stelling 'Doping moet verboden blijven'. Hoeveel mensen zijn voor de stelling en hoeveel tegen? Discussieer nog niet over de stelling.

7   **Voer een discussie.**

Discussieer met elkaar over doping en gebruik daarbij de vragen van opdracht 5. Een van jullie leidt het gesprek. Hij zorgt dat iedereen aan de beurt komt en de kans krijgt om zijn eigen mening en argumenten te geven.

8   Schrijf een tekst van ongeveer 150 woorde

Begin de tekst met een inleiding. Daarin schrijf je
zal gaan. Geef daarna je mening over het gebrui.
verbod op doping. Geef ook argumenten. Eindig

AFRONDEN

9   Stem over een stelling.

Stem opnieuw over de stelling 'Doping moet verboden blijven'. Hoeveel
mensen zijn nu voor de stelling en hoeveel mensen tegen? Is de uitslag
van de stemming hetzelfde als voor de discussie of is die veranderd?

Regels   *Het verbum*

Lijken en blijken

Van EPO is gebleken dat gebruik kan leiden tot een plotselinge
hartstilstand.
Maar creatine leek onschadelijk.
Kracht lijkt heel belangrijk in deze sport, maar in de praktijk blijkt dat
niet altijd het geval te zijn.
Het lijkt een gevaarlijke sport te zijn, maar het blijkt dat er maar weinig
ongelukken gebeuren.
Het blijkt dat deze organisatie zich heeft vergist.

→   'Lijken' en 'blijken' hebben een verschil in betekenis: lijken betekent 'een
indruk geven' (het hoeft niet waar te zijn) en 'blijken' betekent 'duidelijk
zijn' (het is waar). Beide verba kunnen 'het' als subject hebben.

Verslag doen van een sportwedstrijd

1 Beantwoord de vragen.

1 Kijk je weleens naar een sportwedstrijd?

_____

2 Zo ja, ga je naar een wedstrijd toe of kijk je naar een wedstrijd op televisie?

_____

3 Welke sport vind je het leukst om naar te kijken en welke het minst leuk?

_____

4 Wat vind je leuker om naar te kijken: amateursport of topsport?

_____

5 Wat vind je het belangrijkste bij een wedstrijd?
a dat hij spannend is
b dat mijn favoriete club of sporter wint
c beide

Bespreek je antwoorden met een medecursist.

COMPUTER

2 Kijk naar de video en doe de opdracht.

Pieter van den Hoogeband

3   **Doe verslag van de wedstrijd van de video.**

Vertel in je eigen woorden over de wedstrijd van de video. Maak gebruik van onderstaande vragen. Bedenk eerst wat je wilt gaan zeggen. Cursist A vertelt en cursist B stelt vragen als hij meer wil weten of als iets niet duidelijk is.

1   Wie wordt geïnterviewd?
2   Wat wilde hij bereiken?
3   Is dat gelukt?
4   Hoe zwaar was de wedstrijd voor hem? Licht je antwoord toe.
5   Hoe voelde hij zich na de wedstrijd?

Wissel van rol.

UITVOEREN

4   **Kijk naar een sportwedstrijd en beantwoord de vragen.**

Kijk naar een sportwedstrijd op televisie of ga naar een wedstrijd (dat kan ook een amateurwedstrijd zijn). Als je ervoor kiest om naar de televisie te kijken, dan kun je op zondagavond Studio Sport proberen. Daarin worden samenvattingen gegeven van verschillende sportwedstrijden. Ook kun je kijken naar de zender Eurosport.
Beantwoord daarna de vragen die je kunt beantwoorden.

1   Naar welke sport heb je gekeken en welke clubs of sporters deden mee? Was het amateursport of was het topsport?

_____

_____

2   Waar was de wedstrijd?

_____

3   Was er veel publiek?

_____

4   Hoe vond je de wedstrijd? Bijvoorbeeld spannend, saai, enzovoort.

_____

5   Deed het publiek iets bijzonders? Was het publiek bijvoorbeeld agressief en wat riepen ze?

_____

_____

6   Was er een belangrijk moment in de wedstrijd? Zo ja, omschrijf het moment.

_____

7   Waren er nog ongelukken of blessures? Zo ja, welke?

_____

8   Nam de scheidsrechter of leider van de wedstrijd goede beslissingen of niet?

_____

9   Wie heeft gewonnen? Wat was de uitslag? Waren er ook prijzen?

_____

10 Waren de winnaar en de verliezer tevreden over de uitslag?

_____

5   **Doe verslag van de wedstrijd.**

Doe verslag van de wedstrijd die je gezien hebt. Gebruik de antwoorden van opdracht 4.
Cursist A begint. Cursist B luistert en stelt vragen als hij meer wil weten of als iets niet duidelijk is.

Wissel van rol.

6   **Herhaal opdracht 5 met een andere medecursist.**

Doe hetzelfde als bij opdracht 5, maar nu met een andere medecursist.

Wissel van rol.

AFRONDEN

7   **Kijk nog een keer naar de video en doe de opdracht.**

In de video zie je dat er verschillende manieren zijn om emoties uit te drukken. Let op of je deze hoort en vul in of het om een positieve of een negatieve emotie gaat. Gebruik '+' of '-'.

een fantastische tijd	
niet helemaal fijn	
wat een formidabele race	
gewoon topvorm	
het gaat fantastisch	
ik was zo zuur	
ik was echt op mijn tandvlees	
ik was hartstikke blij	

Ken je van alle zinnen de betekenis? Bespreek dit samen.

Lees de tekst en de vraag. Beantwoord de vraag.

Sportheld

Soms worden mensen echte sporthelden. Ze zijn in hun eigen land bekend, maar ook daarbuiten. Dit komt natuurlijk door hun sport-prestaties, maar soms ook doordat ze op nog een andere manier bijzonder zijn. Voetballer Pele is zo iemand. Hij was niet alleen een fantastische voetballer, maar ook interessant als mens. Hij groeide op in een zeer arm gezin en als Pele niet op straat aan het voetballen was, poetste hij schoenen om zijn ouders te helpen. Dat is hij nooit vergeten. Als beroemde voetballer kwam hij vaak in de publiciteit met acties voor mensen in de arme buurten van Rio de Janeiro.

Wie vind jij een sportheld en waarom?

_____

 Bespreek samen de antwoorden.

VERBINDINGEN	IDIOOM

VERBINDINGEN

- ergens genoeg van krijgen
- een sport beoefenen
- goed zijn in iets
- in de loop van de tijd *as time goes by*
- het waard zijn
- iets voor de lol doen
- neerkomen op

IDIOOM

- het heeft geen zin
- het is het wel waard
- het speelt (g)een rol
- iemand in de gaten houden_____
- het loopt uit de hand
- op een gegeven moment
- dat ligt me meer_____
- voor zijn doen_____
- op je tandvlees lopen *step on your toes*
- met rust laten *leave alone*
- geen misverstand laten bestaan over iets_____
- dat is te hoog gegrepen
- het huis uit willen / gaan

EXTRA

Import Oranje

Het buitenland verovert de Nederlandse topsport. Irina Donets heeft sinds februari 2002 de Nederlandse nationaliteit. Nu speelt zij voor het Italiaanse Ravenna.

Irina: 'Ik balanceer nu tussen drie werelden, daardoor kom ik telkens tijd tekort. Door het volleybal ben ik een wereldburger geworden. Maar het blijft een vreemde ervaring dat ik als Russin met een Nederlands paspoort nu voor het Italiaanse Ravenna speel. Dat had ik nooit gedacht toen ik als meisje van veertien wegging bij mijn ouders in Kaliningrad. Ik ging toen trainen bij de Russische bondscoach Nikolai Karpol in Jekatarinaburg.

In Nederland staat Karpol vooral bekend als de coach die tijdens time-outs zo vreselijk kan schelden. Karpol is een strenge trainer, hij heeft de klassieke Russische mentaliteit. Hij is keihard en hij bepaalde ook je leven buiten de sport. Dat ging mij te ver.

Het was voor mij dan ook een heel emotioneel moment, toen ik vorig jaar voor het eerst met het Nederlandse team tegen Rusland speelde. Natuurlijk wilde ik graag in Europa volleyballen. Ik wilde niet alleen maar sporten; mijn leven in Jekatarinaburg bestond voornamelijk uit trainen. Ik deelde met mijn teamleden een huis, we aten in dezelfde keuken. We waren altijd samen. Zes jaar geleden kwam ik bij AMVJ in Amstelveen en daar ging een nieuwe wereld voor me open.

In Amstelveen trainde ik minder dan ik gewend was, waardoor ik tijd kreeg voor een sociaal leven. Pierre Mathieu was destijds coach van

Geboren: 20 augustus 1976 in Kaliningrad, Rusland. Woonplaatsen: Kaliningrad, Jekatarinaburg, Amstelveen, Ravenna. Clubs: Jekatarinaburg (1992-1997), Amstelveen (AMVJ) (1997-2001) en Ravenna (sinds 2001). Beste prestatie: vierde plaats met het Nederlandse team in september 2003 bij het Europees Kampioenschap in Turkije.

Oranje en hij vroeg me of ik beschikbaar was voor het Nederlandse team. Mijn ziel is voor altijd verbonden met Rusland, maar ik vond het als volleybalster een mooie uitdaging om voor Nederland te spelen. Ik ben echt trots op dat oranje shirt.

Toch vond ik het zwaar om tijdens het toernooi in Montreux mijn vroegere landgenoten te ontmoeten. Toen het Russische volkslied werd gespeeld, durfde ik nauwelijks door het net heen te kijken. Aan de andere kant stonden meisjes met wie ik in Jekatarinaburg zes jaar lang een kamer had gedeeld. Ik was bang dat ze me een landverraadster zouden vinden. Bovendien was ik bang voor het oordeel van Karpol. Ik was dan ook erg opgelucht, toen alle Russische internationals me vriendelijk begroetten. Zelfs Karpol bromde iets van "Goedenavond, alles goed met je?". Meer zei hij niet. Volgens mij is Karpol stiekem trots dat ik voor een ander land op het hoogste niveau speel. We verloren wel van Rusland; toen voelde ik me weer Nederlandse en had ik zwaar de pest in.

Ik volleybal nu wel voor Nederland, maar ik denk dat mijn toekomst in Italië ligt. Ik heb een Italiaanse vriend en in Italië heb ik de warme familiecultuur gevonden, die ik nog uit Rusland ken. Nederlanders zijn afstandelijker, ze willen op hun achttiende het huis uit en dan is de familie niet belangrijk meer. De Italiaan is traditioneler: mama heeft in Italië dezelfde positie als in Rusland.'

NAAR: DE VOLKSKRANT, 20 DECEMBER 2003 Irina Donets

Heeft u zelf nog vragen?

1 **Lees de vragen en de tekst. Beantwoord de vragen.**

1 Hoe kwamen werkgevers in 2002 aan nieuw personeel?

_____

_____

_____

_____

_____

2 Wat is een open sollicitatie? Kruis aan.
☐ Dat is een sollicitatie waarbij je heel eerlijk bent over jezelf.
☐ Je solliciteert bij een bedrijf of organisatie zonder dat je weet of ze iemand nodig hebben.

Het werven van personeel

De meeste werkgevers kwamen in 2002 via een advertentie in de krant aan nieuw personeel. Dit bleek uit onderzoek van een marketing-onderzoeksbureau. Werkgevers maakten verder gebruik van contacten van eigen personeel, relaties buiten het bedrijf, uitzendbureaus en open sollicitaties. Ook werden advertenties op internet geplaatst om personeel te werven. Dit bleek uit onderzoek van Marktonderzoek-bureau Heliview.

NAAR: WWW.HELIVIEW.NL

werven

Schriftelijk solliciteren

1 **Wat is de beste manier om te reageren op een personeels-advertentie? Kruis aan.**

☐ Een sollicitatiebrief met cv opsturen.
☐ Een sollicitatiebrief opsturen. Als je wordt uitgenodigd voor een gesprek, neem je een cv mee.

2.1 **Zet de instructies voor een cv in een logische volgorde. Geef elke instructie een nummer: 1, 2, 3, 4, 5 en 6.**

_____ Talen. Welke talen spreek je en hoe goed beheers je ze schriftelijk en mondeling? Vermeld ook wat je moedertaal is.

_____ Opleiding. Welke opleidingen en cursussen heb je gedaan? De meest recente opleiding eerst. Vermeld in welke richting je bent afgestudeerd. Vermeld ook jaartallen en diploma's.

_____ Persoonlijke gegevens. Naam, adres, woonplaats, telefoon-nummer, e-mailadres, geboortedatum, geboorteplaats, nationaliteit, en burgerlijke staat.

_____ Overige ervaring. Functies binnen een studentenvereniging, sportclub, enzovoort.

_____ Hobby's.

_____ Werkervaring. Wat voor werk heb je gedaan (functie en werk-zaamheden kort beschrijven), bij welk bedrijf en in welke plaats? Stages, bijbaantjes en vrijwilligerswerk kun je hier ook noemen. Begin met je meest recente werkervaring. Vermeld jaartallen.

2.2   Wat moet je wel doen en wat moet je niet doen als je een cv schrijft? Kruis aan.

	wel doen	niet doen
Duidelijke en positieve taal gebruiken.	☐	☐
Alleen relevante informatie geven.	☐	☐
Het cv laten controleren door iemand die heel goed Nederlands schrijft.	☐	☐
Het cv met de hand schrijven.	☐	☐
Een heldere lay-out maken.	☐	☐

2.3   Welke tip hoort erbij? Vul de goede letter in.

1   Verandering van loopbaan.
2   Een opleiding in het buitenland.
3   Niet genoeg opleiding.
4   Niet genoeg of geen werkervaring.

a   Leg nadruk op je werkervaring en praktische vaardigheden. Als je met een cursus of studie bezig bent, vermeld dat dan.
b   Vermeld bijvoorbeeld stages en belangrijke bijbaantjes.
c   Geef positieve redenen waarom je van richting wilt veranderen.
d   Onderzoek op welk niveau je opleiding in Nederland wordt gewaardeerd (vmbo, havo, vwo, mbo, hbo, universiteit). Als je daar geen informatie over kunt krijgen, noem dan de lengte van de studie, het aantal vakken en vermeld hoe de opleiding in jouw land heet.

1   _____

2   _____

3   _____

4   _____

3   Zet de instructies voor een sollicitatiebrief in de goede volgorde. Geef elk onderdeel een nummer: 1, 2, 3, 4, 5 en 6.

_____   Je handtekening
Je naam
Bijlage: curriculum vitae

_____   Schrijf waarom je geïnteresseerd bent in deze functie, bij dit bedrijf.
Schrijf waarom je geschikt bent voor deze functie: gebruik de belangrijkste informatie uit je cv om duidelijk te maken wat je

te bieden hebt. Beschrijf de kwaliteiten en eigenschappen die je geschikt maken voor deze functie.

_____ Geachte + mevrouw / meneer + naam,
Of: Geachte heer / mevrouw,
Vertel waarom je schrijft: geef aan op welke vacature je solliciteert.

_____ Plaats en datum
Betreft + onderwerp + vacaturenummer of plaats en datum van advertentie

_____ Positieve afsluitende zin
Met vriendelijke groet, Of: Hoogachtend,

_____ Je eigen naam, adres, postcode en woonplaats
Naam bedrijf, t.a.v. + naam contactpersoon, adres, postcode en woonplaats

4   Bespreek de volgende stellingen.

- Voordat je gaat schrijven, moet je informatie zoeken over het bedrijf waar je wilt werken.
- De informatie uit de advertentie is genoeg voor het schrijven van de brief.

- Je moet aan een goede vriend of kennis vragen wat je kwaliteiten zijn.
- Je kent je eigen kwaliteiten zelf het best.

- Je mag een beetje liegen in de brief om te voldoen aan de functie-eisen in de advertentie.
- Je moet jezelf positief, maar wel eerlijk en realistisch beschrijven.

- De brief moet zo kort mogelijk zijn.
- De lengte van de brief is niet belangrijk.

- Er mogen geen fouten in de brief zitten.
- Het is niet erg als er een paar taalfoutjes in de brief zitten.

5   **Schrijf een cv en een sollicitatiebrief.**

Zoek in de (zaterdag)krant of op internet naar een vacature waarop je zou willen solliciteren. Schrijf een cv en een brief. Je kunt het cv en de brief van Eline Jansen daarbij gebruiken als voorbeeld. Geef de advertentie, de brief en het cv aan de docent.

Basisschool de Duizendpoot blijft groeien!

Onze openbare basisschool groeit volgend schooljaar van twaalf naar dertien groepen. Daarom zoeken wij per 1 augustus 2004 een

leerkracht voor groep drie

We vragen:
- een enthousiaste en flexibele man of vrouw die fulltime wil werken
- kan samenwerken in een team van collega's
- wil groeien in zijn/haar vak

Stuur je brief en cv vóór 1 juni naar Geert Broekmans (directeur), Korte Gracht 7, 1267 BN Zwolle.
Als je nog vragen hebt, kun je bellen met: 038 – 7631241.
Kijk voor informatie over de school op: www.duizendpoot.nl.

Curriculum Vitae

Persoonlijke gegevens

Naam	Eline Jansen
Adres	Torenstraat 16, 1234 AB Zwolle
Telefoon	06 – 12345678
E-mail	e.jansen@hotmail.com
Geboren	14-1-1981 in Hattem
Nationaliteit	Nederlands
Burgerlijke staat	niet getrouwd

Opleidingen

1998 – 2003	Pedagogische academie in Groningen Afstudeerrichting: onderbouw Diploma op 14-7-2003
1993 – 1998	Havo, Agnietencollege in Zwolle: profiel cultuur en maatschappij. Diploma in 1998

Werkervaring

2003 – 2004	Lesgeven aan groep drie, basisschool de Regenboog in Zwolle: vervanging wegens ziekte (september tot mei)
2001 – 2002	Stage in groep 1 en 2, basisschool Prinses Máxima in Groningen
1998 - 1999	Vrijwilligerswerk bij de Kindertelefoon: beantwoorden van vragen van kinderen

Overige ervaring

2000 – 2001	Voorzitter studentenvereniging Cleopatra in Groningen

Talen

Engels	Schriftelijk en mondeling goed
Frans	Schriftelijk en mondeling voldoende

Hobby's

Lezen, volleybal, zwemmen en pianospelen

Eline Jansen
Torenstraat 16
1234 AB Zwolle

Basisschool de Duizendpoot
T.a.v. de heer G. Broekmans
Korte Gracht 7
1267 BN Zwolle

Zwolle, 17-5-2004

Betreft: vacature docent groep drie
          advertentie in de Volkskrant van 15-05-04

Geachte heer Broekmans,

Graag solliciteer ik naar de functie van leerkracht in groep drie. Toen ik de advertentie in de Volkskrant las, was ik onmiddellijk geïnteresseerd. Uw school heeft een erg goede naam en ik zou het geweldig vinden om er te komen werken.

Tijdens mijn opleiding heb ik stage gelopen in groep 1 en 2 van de Prinses Máximaschool in Groningen. Daar heb ik in een prettige omgeving veel geleerd. Na de Pabo heb ik acht maanden lang een zieke docent vervangen in groep drie van de Regenboogschool, hier in Zwolle. Ik werkte op deze school in een leuk team van collega's en met veel plezier gaf ik les aan groep drie. Ik ontdekte dat kinderen van 6, 7 jaar mij heel erg boeien. Het was voor mij een grote uitdaging om hun te leren lezen en rekenen. De kinderen vonden het jammer dat ik wegging. Ik zou heel graag met kinderen van deze leeftijd blijven werken en me verder ontwikkelen in dit vak. Ik ben fulltime beschikbaar.

Ik hoop dat ik in een persoonlijk gesprek mijn cv verder kan toelichten.

Met vriendelijke groeten,

Jansen

Eline Jansen

Bijlage: curriculum vitae

6 Schrijf, op basis van het commentaar van je docent, een tweede
versie van je brief en cv.

Een sollicitatiegesprek voorbereiden

VOORBEREIDEN

1 Hoe zou jij jezelf voorbereiden op een sollicitatiegesprek in
Nederland?

Je kunt meerdere antwoorden kiezen.

☐ Ik zou gaan praten met een buitenlandse vriend die al in Nederland
heeft gesolliciteerd.

☐ Ik zou gaan praten met een Nederlander met sollicitatie-ervaring.

☐ Ik zou een boekje kopen met informatie over sollicitatiegesprekken.

☐ Ik zou op internet informatie zoeken over sollicitatiegesprekken.

☐ Ik zou mijn Nederlands nog eens extra gaan oefenen.

☐ Ik zou _____

COMPUTER

2   **Luister naar de tekst en doe de opdracht.**

UITVOEREN

3.1   **Voer het gesprek.**

Lees de advertentie waarop een andere cursist heeft gereageerd (taak 1, opdracht 5). Lees ook de tweede versie van zijn cv en sollicitatiebrief (taak 1, opdracht 6). Kies dan tien vragen. Stel die vragen aan de andere cursist. De andere cursist probeert de vragen zo positief mogelijk te beantwoorden. Geef liever wat kortere, precieze antwoorden dan heel lange. Licht ze toe met voorbeelden. Een mogelijk antwoord op vraag 8 is bijvoorbeeld: 'Ik ben bezig met een cursus Engels, om mijn schrijfvaardigheid te verbeteren. Verder besteed ik veel tijd aan de krant en aan allerlei tijdschriften. En ik kan nu eindelijk al die boeken lezen die ik nooit kon lezen, omdat ik het te druk had.'

1   Waarom heeft u naar deze functie gesolliciteerd?
2   Waarom solliciteert u bij ons?
3   Waarom denkt u dat u geschikt bent voor deze functie?
4   Bij welke bedrijven zou u nog meer graag willen werken en in welke functie(s)?
5   Hoeveel verdiende u in uw vorige baan?
6   Wat wilt u over vijf jaar in uw carrière bereikt hebben?
7   Waarom bent u bij uw vorige werkgever weggegaan?
8   Wat doet u nu, nu u zonder werk zit?
9   U spreekt nog geen vloeiend Nederlands. Wat gaat u daaraan doen?
10   Er zitten gaten in uw cv. Kunt u die verklaren?
11   Werkt u liever zelfstandig of in een team?
12   Met wat voor type mensen werkt u graag samen?
13   Ziet u uzelf in een leidinggevende functie?
14   Ik zie in uw cv dat u .... heeft gestudeerd. Waarom heeft u toen voor deze studie gekozen?
15   Als u morgen opnieuw een studie zou mogen kiezen, welke studie zou u dan kiezen?
16   Waar bent u goed in?
17   Wat zijn uw minder goede eigenschappen?
18   Welke eisen stelt u aan uzelf?
19   Wat is voor u 'succes'?
20   Heeft u zelf nog vragen?

NAAR: FRANK VAN DER AUWERA, AAN DE SLAG

Wissel van rol. Je hoeft niet dezelfde tien vragen te gebruiken.

3.2   **Welke vragen van opdracht 3.1 vonden jullie het moeilijkst om te beantwoorden?**

Bespreek deze vragen en vertel elkaar ook waarom je ze moeilijk te beantwoorden vond.

AFRONDEN

4   **Bespreek met de groep een aantal vragen van opdracht 3.1.**

Bespreek in ieder geval de algemene vragen zoals 9, 11, 12 en 16 tot en met 20. Overleg samen over mogelijke antwoorden.

Regels   *Het verbum*

Zetten, leggen, stoppen

Actie	*Resultaat*
Object in verticale positie	
Zetten	**Staan**
Ik zet het glas op tafel.	Het glas staat op tafel.
Object in horizontale positie	
Leggen	**Liggen**
Ik leg de brieven op mijn bureau.	De brieven liggen op mijn bureau.
Object in kleine ruimte	
Stoppen, doen, steken	**Zitten**
Ik stop de brieven in de la.	De brieven zitten in de la.
Ik steek de sleutel in het slot.	De sleutel zit in het slot.
Doe jij het geld in mijn portemonnee?	Het geld zit in mijn portemonnee.

Waar heb je die brief? Hé, ik dacht dat ik hem hier op mijn bureau had gelegd, of had ik hem nou in een van de laatjes gestopt?

Solliciteren in Nederland

Gebruik in een sollicitatiebrief altijd het formele 'u', ook al is de advertentie informeel. Hetzelfde geldt voor een sollicitatiegesprek: gebruik zelf 'u', ook als men jou met 'je' aanspreekt. In het gewone, dagelijkse verkeer wordt 'je' steeds vaker gebruikt, zelfs tegen oudere mensen, maar dit wordt lang niet door iedereen gewaardeerd. Je kunt daarom maar beter voorzichtig zijn en pas 'je' zeggen als men zegt: 'Zeg maar 'je' hoor.'
Wat je moet dragen op een sollicitatiegesprek hangt af van het bedrijf of de organisatie waar je gaat praten. Over het algemeen geldt: te nette kleren dragen is niet erg, niet netjes genoeg zijn is wel erg.
Nederlanders houden van een stevige hand als je binnenkomt en als je weer weggaat. Ze verwachten dat hun gesprekspartner(s) hen daarbij aankijkt. Ook tijdens het gesprek kijkt men de ander(en) af en toe recht in de ogen.
Het is niet de gewoonte om in een eerste sollicitatiegesprek vragen over het salaris te stellen. Bovendien staat in de advertentie meestal al welk salaris je ongeveer kunt verwachten. De meeste werknemers vallen onder een collectieve arbeidsovereenkomst (CAO). Dit zijn schriftelijke afspraken tussen werkgevers(organisaties) en werknemersorganisaties (meestal vakbonden) over salaris, werktijden en dergelijke. Over het salaris, een van de primaire arbeidsvoorwaarden, kan vaak maar beperkt onderhandeld worden. Over de secundaire arbeidsvoorwaarden kan soms wat meer onderhandeld worden. Je moet daarbij denken aan dingen als: kinderopvang, cursussen, verhuiskosten, reiskosten en dergelijke.
Meer informatie kun je vinden op de site: www.postbus51.nl.

waarderen	de vakbond	primair
stevig	en dergelijke	secundair
collectief		

Woorden leren (2)

1   Lees de zinnen. Probeer de aantallen te raden en vul in.

1   Als ik Code 1 en 2 helemaal heb doorgewerkt, ken ik ongeveer

_____ woorden.

a   2000
b   3000
c   10.000

2   Ik moet ongeveer _____ woorden kennen om teksten voor een studie

in Nederland goed te kunnen begrijpen.

a   5000
b   10.000
c   15.000

3   Met die woorden kan ik ongeveer _____ procent van mijn

studieteksten begrijpen.

a   40
b   60
c   80

2   Lees de zinnen. Kruis aan ja of nee.

		ja	nee
1	Als ik een woord niet begrijp, zoek ik het altijd op in het woordenboek.	☐	☐
2	Als ik een woord niet begrijp, probeer ik de betekenis van het woord te raden.	☐	☐
3	Als ik delen van een woord begrijp, begrijp ik de betekenis van het hele woord (dierentuin, vooropleiding).	☐	☐

3   Voer een gesprek over het leren van woorden.

Maak gebruik van onderstaande vragen.

• Vertel elkaar wat je bij opdracht 1 hebt geantwoord.
• Vertel elkaar wat je bij opdracht 2 hebt geantwoord.
• Leren jullie ook nieuwe woorden buiten de les?
• Wat doe je om nieuwe woorden te leren?
• Wat doe je om die woorden niet te vergeten?

4   Bespreek de resultaten van opdracht 1, 2 en 3.

Deelnemen aan een werkoverleg

1 **Lees de tekst.**

Werkoverleg

Werkoverleg is overleg over het werk en de werksituatie. Het kan overleg tussen een leidinggevende en werknemers zijn, maar ook tussen collega's onderling. De volgende onderwerpen kunnen aan bod komen: het werk zelf, de werktijden, ziekte, vakanties, veranderingen, enzovoort. Werkoverleg is belangrijk om informatie en ideeën uit te wisselen, om besluiten te nemen en oplossingen te vinden. Een werkoverleg heeft meestal een voorzitter. De voorzitter leidt het gesprek, zorgt dat iedereen aan het woord komt, geeft af en toe een samenvatting en houdt de tijd in de gaten. Hij zorgt er bijvoorbeeld voor dat er niet te lang over één onderwerp wordt gepraat.

onderling   de voorzitter

PUTER

2   Kijk naar de video en doe de opdracht.

**3   Lees de vragen en kijk eventueel nog een keer naar de video.
Kruis aan.**

1   Hoe geeft de voorzitter aan dat ze het overleg wil beginnen? Wat zegt ze?
☐ Oké, jullie kunnen beginnen.
☐ Oké, zullen we beginnen?

2   De voorzitter wil drie onderwerpen bespreken. Wat zegt ze?
☐ Er zijn eigenlijk drie punten die ik graag even met jullie zou willen
bespreken.
☐ Er zijn drie dingen die ik jullie wil meedelen.

3   Jennifer en Mirjam bedenken samen een oplossing. De voorzitter geeft
een paar keer in het gesprek een korte samenvatting van wat Mirjam
en Jennifer zeggen. Ze zegt:

'Nee, maar goed, jullie kunnen dus samen 21 april oplossen.'
'Dus dan willen jullie dat ik die andere twee dagen doe?'
'Ja, oké, dus jullie zeggen: dan doen wij al het voorwerk, dan hoef jij
alleen die dag zelf daar aanwezig te zijn.'
'Ja, oké, dus 21 april in de ochtend Jennifer en vanaf 12 uur Mirjam.'

Welk woordje gebruikt ze, elke keer als ze een korte samenvatting geeft?
☐ dus
☐ goed
☐ oké

4   De voorzitter gebruikt aan het eind van het overleg een zin die betekent
dat er een oplossing is. Welke zin is dat?
☐ Nou, dan zijn we eruit.
☐ Oké, nou, daar zal ik dan tijd voor vrijmaken.

4   Wat kun je zeggen? Kruis aan.

1   Je bent voorzitter van een werkoverleg. Je wilt iemand (hij heet
Alexander) vragen om als eerste iets te zeggen. Wat kun je zeggen?
☐ Alexander, ik geef jou het woord.
☐ Alexander, jij moet beginnen.

2   Je bent voorzitter van een werkoverleg. Een van de deelnemers,
Alexander, heeft nog niets gezegd. Je wilt graag zijn mening weten
over een bepaald onderwerp. Wat kun je zeggen?
☐ Wat heb je ertegen, Alexander?
☐ Alexander, wat vind jij ervan?

3 Je bent voorzitter van een werkoverleg. Je wilt het overleg afsluiten. Wat kun je zeggen?
☐ Als er verder geen vragen meer zijn, dan zijn we klaar.
☐ Zijn er nog vragen voordat we verder gaan?

4 Je bent deelnemer aan een werkoverleg. Je wilt een collega steunen in zijn mening. Wat kun je zeggen?
☐ Dat maakt me niets uit.
☐ Ik ben het met je eens.

5 Je bent deelnemer aan een werkoverleg. Je keurt iets niet goed. Wat kun je zeggen?
☐ Ik vind dat niet goed.
☐ Ik vind dat niet zo'n gek idee.

UITVOEREN

WERKBLAD

5.1 Doe mee aan een werkoverleg met vijf personen van maximaal tien minuten.

Jullie werken bij een advocatenkantoor. Er is een oudere advocaat – hij is de baas –, een net afgestudeerde advocaat die stage loopt bij het kantoor en er zijn twee secretaresses. Er is ook een voorzitter die de vergadering alleen maar leidt; hij heeft verder niets met het probleem te maken. Het onderwerp waarover jullie gaan praten, is de lunchpauze.

Dit is het probleem: tijdens de lunchpauzes gaan de secretaresses samen een broodje eten buiten het kantoor. Er is dan niemand aanwezig om de telefoon aan te nemen.

Bepaal samen wie de voorzitter wordt, wie de oudere advocaat wordt, wie de secretaresses worden en wie de net afgestudeerde advocaat wordt. Lees het werkblad en bereid je rol voor. Bedenk wat je kunt gaan zeggen. Voer dan het werkoverleg.

5.2 Bespreek samen hoe het overleg ging.

Maak gebruik van onderstaande vragen.

• Is er een oplossing voor het probleem gevonden?
• Zijn er duidelijke afspraken gemaakt?
• Is iedereen tevreden over de afspraken?

AFRONDEN

 6.1 **Kijk en luister naar het werkoverleg van één groepje.**
Maak aantekeningen.

Eén van de groepjes speelt het werkoverleg voor de hele groep. De docent
verdeelt onderstaande taak. Ieder groepje krijgt een taak.

1   Let op of de voorzitter het overleg goed leidt (kijk naar de taken van de
voorzitter in opdracht 1 op pagina 14).

2   Let op of er heldere afspraken worden gemaakt over de lunchpauzes.

3   Let op:
• of iedereen goed naar elkaar luistert;
• hoe de sfeer tijdens het gesprek is (beleefd, vriendelijk, ontspannen,
boos).

4   Let op of er goede zinnen en woorden gebruikt worden (zie ook
opdracht 3 en 4 op pagina 15 en 16).

De docent let op of de deelnemers hun rol goed spelen.

 6.2 **Bespreek na het kijken en luisteren samen jullie opdracht.**

Spreek af wie aan de groep gaat rapporteren.

 6.3 **Rapporteer aan de groep.**

Zeg eerst wat jullie goed vonden en daarna wat jullie minder goed vonden.
Ook de docent geeft commentaar.

1   Wat denk je? Kruis aan.

Een carrière loopt lang niet altijd volgens plan. Je hebt een beeld in je
hoofd van wat je wilt, maar de werkelijkheid is vaak anders. Wat zou van
invloed kunnen zijn op je eigen loopbaanplannen? Kruis aan. Je kunt
meerdere antwoorden kiezen.

- ☐ de denkbeelden van mijn ouders
- ☐ de komst van kinderen
- ☐ het werk van mijn partner
- ☐ mijn financiële situatie
- ☐ mijn gezondheid
- ☐ mijn karakter (doorzettingsvermogen bijvoorbeeld)
- ☐ mijn woonplaats
- ☐ hoe goed mijn Nederlands is
- ☐ de waarde van mijn diploma's in Nederland
- ☐ ontwikkelingen in de economie
- ☐ het toeval

AAN HET STRAND

IS IEDEREEN

DIRECTEUR

POSTBUS 1045
6801 BA ARNHEM

Loesje

2   Lees de opdracht en de tekst. Doe de opdracht.

De tekst is een krantenartikel over het begin van de loopbaan van een jongen die Michel heet.

1   Schrijf in één zin op waar het artikel over gaat.

Dit artikel gaat over een jongen die _____

_____

2   Geef commentaar op het artikel. Schrijf op wat je opviel in het artikel of wat je bijzonder vond. Bijvoorbeeld: Het viel me op dat Michel het risico durft te nemen om zelf een toneelgroep op te richten. Dat zou niet iedereen zomaar durven.

_____

_____

Tekst 1

Michel

Op de havo wist Michel (25 jaar) nog niet zo goed wat hij wilde gaan doen. Zijn vader zag de Toneelacademie wel zitten voor zijn zoon en schreef hem in voor de opleiding.
Michel twijfelde nog, maar toen hij eenmaal op de academie zat, had hij zijn plek gevonden: 'Ik merkte dat er overeenkomsten waren tussen mij en de andere acteurs. Ik voelde dat ik als acteur gelukkig kon worden.' Toen Michel anderhalf jaar geleden afstudeerde aan de toneelschool, richtte hij met drie andere mensen van de school een eigen toneelgroep op. Ze wilden de volledige vrijheid om hun eigen dromen en ideeën te realiseren en bij een al bestaande groep zou die vrijheid beperkt zijn.
De toneelgroep heeft inmiddels onder andere 'Richard III' van Shakespeare gespeeld en 'De Perzen' van Aeschylus. De komende jaren moet blijken of ze succes genoeg hebben om door te kunnen gaan. Michel is ook parttime postbode, want van het toneelspelen alleen kan hij nog niet rondkomen. Als postbode verdient hij vierhonderd euro in de maand. Over de toekomst kan hij nog niet zoveel zeggen. Voorlopig heeft hij het erg naar zijn zin en hij houdt zoveel van de Nederlandse taal dat hij niet naar het buitenland hoeft. Hij zou wel graag eens iets voor de tv willen doen.

NAAR : NRC HANDELSBLAD, 18 FEBRUARI 2004

het toneel	de acteur	komend

3 **Lees de volgende teksten.**

Tekst 2

Regina

Regina (25 jaar) ging na haar vwo-opleiding klassieke talen* studeren. Toen ze deze studie koos, speelde de toekomst voor haar geen rol: 'Ik ben klassieke talen gaan studeren omdat ik er goed in was en omdat ik het leuk vond. Ik heb verder niet nagedacht wat ik er later mee zou kunnen gaan doen. Je gaat niet naar de universiteit om een vak te leren, maar om te studeren.' In haar studententijd had ze allerlei bijbaantjes: ze was secretaresse bij een bank en ze deed freelance werk bij een uitgeverij. Toen ze stage liep op een middelbare school ontdekte ze dat ze niet geschikt was om docent te worden. Ook had ze geen zin om onderzoek te gaan doen of om te promoveren na haar studie. Het werd haar duidelijk dat ze misschien iets buiten haar vakgebied moest zoeken, maar ondertussen werd ze ook een beetje bang dat ze werkloos zou worden. Het ging slechter met de economie en de banen lagen niet meer voor het oprapen. Vlak voor haar afstuderen stuurde ze een mail naar de uitgeverij waar ze nog steeds freelance voor werkte. Ze vroeg of ze misschien ook iemand voor vast nodig hadden. Er bleek toevallig een vacature te zijn. Ze werd uitgenodigd voor een gesprek en aan-genomen als bureauredacteur. Soms droomt ze over een carrière in een heel andere richting, maar voorlopig ziet ze haar toekomst bij de uitgeverij. Daar zijn voldoende ontwikkelingsmogelijkheden.

* klassieke talen = Grieks en Latijn

NAAR: NRC HANDELSBLAD, 7 JANUARI 2004

de bijbaan	het vakgebied	aannemen
de uitgeverij	ondertussen	de redacteur
promoveren	de vacature	de carrière

Tekst 3

Rien

Rien is vorig jaar 65 geworden, maar hij is niet gestopt met werken. Hij begon zijn loopbaan als technisch tekenaar bij een groot bedrijf in Delft. Op de middelbare school wilde hij eigenlijk fotograaf worden, maar zijn ouders vonden dat niet goed. Ze wilden absoluut geen kunstenaar in de familie, want dat was voor hen geen normaal beroep. Binnen het bedrijf in Delft hield Rien zich echter algauw bezig met het maken van foto's en zijn chemische kennis groeide. Fotograferen was ook zijn hobby. De chemische stoffen die hij daarvoor nodig had, kocht hij bij de drogist op de hoek. Daar werkte zijn vriendin, die later zijn vrouw werd. Samen besloten ze een eigen drogisterij te openen, maar na twintig mooie jaren moesten ze de winkel sluiten. Ze konden niet meer concurreren met de grote winkelketens die toen verschenen, zoals Etos en Kruidvat. Dat was vreselijk: 'Mijn vrouw en ik zijn allebei drogist in hart en nieren.' Dankzij zijn chemische kennis kon Rien een baan krijgen bij een vliegtuigfabriek. Hij deed ondertussen ook een studie milieurecht en milieuzorg om meer kansen te hebben op de arbeidsmarkt. Door reorganisaties bij de fabriek kwam hij na een paar jaar weer op straat te staan: 'Een zwarte dag. Ik was 55 jaar en had geen werk.' Hij solliciteerde bij een metaalbedrijf waar hij één dag per week milieucoördinator kon worden. Binnen drie jaar had hij een volledige baan binnen het bedrijf. Behalve milieucoördinator werd hij ook personeelsmanager. Sinds vorig jaar werkt hij drie dagen per week. Hij is nog steeds enthousiast: 'Mijn werk is er in de loop der jaren alleen maar leuker op geworden.'

NAAR: NRC HANDELSBLAD, 11 FEBRUARI 2004

de loopbaan	chemisch	de reorganisatie
de technisch	de winkelketen	het metaal
de tekenaar	de fabriek	de coördinator

4.1   Geef een samenvatting van de tekst over Regina en geef er commentaar op.

Cursist A   Vertel in maximaal twee zinnen waar de tekst over gaat en geef er commentaar op. Vertel wat je opviel of wat je bijzonder vond.

Cursist B   Vertel of je het eens bent met de samenvatting en reageer op het commentaar.

4.2   Geef een samenvatting van de tekst over Rien en geef er commentaar op.

Cursist B   Vertel in maximaal twee zinnen waar de tekst over gaat en geef er commentaar op. Vertel wat je opviel of wat je bijzonder vond.

Cursist A   Vertel of je het eens bent met de samenvatting en reageer op het commentaar.

5   Lees de vragen. Lees de teksten van opdracht 2 en 3 nog een keer en beantwoord de vragen.

1   Wat past het best bij welke tekst? Vul het nummer van de tekst in.

_____ Je loopbaan beginnen met een functie buiten je studierichting.

_____ Na je opleiding kiezen voor een vrij beroep.

_____ Ontslag krijgen.

_____ Studeren en erbij werken.

_____ Toevallig de juiste vraag op het juiste moment stellen.

_____ Een beroep niet mogen kiezen.

_____ Een tweede baan erbij nemen voor het geld.

_____ Mogelijkheden zien om carrière te maken bij je eerste werkgever.

_____ Werken en erbij studeren.

2   In de teksten over Michel, Regina en Rien kun je lezen dat hun loopbaan niet volgens een vast plan verloopt. Er zijn allerlei invloeden die daarbij een rol spelen. Welke invloeden zijn duidelijk te vinden in welke teksten? In elke tekst kun je minimaal één en maximaal drie invloeden vinden. Kruis aan.

	ontwikkelingen in de economie	de idealen en ideeën van ouders	het toeval	het werk van de partner
tekst 1				
tekst 2				
tekst 3				

AFRONDEN

6   **Kies een van onderstaande opdrachten.**

Denk bij het schrijven ook aan de invloeden uit opdracht 1.

1   Beschrijf in ongeveer honderd woorden hoe de loopbaan van Michel of Regina zich verder zou kunnen ontwikkelen in de komende tien à vijftien jaar.

2   Beschrijf in ongeveer honderd woorden hoe je eigen loopbaan er in de komende tien à vijftien jaar uit zou kunnen zien.

Regels   *Het artikel*

Geen artikel

Ze was secretaresse bij een bank.
Ik voelde dat ik als acteur gelukkig kon worden.
Mijn vrouw en ik zijn allebei drogist.

→   Voor substantiva die een beroep aangeven gebruik je geen artikel.
Let op: dit soort substantieven staat altijd in de singularis.

Lees de tekst en doe de opdracht.

Wat wil je worden?

In groep drie van de basisschool vraagt de juffrouw aan alle kinderen in de klas wat ze later willen worden. Eén voor één geven de kinderen antwoord: brandweerman, dierenarts, stewardess, piloot, politieagent en ga zo maar door. Wanneer tenslotte het zoontje van de dirigent aan de beurt is, blijft het even stil. Hij zegt: 'Het liefst natuurlijk vrachtwagen-chauffeur of buschauffeur, ...' Dan zucht hij en maakt zijn zin af: 'maar het zal wel dirigent worden.'

NAAR: NRC HANDELSBLAD, 22 SEPTEMBER 2003

Vertel elkaar wat je vroeger wilde worden. En als je het nog weet: vertel ook waarom je dat beroep zo mooi vond.

VERBINDINGEN

- solliciteren naar
- voldoen aan
- nadruk leggen op
- stage lopen
- ter attentie van
- vallen onder
- opzien tegen
- eisen stellen
- aan het woord komen
- uitgaan van
- een beroep doen op
- tijd vrijmaken voor
- rekenen op
- concurreren met
- de telefoon aannemen

IDIOOM

- dat ziet er niet uit
- ik ga ervandoor
- ergens in rollen
- aan bod komen
- in de gaten houden
- zoet zijn met
- ergens uit zijn
- in hart en nieren
- op straat komen te staan
- voor het oprapen liggen

EXTRA

Zusters van ver

Kort na de Tweede Wereldoorlog was er een nijpend tekort aan verpleegsters in Nederland. De minister van Sociale Zaken hield in de herfst van 1945 een radiotoespraak waarin hij vrouwen dringend opriep om voor de verpleegkunde te kiezen. 'Het Nederlandsche Volk vraagt verpleegsters NU!' was de titel van een begeleidende brochure. De oproep hielp, maar er bleef een tekort. Halverwege de jaren vijftig begonnen ziekenhuizen onder meer in Surinaamse kranten te adverteren: 'Kom over en help ons!' De ziekenhuizen boden behalve werk ook een opleiding aan in Nederland. Tientallen meisjes, meestal in groepjes, kwamen hierop af. Jos Herfst, uit Paramaribo, was een van hen.

Aan het sterfbed van haar vader had ze besloten om verpleegster te worden, maar er waren in Suriname weinig mogelijkheden voor een opleiding. Toen een kennis haar attent maakte op de mogelijkheden in Nederland, greep ze haar kans. In de koude winter van 1956 kwam ze met de boot aan in Dordrecht, bibberend in haar zomer-mantelpakje. Een paar dagen later kon ze al aan de slag in een psychiatrisch ziekenhuis bij Rotterdam.

Veel mensen vonden haar zielig: zo'n jong meisje in dat koude kikkerland. Het land vond ze inderdaad koud, maar de mensen waren warm, er waren heel veel lieve mensen. Ze mocht bijvoorbeeld eten bij broeder Kemper en zijn vrouw. Die aten aardappelen die ze zelf rooiden op een eigen veldje en Jos rooide mee. Ze moest wel wennen: Surinamers kookten altijd zoveel dat iedereen kon mee-eten, Nederlanders telden de aardappelen uit. Ook aan het eten zelf moest ze wennen. Toen ze voor de eerste keer sla kreeg, moest ze vreselijk hard lachen, want in Suriname is sla voor de konijnen.

De Nederlanders met wie ze sprak, hadden vaak geen idee waar ze vandaan kwam. Sommigen dachten: 'Ze is zwart, dus ze moet wel uit Indonesië komen.' Meisjes in Suriname wisten alles van Nederland, maar wat wisten Nederlanders in 1956 van Suriname? 'Hoe komt het dat je zo goed Nederlands spreekt?' vroegen ze haar en 'Hoe kom je zo zwart? Geeft het af?' Als ze het daarover heeft met haar collega's van toen, liggen ze weer dubbel van het lachen. Ze waren met z'n allen één in die tijd: als er één verdriet had of ziek werd, waren ze er voor elkaar.

Jos is nooit meer teruggegaan, hoewel ze haar moeder en haar jongste broer ontzettend miste. Het was wel de bedoeling om na haar opleiding weer naar huis te gaan, maar ze trouwde, kreeg kinderen en ze bleef. Haar hart lag in Suriname, maar ze werd vanzelf Nederlands.

NAAR: DE VOLKSKRANT, 27 NOVEMBER 2003

Hoofdstuk 29

Lachen is gezond

1   Waaraan denk je bij het woord humor? Schrijf op.

_____

_____

2   Lees de vragen en de tekst. Beantwoord de vragen.

1   Wat is de mening van de schrijver?
a   Een goede gezondheid is belangrijker dan geld of vrienden.
b   Gevoel voor humor maakt problemen minder groot.
c   Als je niet kunt lachen, krijg je veel problemen.

2   Ben je het eens met de schrijver van de tekst? Licht je antwoord toe.

Lachen is gezond

Er is in ieders leven
Behalve vreugd ook smart
De ene mens verveelt zich
De ander werkt te hard
Een derde heeft geen vrienden
Zijn buurman heeft geen cent
Maar alles is te dragen
Als je optimistisch bent

Dus heeft u tegenslagen
Of zit u aan de grond
Dan moet u haha lachen
Want lachen is gezond
[…]

UIT: DRS. P, TANTE CONSTANCE EN TANTE MATHILDE, NIJGH EN VAN DITMAR, 1999

de smart	de tegenslag

Een stukje Nederlands cabaret begrijpen

1 **Lees de omschrijving en de uitspraken van de cabaretiers.**

Cabaret is een vorm van theater waarbij met liedjes en sketches op een humoristische manier kritiek wordt geleverd op actuele of politieke gebeurtenissen.

'Het valt niet altijd mee de leukste te zijn.'
Freek de Jonge

'Cabaret is een moeilijk vak:
Als je leeft voor je voorstelling,
heb je geen leven;
en als je er niet voor leeft,
heb je geen voorstelling.'
Wim Kan

'Cabaret moet eigentijds zijn; alles lekker ordinair zeggen, precies zeggen waar het op staat.'
Gerard Cox

'Over humor kan ik kort zijn. Voor cabaretiers geldt in het algemeen: hoedt u voor humor als u leuk wilt zijn.'
Hans Dorrestijn

'Ik vertel niets nieuws. Ik wil mijn publiek bewust maken van wat het stiekem allang wist.'
Eric van Sauers

'Cabaret is de meest persoonlijke vorm van theater.'
Sara Kroos

het cabaret	actueel	de cabaretier
de sketch	eigentijds *Contemporary*	stiekem *on the sly / undehate secretly*
humoristisch	ordinair	

2   Lees de vragen en de tekst. Beantwoord de vragen.

1   Wat zegt Najib Amhali over zijn afkomst? *origin*
a   Hij ziet er Marokkaans uit en zo voelt hij zich ook. *Nee*
b   Hij is een voorbeeld van een geïntegreerde Marokkaan. *Ja*
c   Hij wil zijn Marokkaanse afkomst het liefst verbergen.

2   Wat zegt Najib Amhali over Marokkaanse jongeren?
a   Hij vindt zijn voorbeeldfunctie voor Marokkaanse jongeren niet groot.
b   Marokkaanse jongeren moeten vaker naar zijn theatervoorstellingen komen. *Ja.*
c   Op de televisie zien Marokkaanse jongeren voldoende goede voorbeelden. *Nee*

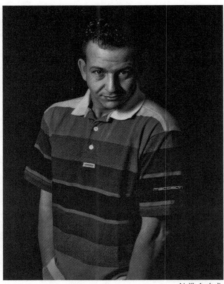

Najib Amhali

Jongeren hebben een voorbeeld nodig

De Marokkaans-Nederlandse cabaretier Najib Amhali trekt met zijn tweede voorstelling volle zalen

'De imams zijn bang voor homo's. Waarom? Stel dat homo's geaccepteerd zouden worden en ook in de moskee mochten komen, dan zouden ze meteen tegen de imam zeggen: "Joh, die tapijtjes passen helemaal niet bij die tegeltjes."

Najib Amhali kwam naar Nederland toen hij anderhalf was. Hij groeide op in het Noord-Hollandse Krommenie, waar in die tijd maar een paar Marokkaanse gezinnen woonden. 'Ik had Nederlandse vriendjes en vriendinnetjes, ging naar een Nederlandse school, het integratieproces ging automatisch. Daarom zit het me weleens dwars dat ik altijd aangesproken word op mijn afkomst. Maar ja, ik zie eruit als een *contrast*

hide?
change?

Marokkaan, daar kan ik me niet voor verbergen. Ik ben weleens van plan geweest géén voorstelling meer te maken waar het woord Marokkaan in voorkomt. Maar dat bleek niet te werken, omdat ik veel uit mijn persoonlijk leven put.'

Amhali woont sinds vier jaar in Amsterdam. De voorbeeldfunctie die hij volgens sommigen heeft voor de Marokkaanse jeugd nuanceert Amhali: 'Jongeren hebben een voorbeeld nodig. Op de televisie zien ze voor- *cad* namelijk patsers met dure auto's en met dure merkkleding. En veel blote *naked* vrouwen. Als je vaak op de televisie bent, zou je een voorbeeldfunctie kunnen hebben. Maar voor mij moeten ze speciaal naar het theater *mixed* komen. Mijn publiek is heel gemengd, met jongeren en ouderen, Nederlanders en Surinamers, Turken en Marokkanen.'

NAAR: SPITS, 22 JANUARI 2003

patser - cad

de zaal	de tegel	de patser
de imam	het proces	bloot
het tapijt	de afkomst	

UITVOEREN

3   **Kijk naar de video en doe de opdracht.**

AFRONDEN

4   **Kijk nog een keer naar de video en beantwoord de vragen.**

1   Wat vind je grappig aan de teksten van Najib Amhali?

_____

2   Zijn de teksten van Najib Amhali ook leuk voor niet-Marokkanen? Waarom wel? Waarom niet?

_____

3   Wat vind je grappig aan de lichaamstaal van Najib Amhali?

_____

5   **Kijk nog een keer naar de video en vertel de video na.**

Cursist A vertelt wat Najib Amhali zegt over:
• de mobiele telefoon in het theater;
• de mobiele telefoon in het algemeen:
• wie er een mobiele telefoon heeft;
• wat je met mobiele telefoons kunt doen behalve bellen;
• hoe vaak mobiele telefoons worden gebruikt;
• waar de gesprekken over gaan.

Cursist B vertelt wat Najib Amhali zegt over:
• het telefonisch contact vroeger met de familie in Marokko:
• hoe het telefonisch contact werd voorbereid;
• hoe vaak er telefonisch contact was;
• hoe zo'n gesprek ging;
• wat de reactie op het telefonisch contact was.

Regels   _De zin_

Deletie van zinsdelen

(Dat) Slaat nergens op.   *that is nonsense*
(Dat) Deden we twee keer per jaar.
Nou, wij (zaten) in Nederland allemaal om de tafel heen, telefoon in het midden.
(Dan) Kreeg je opa aan de lijn (en dan) zei opa: 'Dag zoon'.
(Dan) Begon mijn opa vaak te huilen (en dan) moest ik ook huilen.

Als je een verhaal vertelt, laat je vaak delen van de zinnen weg. Bijvoorbeeld het subject, het object, de persoonsvorm en de conjunctie.

Een grappig verhaal vertellen

1 **Lees de vragen en de tekst. Beantwoord de vragen.**

1 Waarom is de held boos?
a Omdat het meisje onder het snot zit.
b Omdat hij het meisje niet kan kussen.
c Omdat hij ziek wordt door de vlieg.

2 Wat maakt dit verhaal grappig? Kruis aan.
☐ De verteller leest het boek op het strand.
☐ De held wil het meisje kussen.
☐ De held niest het meisje onder het snot.
☐ De held wordt boos.
☐ De held niest alleen in het boek van de verteller.

Vlieg

Ooit zat ik op het strand van Noordwijk een boek te lezen.
Op bladzijde 191 wilde de held zijn zojuist veroverde meisje kussen.
Net op het moment dat hij zijn lippen op de hare wilde drukken
kwam er een vlieg op de pagina zitten.
De held moest <u>niezen</u>. sneeze
Hij niest het meisje onder het snot.
Er zaten allemaal groene stukjes in haar haar
en toen wou het meisje niet meer kussen
en was de <u>held</u> boos. hero
Op dat meisje, zult u denken.
Neen, de held was boos op de vlieg.
Want als de vlieg niet op de bladzijde was komen zitten dan had hij
dat meisje lang, vurig en toch <u>teder</u> kunnen kussen tender
en dan was dat boek heel anders afgelopen …
U vraagt zich nu terecht af: 'Welk boek was dat?'
Dat was 'Gejaagd door de wind'.
'Onzin', roept u nu in uw luie stoel, 'ik heb dat boek ook gelezen
en bij mij heeft de held niet één keer geniest!'
Dat is logisch, want bij u kwam er geen vlieg op de bladzijde zitten.

UIT: YOUP VAN 'T HEK, TERUGBLIK, 1999

de vlieg	niezen _sneeze_	vurig
veroveren _conquer_	het snot	teder _tender_
de lip		

2   **Wat denk je? Beantwoord de vragen.**

1   Over welke dingen vertellen mensen elkaar verhalen?

Overal dingen. Over werk, familie, vrienden, kinderen, huis dieren, vakanties, etc. Ervaring, dromen, gedachten.

2   Waarom vertellen mensen elkaar verhalen?

Voor het gezelschaap end genieten

3   Wat zijn kenmerken van een goed verhaal?

Grappig, onzekerheid

4   Hoe belangrijk is het vertellen van verhalen in jouw cultuur? Licht je antwoord toe.

Vroeger meer, nu minder want er zo veel t.v. en films zijn.

3   **Lees de tekst en vergelijk de informatie in de tekst met je antwoorden bij opdracht 2. Vul de informatie aan.**

Verhalen vertellen

Mensen vertellen elkaar verhalen. Ze vertellen elkaar over hun ervaringen, hun dromen, hun verlangens en gedachten. En soms verzinnen ze die verhalen. Kort gezegd: verhalen vertellen is een sociale activiteit die al

sinds mensenheugenis plaatsvindt. Binnen elke cultuur bestaan er
verhalen die mooi, spannend of leuk gevonden worden. Volwassenen
onderling vertellen elkaar verhalen voor hun plezier. Of ouders vertellen
ze aan hun kinderen. In de meeste families kennen we ook nog levens-
verhalen van familieleden van een eerdere generatie. Zo zijn er in iedere
familie wel verhalen over een oom die volop van de verboden vruchten
van het leven genoot, of over een familielid dat nooit geleerd heeft met
geld om te gaan. ~~threaten~~

Veel verhalen dreigen echter te verdwijnen, omdat in onze samenleving
telefoon, televisie en computers een steeds grotere rol zijn gaan spelen.
Toch kan het veel plezier geven aandacht te hebben voor elkaars
verhalen. Het vertellen van verhalen zorgt voor gezelligheid op feestjes
en maakt het dagelijks contact met anderen makkelijker. We zouden   *gunnen*
ons daarom de tijd moeten gunnen om te luisteren naar verhalen uit   *grant,*
andere tijden en uit andere culturen. Het is de kracht van een verhalen-   *not envy*
verteller om zijn luisteraars mee te nemen naar een andere wereld en
zo een brug te slaan tussen daar en toen en hier en nu. In Nederland
komen er steeds meer mensen die van het verhalen vertellen hun
beroep hebben gemaakt. Ze vertellen gekke, leuke of spannende
verhalen op feesten, scholen, verenigingsavonden en bedrijven.
Een goede verteller neemt de luisteraars in een paar zinnen mee naar
de wereld van het verhaal. Als de verteller ons naar een andere plek
heeft gebracht, wordt een goed verhaal een soort film die de luisteraars
voor zich zien. De luisteraars wachten met spanning op de climax van
het verhaal: het hoogtepunt of het dieptepunt waar de gebeurtenissen
op uitlopen. Een goed verhaal boeit de luisteraars zo dat ze ademloos *breathless*
luisteren tot het verhaal is afgelopen.

het verlangen *desire*	gunnen *grant*	het hoogtepunt
de vrucht	de climax	het dieptepunt *lowest point*

4   **Wat maakt een verhaal leuk? Wanneer moet je om een verhaal lachen? Schrijf op.**

Als iemand een fout maakt. Als iemand heeft een
stom dingetje gedaan. Als iemand heeft
een grappig verhaal te vertellen.

5   **Luister naar de tekst en doe de opdracht.**

6   **Luister naar de tekst en doe de opdracht.**

7   **Lees de vragen en de tekst. Beantwoord de vragen.**

1   Welke tijd gebruikt de verteller om het verhaal te vertellen?

Imperfectum

2   Welke woorden geven de volgorde van de gebeurtenissen aan? Schrijf ze op.

aantal jaar geleden

het weduur

plotseling

op dat moment, later bleek, Rest jaaren later.

3   Wat is de climax van dit verhaal?

Wanneer de brandweermannen begonnen water te spuiten.

4   Vind je het verhaal leuk? Licht je antwoord toe.

Ja, wel. Ik vond het verhaal erg grappig en waarshinkelijk typish

Mijn schoonmoeder ...

Mijn schoonmoeder? Daar kan ik je verhalen over vertellen ... Een aantal jaren geleden bijvoorbeeld huurden wij in de vakantie een huis in Drente. Het huis lag aan een weggetje vlakbij een bos. Mijn schoonmoeder, die net weduwe was geworden, ging met ons mee. Zij klaagde voortdurend. Over het weer, over de pijn in haar benen, over alles eigenlijk. Wat moest ze in een bos terwijl ze toch niet meer kon lopen ... Ze had zere voeten, zere knieën. Het was te koud in het huis ... Ze had maar beter in haar eigen huis kunnen blijven ...
In het huis stond een oude kachel die nog op hout brandde. Ik maakte vuur aan in de kachel en zorgde ervoor dat hij flink ging branden. Ondertussen ging ik onze spullen uitpakken. Ik deed nog wat extra hout in de kachel. Het vuur ging fel branden. Mijn schoonmoeder die in de stoel naast de kachel zat, begon angstig te kijken. Toen zagen we plotseling een brandweerauto aan komen rijden. Brandweermannen in uniform sprongen de auto uit en begonnen water te spuiten in de richting van ons huisje. Op dat moment sprong mijn schoonmoeder overeind en rende naar buiten. Ineens geen last meer van haar zere benen, voeten en knieën ...
Later bleek dat ons huisje helemaal niet in brand stond, maar dat de brandweer bezig was met een oefening en de bomen nat spoot die vlakbij ons huisje stonden.
De rest van de vakantie hebben we mijn schoonmoeder niet meer over haar zere benen gehoord. Jaren later werd dit verhaal nog steeds verteld op verjaardagen en feestjes.

de weduwe ~widow~	**de kachel**	**angstig** ~afraid / fearful~

UITVOEREN

8.1   Weet je zelf een grappig verhaal?

Denk aan iets wat je zelf hebt meegemaakt. Of iets wat iemand anders heeft meegemaakt. Misschien weet je een grappige gebeurtenis van toen je net in Nederland was.
Denk na over de volgende vragen:
• Waar speelde het verhaal zich af?
• Wie speelden een rol in het verhaal?
• Waar draait het om in het verhaal?
• In welke volgorde wil je de gebeurtenissen vertellen?

8.2 Vertel het verhaal aan de anderen.

8.3 Welk verhaal vinden jullie het grappigst? Vertel het verhaal aan de groep.

AFRONDEN

---

9 Lees de zinnen en maak het verhaal af. Maak er een grappig verhaal van.

Schrijf een verhaal van ongeveer 100 tot 150 woorden.

Het is al enige jaren geleden. Het was winter en ik zat rustig de krant te lezen toen ik plotseling een geluid bij de deur hoorde. Ik liep de gang in en zag een grote gele envelop liggen. Toen ik de envelop openmaakte, wachtte mij een verrassing …

Een taal leren met behulp van de computer

1 Wat kun je goed met behulp van de computer doen? Kruis aan ja of nee.

		ja	nee
1	luisteroefeningen	☐	☐
2	gesprekken voeren	☐	☐
3	woorden herhalen	☐	☐
4	teksten lezen	☐	☐
5	brieven schrijven	☐	☐
6	regels oefenen	☐	☐
7	regels leren	☐	☐
8	woorden en zinnen uitspreken	☐	☐
9	woorden opzoeken in het woordenboek	☐	☐
10	vragen stellen aan de docent	☐	☐
11	_____	☐	☐
12	_____	☐	☐

2 Vertel elkaar wat je bij opdracht 1 hebt geantwoord.

Vertel elkaar ook waarom je deze antwoorden hebt gegeven. Zijn jullie het met elkaar eens?

3   **Bespreek de resultaten van opdracht 1 en 2.**

TAAK 3   Aangeven wat wel leuk en wat niet leuk is

VOORBEREIDEN

1.1   **Kun je erom lachen? Kruis aan ja of nee.**

	ja	nee
1 Weet je waarom de Paus zich niet laat cremeren? Omdat hij nog niet dood is.	☐	☐
2 Op een dag vind je de vrouw van je leven en dan ben je al getrouwd natuurlijk.	☐	☐
3 Waarom is het Vrijheidsbeeld in New York een vrouw? Het hoofd moet leeg zijn om er een restaurant in te maken.	☐	☐
4 Wat zei Adam tegen Eva toen hij haar de eerste keer zag? 'Ga maar even opzij. Ik weet niet hoe lang hij wordt.'	☐	☐
5 Een Chinees staat voor een sekswinkel. Komt er een jongetje langs en die zegt tegen die Chinees: 'Nu krijg je je ogen zeker wel open?'	☐	☐
6 Twee profeten komen elkaar tegen. Zegt de ene tegen de andere: 'Je ziet er beter uit dan volgende week.'	☐	☐
7 Zegt de ene priester tegen de andere: 'Zullen wij nog meemaken dat priesters mogen trouwen?' 'Nee', antwoordt de andere, 'maar onze kinderen wel'.	☐	☐

1.2 Ben je het ermee eens? Kruis aan ja of nee.

		ja	nee
1	Personen in belangrijke functies moet je respecteren. Daar moet je geen grappen over maken.	☐	☐
2	Grappen over verschillen tussen mannen en vrouwen gaan altijd ten koste van de vrouw.	☐	☐
3	Over seks praat je niet. Daar maak je dus ook geen grappen over.	☐	☐
4	Grappen die over mensen met een andere huidskleur gaan, zijn racistisch.	☐	☐
6	Over religie moet je geen grappen maken.	☐	☐

1.3 Vergelijk je antwoorden van opdracht 1.1 en 1.2 met twee medecursisten.

COMPUTER

2 Luister naar de tekst en doe de opdracht.

1 april

1 april is een dag waarop men elkaar in Nederland voor de gek houdt. Op die dag kan iedereen het slachtoffer worden van spot en omgekeerd kan ook iedereen zelf een grap uithalen. 1-aprilgrappen worden uitgehaald in groepen waarin men elkaar kent, vooral in de familie, op school of op het werk. Daarnaast halen ook de media grappen uit met het publiek.
De traditie om op 1 april grappen te maken bestaat niet alleen in Nederland, maar ook in sommige andere landen.

De belangrijkste vormen zijn:
• Iemand naar iets laten kijken wat er niet is. Deze grap wordt vaak door kinderen gemaakt. Op schepen kennen ze ook zo'n soort grap. Een nieuw lid van de bemanning die een brief naar huis wil sturen, moet gaan staan kijken of hij de postboot al ziet aankomen ...
• Iemand ergens naartoe sturen om iets te halen wat niet bestaat. Zo krijgen nieuwe mensen die met computers werken de opdracht om een doosje pixels te gaan halen, of zijn nieuwe medewerkers op kantoor op zoek naar de stukken van het vijfde kwartaal.
• Een bericht verspreiden dat er ergens iets bijzonders aan de hand is. Deze grappen worden vaak door de media gemaakt. Zo zond de VPRO ooit een programma uit over de gevolgen van 'de vergrijzing'. Het werd een prachtige 'documentaire' over een bejaardenhuis in Gambia, waar Nederlanders met weinig geld toch nog goede zorg konden krijgen. Het welkomstcadeau was een goedkope videocamera waarmee de bejaarden videobrieven naar huis konden sturen. 'Kijk, opa aait hier een krokodil.' Deze 1-aprilgrap leverde de VPRO heel wat telefoontjes van ongeruste kijkers op.

NAAR: WWW.MEERTENS.NL EN TROUW, 4 FEBRUARI 2004

Praat met elkaar over onderstaande onderwerpen.

Ken je in je eigen cultuur 1-aprilgrappen?
Was je weleens het slachtoffer van een 1-aprilgrap?
Heb je zelf weleens een 1-aprilgrap uitgehaald? Zo ja, welke grap? Zo nee,
zou je het weleens willen?

de spot	verspreiden	aaien
de traditie	de documentaire	de krokodil
het kwartaal		

UITVOEREN

**3   Kijk naar de illustraties en lees de teksten. Wat is je mening?
Kruis aan.**

	illustratie 1	illustratie 2	tekst 1	tekst 2
heel leuk	☐	☐	☐	☐
leuk	☐	☐	☐	☐
grappig	☐	☐	☐	☐
flauw	☐	☐	☐	☐
smakeloos	☐	☐	☐	☐
vies	☐	☐	☐	☐
hard	☐	☐	☐	☐
gaat te ver	☐	☐	☐	☐

illustratie 1   **illustratie 2**

Tekst 1

Vele handen maken licht werk

Ik stoei met jou
de hele dag door.
We kussen urenlang.
Uitgeput,
geef jij mij een laatste zoen
en zegt:
'Ik moet er niet aan denken,
dat ik dat
allemaal alleen had moeten doen.'

UIT: HERMAN FINKERS, FINKERS OP EEN HOOP, 1999

stoeien ~frolic~   **uitgeput** ~worn-out~   **de zoen**

Tekst 2

Het vuurtje

In een asielzoekerscentrum zit een jongetje van ongeveer vijf jaar oud.
Het is nacht en het jongetje kan niet slapen. Hij zit voor het raam en
kijkt naar buiten waar hij allemaal bedrijvigheid ziet: kale mannen lopen
op en neer met jerrycans. Het jongetje denkt: 'Wat is er toch allemaal
aan de hand?' Dan ziet hij hoe een van de mannen uit zijn rechterzak
een doosje lucifers haalt. Hij haalt er een lucifer uit en strijkt hem af,
maar de lucifer breekt en valt op de grond. Dan wil hij er nog één
pakken, maar het doosje is leeg. Dan beginnen al die kale mannen in
hun zakken te voelen, maar niet één heeft lucifers.
Het jongetje ziet dat en pakt van onder zijn bed een doos. In die doos
zit, ingepakt in een zakdoek, een gouden aansteker die hij van zijn
vader heeft gekregen bij het afscheid.
Hij rent naar buiten naar de kale mannen en zegt: 'Hier, er zit niet
zoveel meer in, maar als je goed schudt, kan je er nog een vlammetje
uit halen.'

UIT: HANS TEEUWEN, CABARETESTAFETTE TE BOEK, 1995

de asielzoeker	de lucifer	de aansteker
de bedrijvigheid	afstrijken	schudden
kaal	inpakken	de vlam
de doos	de zakdoek	

  Vergelijk je antwoorden met twee medecursisten en licht je antwoorden toe.

AFRONDEN

    4   Praat met elkaar over onderstaande onderwerpen.

Maak je zelf weleens grappen over je problemen?
Kun je ertegen als anderen grappen over jouw problemen maken?
Maak je zelf weleens grappen over je uiterlijk?
Kun je ertegen als anderen grappen over je uiterlijk maken?
Kun je ertegen als anderen grappen maken over mensen met dezelfde
etnische afkomst als jij?

    5   Praat met elkaar over onderstaande onderwerpen.

Vind je zelf dat je gevoel voor humor hebt?
Lopen bij jou de tranen weleens over je wangen van het lachen? In welke
situaties?
Vind jij vaak iets leuk wat een ander niet leuk vindt? Kun je een voorbeeld
geven?
Denk je dat humor in iedere cultuur verschillend is?

TAAK 4

Een mop vertellen

VOORBEREIDEN

1   Lees de tekst.

de mop	de handicap

PUTER

2   Luister naar de tekst en doe de opdracht.

UITVOEREN

KBLAD

3   Vertel een mop. Welke mop vinden jullie het leukst?

Lees de mop op het werkblad. Zorg dat je de mop goed begrijpt. Probeer de mop te onthouden en denk na over hoe je de mop wilt vertellen. Draai het werkblad om en vertel de mop aan de anderen.

4   Wie kent een mop? Vertel de mop aan de groep.

AFRONDEN

5.1   Beantwoord de vragen.

1   Nederlanders vertellen graag moppen over Belgen. In die moppen
     wordt altijd gezegd dat Belgen dom zijn. Maar Belgen maken ook
     grappen over Nederlanders. De Belgen zeggen dat Nederlanders gierig
     zijn. Maken jullie in jouw land grappen over een ander volk? Waarover
     gaan die grappen?

     _____

2   Ken je grappen over Nederlanders? Waar gaan die grappen over?

     _____

     _____

3   Kun je in jouw land moppen vertellen over deze onderwerpen? Kruis
     aan.
     ☐ politiek
     ☐ het koningshuis, de president
     ☐ verschillen tussen mannen en vrouwen
     ☐ seks
     ☐ minderheden
     ☐ religie

4   Vind je dat je grappen mag maken over minderheden?
a   Ja dat mag, want het is maar humor.
b   Nee dat mag niet, want die mensen hebben al zoveel problemen.
c   Alleen mensen uit minderheden mogen grappen over minderheden
     maken.
d   Nee dat mag niet, want dat lijkt op racisme.

5.2   Vergelijk de antwoorden van opdracht 5.1 en discussieer erover.

Regels   *Het pronomen*

Die

Nee, de plaatselijke slager, die had telefoon.
En je hoopte de nul (van de telefoon), die was het allerlangst.
Er komt een vrouw bij de dokter en die zegt: '...'
Er komt een andere man langs en die zegt: '...'
Jan en Carla? Die zijn toch verhuisd?

→ Meestal gebruik je 'die' als pronomen voor iemand (een man of een vrouw) of iets waar je net over hebt gesproken. 'Die' staat aan het begin van de zin. Het kan ook verwijzen naar meerdere personen.

SLOT

1   **Kijk naar de illustratie en doe de opdracht.**

Beschrijf in ongeveer vijftig woorden wat er gebeurt. Vertel ook waarom je de illustratie leuk of niet leuk vindt.

2   **Kijk nog een keer naar opdracht 1 van de introductie. Zijn er nog andere woorden waar je aan denkt bij het woord 'humor'? Schrijf op.**

_____

_____

_____

- ten koste gaan van
- putten uit iets
- een voorbeeldfunctie hebben
- iets voor je zien
- een band hebben met
- overeind springen
- voor de gek houden
- een grap uithalen
- iets aan de hand zijn
- een taboe doorbreken
- zich hoeden voor
- zich schamen voor
- op en neer
- uitlopen op

- er zijn grenzen aan
- aan de grond zitten
- zeggen waar het op staat
- dat gaat te ver
- met het verkeerde been uit bed stappen
- de tranen lopen over mijn wangen van het lachen
- daar moet je niet mee spotten
- het zit me dwars
- een brug slaan (tussen)
- sinds mensenheugenis

COMPUTER

Je kunt dit lied beluisteren op de computer.

Ga naar hoofdstuk 29 en kies 'Oefenen'. Kies 'Luisteren' en klik op opdracht 1.

Een dag lelijk

Een dag lelijk is niet erg,
een dag lelijk is geen ramp.
Niet erger dan een keertje zeeziek
of een dagje concentratiekamp.
En ook lelijk voor twee dagen,
een wijnvlek voor een dag of drie,
dat valt heus wel te verdragen
net als migraine, dysenterie.

Een dag lelijk is niet erg,
een dag lelijk is geen ramp,
niet erger dan een keertje zeeziek,
of een dagje concentratiekamp.
Kom je lelijk op de wereld
met de tanden van een konijn,
een spillebeentje of een bochel
daarvoor is geen medicijn.
Elke ochtend weer die doodsschrik
dat jij dat in die spiegel bent,

grote God, wat ben je lelijk
daaraan raak je nooit gewend.
Je kunt van binnen nog zo mooi zijn,
het mooiste hart van heel het land.
Helaas dat helpt maar bitter weinig
de mensen zien de buitenkant.
Met een dag lelijk valt te leven
daarvan raakt niemand overstuur.
Maar duurt zo'n dag je hele leven
dan drink je liever zwavelzuur.

BRON: HANS DORRESTIJN, NA REGEN KOMT DORRESTIJN, 1993

TEKST: HANS DORRESTIJN

Lees de tekst.

Kennis van Nederland

Over welke onderwerpen moeten buitenlanders die in Nederland wonen in ieder geval iets weten? Een paar Nederlandse leerkrachten beantwoordden die vraag. Over veel onderwerpen waren zij het eens: de namen van de provincies en de belangrijkste steden, beroemde kunstenaars zoals Rembrandt en Van Gogh, het onderwijssysteem, de Tweede Wereldoorlog, het politieke systeem in Nederland en de politieke partijen. Over een aantal onderwerpen was verschil van mening. Sommigen noemden bijvoorbeeld nationale feestdagen, Johan Cruijff, de elfstedentocht en de watersnoodramp van 1953, terwijl anderen die onderwerpen helemaal niet belangrijk vonden.

Rotterdam, mei 1940

de watersnoodramp

Je mening geven over een actueel onderwerp

VOORBEREIDEN

1   Beantwoord de vragen.

1   Kun je een onderwerp noemen dat op dit moment in Nederland heel erg actueel is?

_____

2   Zo ja, wat weet je over het onderwerp?

_____

3   Waar heb je de informatie vandaan?

_____

Bespreek samen de antwoorden.

COMPUTER

2   Kijk naar de video en doe de opdracht.

Je gaat kijken naar een uitzending van *Het Lagerhuis*. In dit tv-programma wordt altijd gediscussieerd over actuele onderwerpen. Deze keer gaat het over de stelling: 'Vrouwen raken sneller in de stress dan mannen'.
In het programma wordt gesproken over de WAO. De WAO is de wet op de arbeidsongeschiktheidsverzekering. In de WAO zitten betekent: geld krijgen van de overheid als je heel lang ziek bent en niet meer kunt werken.

3   **Kijk nog een keer naar de video en beantwoord de vragen.**

1   Welke mensen waren het volgens jou eens met de stelling 'Vrouwen raken sneller in de stress dan mannen' en welke mensen niet? Kruis aan.

verdragen

	eens	oneens
Mevrouw Van Beem	☐	☑
Meneer Bochtoï	☑	☐
Mevrouw Van Ramshof	☑	☐
Mevrouw Wijntuin	☐	☑
Meneer Smits	☑	☑
Meneer Everts *?*	☐	☑
Mevrouw Korde	☐	☐
Mevrouw Parrison	☐	☑

2   Wie van de sprekers vind je de beste? Waarom?

verantwoordelijke _____   *stressbestendig* _____
more responsible _____   *bijdehand - brutal*

Bespreek de antwoorden met twee medecursisten.

Discussieer met elkaar als jullie verschillende antwoorden hebben gegeven.

4   **Bespreek de antwoorden met de groep.**

Bekijk de video eventueel nog een keer en praat met elkaar over jullie antwoorden. Zijn er veel verschillende antwoorden?

zorgzaamheid

UITVOEREN

5.1   **Kies een actueel onderwerp en formuleer een stelling.**

Kies samen een onderwerp dat in Nederland actueel is. Formuleer een stelling voor de discussie bij opdracht 5.2.

5.2   Voer een discussie.

Discussieer met de groep over de stelling van opdracht 5.1. De docent is de gespreksleider. Hij zorgt ervoor dat iedereen die wat wil zeggen aan het woord komt, dat de deelnemers naar elkaar luisteren en dat ze op elkaar kunnen reageren. Drie van jullie doen niet mee aan de discussie, maar luisteren. Na afloop overleggen zij samen en bepalen zij wie de discussie heeft gewonnen. Het gaat er niet om wie gelijk heeft, maar wie zijn mening en argumenten het beste heeft geformuleerd.

6   Bespreek samen de vragen.

1   Wat vind je van *Het Lagerhuis*? Vind je het een leuk programma?
     Waarom?
2   Kijk je weleens naar een discussieprogramma op de tv? Zo ja, welk?

TAAK 2 | Informatie verwerken over religie in Nederland

1   Wat weet je over het onderwerp 'religie in Nederland'?

Schrijf in losse woorden of korte zinnen op wat je hierover weet.

_____

_____

2.1   Lees de vragen en de tekst. Zijn de zinnen waar of niet waar?

1   Alle christenen baseren zich op de bijbel.
a   waar
b   niet waar

2   Katholieken en protestanten zijn beiden christenen.
a   waar
b   niet waar

3   Gelovige christenen gaan iedere zondag naar de kerk.
a   waar
b   niet waar

4   Een huwelijk tussen katholieken en protestanten was vroeger verboden.
a   waar
b   niet waar

5   Ontkerkelijking betekent het sluiten van kerken.

a   waar

b   niet waar

6   In de zeventiende eeuw kwamen er joodse vluchtelingen naar
Nederland.

a   waar

b   niet waar

Religie in Nederland

Christendom

De meeste gelovigen in Nederland zijn, zoals in heel Europa, christen.
Christenen geloven, net als moslims en joden, in God. Ze geloven dat
God de schepper is van de wereld, van de hemel en de aarde. Van de
christenen, joden en moslims wordt gezegd dat ze tot de 'familie van
het boek' horen, dat wil zeggen dat ze zich alle drie baseren op een
boek. Voor de christenen is dat de bijbel, die wordt beschouwd als het
woord van God. Orthodoxe christenen nemen de tekst van de bijbel
heel letterlijk; vrijzinnige christenen doen dit niet.

Katholieken en protestanten

De christenen hebben zich in de loop van de geschiedenis verdeeld in
een aantal kerken: de katholieke kerk en verschillende protestantse
kerken. De zoon van God, Jezus Christus (of Jezus) is voor christenen
heel belangrijk. In de bijbel staat dat God Jezus ruim tweeduizend jaar
geleden naar de aarde heeft gestuurd om de mensen te bevrijden van
het kwaad. De manier waarop Jezus geleefd heeft en wat hij gezegd

heeft, speelt voor christenen een grote rol.

Bij de katholieken wordt Maria, de moeder van Jezus, als een heilige vereerd. Protestanten vereren haar niet. Aan het hoofd van de katholieke kerk staat de paus. De paus is volgens de katholieken de vertegenwoordiger van God op aarde. De protestanten kennen geen functie zoals die van de paus. Binnen het protestantisme zijn een aantal verschillende richtingen. De meeste protestanten in Nederland zijn hetzij hervormd, hetzij gereformeerd. Ondanks verschillen tussen deze richtingen werken de protestantse kerken al jaren samen en werden ze in 2004 één kerk, de 'Protestantse Kerk in Nederland' (PKN).

Bezoek aan de kerk

Op zondag gaan gelovige christenen meestal naar de kerk. Maar dit is niet bij alle christenen hetzelfde: sommigen gaan alleen met Kerstmis of andere christelijke feestdagen. Anderen gaan als ze trouwen, een kind laten dopen of voor een begrafenis. In de kerk wordt een preek gehouden en er wordt samen gezongen en gebeden. De kerkdienst wordt bij de protestanten geleid door een dominee en bij de katholieken door een priester. Priesters mogen niet trouwen; van hen wordt verwacht dat zij al hun tijd en energie besteden aan hun werk. Een katholieke en een protestantse kerk zien er heel verschillend uit. In een katholieke kerk vind je bijvoorbeeld beelden van heiligen. De protestantse kerken zijn veel soberder.

Verhouding tussen katholieken en protestanten

In Nederland wonen meer katholieken dan protestanten. Tussen katholieken en protestanten was vooral vroeger een grote afstand en soms zelfs vijandigheid. Wanneer vroeger een katholiek wilde trouwen met een protestant, zei men dat dat nooit goed kon gaan: 'Waar twee geloven slapen op één kussen, daar slaapt de duivel tussen'.

Ontkerkelijking

Vanaf de jaren zestig van de twintigste eeuw is het aantal christelijke gelovigen sterk afgenomen. De gewoonte om het geloof van de ouders over te nemen, is in de loop van de tijd voor een groot deel verdwenen. Deze ontkerkelijking heeft zowel bij de protestanten als bij de katholieken plaatsgevonden. Meer dan de helft van de Nederlanders hoort nu niet meer bij een kerk. De laatste jaren zien we dat de belangstelling voor religie weer toeneemt. Dit komt onder andere doordat mensen die niet gelovig zijn opgevoed, vragen hebben over het leven en de dood en over wat goed en kwaad is. Ze zoeken antwoord op die vragen in de religie en zoeken naar rituelen voor belangrijke gebeurtenissen in het leven.

Andere religies dan het christendom

Nederland kent naast het christendom nog enkele andere religies. Sinds de zeventiende eeuw wonen er joden in Nederland. De eerste generatie bestond uit vluchtelingen uit Spanje en Portugal. In de twintigste eeuw kwamen er nog andere gelovigen bij: hindoes en moslims uit de vroegere Nederlandse koloniën Indonesië en Suriname. Sinds de jaren zestig van de twintigste eeuw is het aantal moslims sterk gegroeid. Dit komt vooral doordat veel Marokkanen en Turken naar Nederland kwamen om er te werken.

het christendom	protestants	sober
de christen	heilig	de vijandigheid
de hemel	de vertegenwoordiger	de ontkerkelijking
de bijbel	dopen	gelovig
orthodox	de preek	de vluchteling
vrijzinnig	bidden	de kolonie
katholiek	de dominee	

2.2   Lees de tekst nog een keer en beantwoord de vragen.

1   Welke twee verschillen zijn er tussen katholieken en protestanten?

2   Waaraan kun je zien of een kerk katholiek of protestants is?

3   Waardoor neemt de belangstelling voor religie weer toe?

4   Welke vier groepen gelovigen worden in de tekst genoemd?

3   Lees de vragen en bekijk de illustratie. Beantwoord de vragen.

1   In welke provincie is het hoogste percentage van de inwoners katholiek?

2   In welke provincie is het hoogste percentage van de inwoners protestants?

3   In hoeveel provincies is het percentage katholieken het hoogst? En in hoeveel provincies het percentage protestanten?

4 In welke provincie woont het hoogste percentage mensen met een ander geloof dan het christelijke?

5 In welke provincies wonen het hoogste percentage mensen dat niet gelovig is?

6 Wonen er in de meeste provincies meer mensen die gelovig zijn of meer mensen die niet gelovig zijn?

7 Hoe is de situatie in de provincie waar jij woont?

Geloof in Nederland per provincie

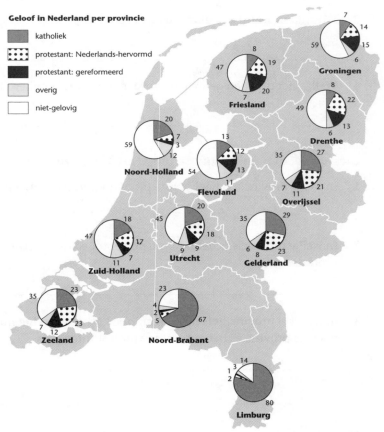

NAAR: DE VOLKSKRANT, 24 DECEMBER 2003

MPUTER

4   **Luister naar de tekst en doe de opdracht.**

UITVOEREN

5   **Bekijk welke informatie je nu hebt en vergelijk de informatie.**

Kijk nog eens naar wat je opschreef bij opdracht 1. Vergelijk dit met de informatie in deze taak en maak aantekeningen over welke dingen je meer te weten bent gekomen en welke informatie nieuw was.

6   **Schrijf een tekst van ongeveer tweehonderd woorden over religie in Nederland.**

Schrijf een tekst waarin je de volgende vragen verwerkt:
Over welke dingen ben je meer te weten gekomen?
Welke informatie was nieuw voor je?
Waarover zou je meer willen weten? Formuleer enkele vragen over dingen die je niet helemaal begreep of waar je meer informatie over wilt. Bijvoorbeeld: 'Hoe gaat een kerkdienst precies?'

7.1   **Maak een lijstje van de vragen in de teksten van opdracht 6. Beantwoord de vragen.**

Bespreek samen de vragen en probeer antwoord te geven. Als jullie op een vraag geen antwoord kunnen geven, stel die dan bij opdracht 7.2 aan de docent.

7.2   **Stel vragen aan de docent.**

Stel de vragen waarop jullie geen antwoord hadden aan de docent.

AFRONDEN

8   **Bespreek wat je het meest is opgevallen.**

Vertel elkaar één punt waar je meteen aan denkt bij het onderwerp 'religie in Nederland' en licht toe waarom dat zo is.

Christelijke feestdagen

Op christelijke feestdagen zijn in Nederland de scholen en de meeste
winkels gesloten en heeft bijna iedereen vrij. Lang niet iedereen viert die
dag ook een bepaalde gebeurtenis die in het christendom belangrijk is.
Voor velen is zo'n dag gewoon een extra vrije dag. Uit onderzoek blijkt dat
91% van de Nederlanders de achtergrond van Kerstmis kent en slechts
40% de achtergrond van Pinksteren.
Sommige christelijke feestdagen worden elk jaar op dezelfde datum gevierd,
bij andere verschilt dat per jaar. Kerstmis is altijd op 25 en 26 december.
Gelovige christenen vieren dan de geboorte van Jezus Christus, maar bijna
alle niet-gelovigen vieren dit feest ook. Voor gelovigen en niet-gelovigen is
Kerstmis een feest dat je met familie en goede vrienden viert. Vaak wordt
er extra lekker en luxe gegeten en mensen kleden zich mooi aan.
In Nederland wordt het kerstfeest twee dagen gevierd, eerste en tweede
kerstdag. Met Kerstmis zie je overal mooi versierde kerstbomen: in winkels,
op straat, op scholen en bij de mensen thuis. Deze traditie komt van heel
vroeger, nog van voor het christendom.
Carnaval is oorspronkelijk een katholiek feest dat vooral in het zuiden
van Nederland gevierd wordt. Na carnaval begint een periode van veertig
dagen tot Pasen waarin de mensen moeten vasten: weinig eten en drinken
en sober leven. Tijdens het carnaval geniet iedereen nog even van wat het
leven biedt. Mensen dragen allerlei vreemde en grappige kleren, er wordt
veel gegeten en gedronken en muziek gemaakt en iedereen viert in cafés
en op straat feest. De laatste jaren is de christelijke betekenis minder
belangrijk. Bijna niemand vast meer na carnaval en carnaval wordt ook
steeds meer door niet-katholieken gevierd.
Pasen wordt gevierd op een zondag en maandag tussen 22 maart en 25
april. Met Pasen wordt herdacht dat Jezus Christus weer tot leven kwam

en opstond uit zijn graf. De vrijdag daarvoor is Goede Vrijdag. Dan wordt herdacht dat Jezus Christus voor de mens gestorven is. Goede Vrijdag is niet voor iedereen een vrije dag. Met Pasen kennen we in West-Europa een traditie van eieren eten; echte eieren en eieren van chocolade. Deze traditie heeft noch met het christendom te maken, noch met een andere godsdienst.

Hemelvaartsdag is altijd op een donderdag, veertig dagen na Pasen. Alleen gelovigen vieren dit feest. Dan wordt herdacht dat Jezus Christus naar zijn vader in de hemel ging. Voor niet-gelovigen is Hemelvaartsdag gewoon net zoiets als zondag; je hebt vrij en je kunt doen wat je wilt. Pinksteren wordt tien dagen na Hemelvaartsdag gevierd, op een zondag en de maandag erna. Gelovigen vieren dan de 'Neerdaling van de Heilige Geest op de apostelen'.

vasten	**noch**	**de hemel**
herdenken		

Regels   *De conjunctie*

Dubbele conjuncties

Vooral in de schrijftaal kunnen 'dubbele' conjuncties gebruikt worden.

Zowel ... als ...
Zowel katholieken als protestanten geloven dat God zijn zoon, Jezus Christus, ruim tweeduizend jaar geleden naar de aarde heeft gestuurd.

Hetzij ... hetzij ...
De meeste protestanten in Nederland zijn hetzij hervormd, hetzij gereformeerd.

Noch ... noch ...
Deze traditie heeft noch met het christendom te maken, noch met een andere godsdienst.

Hoe is mijn Nederlands nu?

1   **Hoe is jouw Nederlands? Kruis aan ja of nee.**

		ja	nee
1	Ik kan niet al te moeilijke teksten in kranten goed begrijpen.	☐	☐
2	Ik kan brieven van mijn school of universiteit goed begrijpen.	☐	☐
3	Ik kan in een café of in de kantine gemakkelijk een gesprek in het Nederlands voeren.	☐	☐
4	Als mijn docent me in het gesprek een beetje helpt, kan ik het resultaat van een toets met mijn docent bespreken.	☐	☐
5	Ik vind het niet moeilijk om in het Nederlands een telefoongesprek te voeren.	☐	☐
6	Ik kan in een brief aan een vriend(in) vertellen hoe ik me voel.	☐	☐
7	Tijdens de les kan ik in het Nederlands opschrijven wat ik moet onthouden.	☐	☐
8	Ik begrijp de belangrijkste dingen van het nieuws op de radio en de televisie.	☐	☐
9	In de bus begrijp ik waar andere mensen over praten.	☐	☐

2   **Wat vind je het moeilijkst? Wat vind je het makkelijkst?**

Kies uit: lezen – luisteren – spreken – schrijven.

Ik vind _____ het moeilijkst en _____ het makkelijkst.

3   **Vertel elkaar wat je bij opdracht 1 en 2 hebt geantwoord. Vertel elkaar ook waarom je deze antwoorden hebt gegeven.**

Zijn jullie het met elkaar eens? Vertel elkaar ook wat je nog graag wilt leren.

4   **Bespreek de resultaten van opdracht 1, 2 en 3.**

1 Lees de tekst en beantwoord de vraag.

> **In het begin begreep ik er weinig van**
>
> Arun Ratra:
> 'Toen mijn jongste dochter ging hockeyen, werd ik coach van haar team. In Pakistan had ik zelf gehockeyd, dus dat leek me wel leuk. Nadat ik dat een paar jaar met veel plezier had gedaan, werd me gevraagd of ik in het bestuur wilde. Ik zei meteen "ja", want ik vond het goed dat ook een van de allochtone ouders zoiets deed en ik dacht dat ik dat wel zou kunnen. Dat viel me eerst behoorlijk tegen. Dat kwam niet doordat ik geen ideeën had, maar die vergaderingen ... In het begin begreep ik er weinig van. Ik sprak toch al heel aardig Nederlands, maar al dat jargon en het tempo! Ik was altijd te laat als ik iets wilde zeggen; voor ik het in de gaten had, was de beurt weer voorbij. Ik wist ook niet zo goed hoe dat ging. Moest ik gewoon zeggen "nu wil ik wat zeggen" of "willen jullie nu even naar mij luisteren?" Gelukkig wende het snel. Ik ontdekte een beetje wat er van me verwacht werd en daardoor kon ik veel beter meedoen.'

het bestuur	tegenvallen	het jargon

Heb je weleens aan een vergadering deelgenomen waar Nederlands werd gesproken? Of ben je weleens bij zo'n vergadering geweest? Zo ja, heb je dezelfde ervaring als Arun Ratra of niet? Schrijf ook op wat je vindt van wat hij zegt.

2   Lees de tekst en beantwoord de vragen.

Jeugdbestuur hockeyclub Vianen

Vergadering jeugdbestuur hockeyclub Vianen op 3 december om 20.00 uur in de bestuurskamer.

Agenda:
1 Opening
2 Verslag vergadering 18 oktober
3 Mededelingen
4 Competitie volgend seizoen
5 Nieuwe trainer vanaf februari
6 Voorstel tot verhoging van de contributie
7 Schorsing David van Alphen
8 Rondvraag
9 Sluiting

het voorstel	de contributie

1 Wat kan de voorzitter zeggen bij punt 1, de opening? Geef een voorbeeld.

2 Wat is de bedoeling van punt 8, de rondvraag?

3 Wat kan de voorzitter zeggen bij punt 9, de sluiting? Geef een voorbeeld.

MPUTER

3   Luister naar de tekst en doe de opdracht.

MPUTER

4   Luister naar de tekst en doe de opdracht.

UITVOEREN

5   **Bedenk argumenten.**

Jullie gaan agendapunt 7 bespreken en een besluit nemen over de schorsing van een jeugdlid. Jullie bedenken eerst argumenten. Cursist A en cursist B bedenken argumenten tegen schorsing. Cursist C en cursist D bedenken argumenten voor schorsing.

Wat is er gebeurd?
Tijdens een wedstrijd heeft David van Alphen op de scheidsrechter gescholden. Hij accepteerde een beslissing niet, liep op de scheidsrechter af en begon tegen hem te schreeuwen. Wat hij precies heeft gezegd, is niet duidelijk. De scheidsrechter heeft hem toen het veld uit gestuurd en hem een officiële waarschuwing gegeven. Later bleek dat de scheidsrechter het aan de hockeybond heeft doorgegeven. Het bestuur ontving een brief dat er besloten was om David voor twee weken een schorsing te geven. Het bestuur vindt dat dat niet voldoende is: David heeft al zo vaak problemen gehad dat hij definitief geschorst moet worden. David moet weg uit de club. Zijn gedrag is slecht voor de naam van de club en het heeft ook een slechte invloed op de rest van zijn team. Het bestuur wil laten zien dat zulk gedrag niet geaccepteerd wordt.

Wie is David?

David is een heel aardige jongen die vaak problemen heeft. Ook thuis is hij niet makkelijk, maar daar is het ook allemaal niet zo leuk. Hij woont alleen met zijn moeder en die werkt de hele dag. Zijn vader ziet hij af en toe. Op school gaat het ook niet zo lekker; hij haalt veel onvoldoendes, maar wil wel graag verder. David is gek op sporten en kan uitstekend hockeyen. Zijn coach heeft een goed contact met hem. Hij heeft al vaak met hem gepraat en dan is David altijd heel aardig. Hij begrijpt ook best dat hij niet tegen de scheidsrechter moet schelden, maar David is nogal fanatiek en kan zich niet altijd inhouden. De laatste tijd waren er relatief weinig problemen. De coach vindt dat David zich heel positief ontwikkelt en dat hij zich steeds beter kan beheersen.

 6 **Bespreek het agendapunt van opdracht 5 in een vergadering en neem een besluit.**

Iedereen geeft zijn eigen mening en brengt zijn eigen argumenten naar voren. Een van de cursisten is voorzitter. Hij leidt het gesprek, hij zorgt dat iedereen aan het woord komt en zorgt dat er een besluit wordt genomen. Tot slot herhaalt hij het besluit.
Hoeveel mensen in de groep zijn voor schorsing en hoeveel tegen?

AFRONDEN

 7 **Hoe gaan vergaderingen in je eigen land? Voer het gesprek.**

Wordt er veel vergaderd in jouw land? Hoe lang duren de vergaderingen? Hoe worden besluiten genomen?

VOORBEREIDEN

1   **Met wie ben je het helemaal eens, met wie minder of helemaal niet? Kruis aan.**

1   Nilgün Yerli, schrijfster en cabaretière met een Turkse achtergrond: 'Je kunt nooit vaststellen of iemand geïntegreerd is. Ik eet zuurkool, drink chocolademelk met slagroom, vier Sinterklaas en Kerstmis. Ik ben dol op spruitjes en het koningshuis, kan schaatsen, heb ook Nederlandse vrienden en een hond waarvan ik de poep opruim. Ben ik geïntegreerd? Zeg jij het maar!'
- ☐ helemaal mee eens
- ☑ een beetje mee eens
- ☐ mee oneens

2   Fouad Laroui, wetenschapper en schrijver met een Marokkaanse achtergrond: 'Je bent geïntegreerd als je beseft dat je hetzelfde lot hebt als de anderen in een land.'
- ☐ helemaal mee eens
- ☑ een beetje mee eens
- ☐ mee oneens

3   Prem Radhakishun, advocaat en journalist met een Surinaamse achtergrond: 'Integratie is zondagavond op de bank met een bord eten op schoot naar Studio Sport kijken, naar de samenvatting van PSV-Ajax.'
- ☐ helemaal mee eens
- ☑ een beetje mee eens
- ☐ mee oneens

4   Afshin Ellian, wetenschapper en schrijver met een Iraanse achtergrond: 'Integratie houdt in: je aan de letter en de geest van de grondwet van Nederland houden. Dan mag iedereen verder zelf weten of hij couscous eet en richting Mekka bidt.'
- ☐ helemaal mee eens
- ☐ een beetje mee eens
- ☐ mee oneens

5   Said El Haji, schrijver met een Marokkaanse achtergrond: 'Integratie
    is een illusie van de politiek! Ik wil helemaal niet geïntegreerd zijn;
    integreren is aanpassen. Iedere schrijver die respect voor zichzelf heeft
    mag zich niet aanpassen. Niet aan de islamitische cultuur, niet aan
    de Nederlandse cultuur. Integratie moet uit het woordenboek; dat
    woord schept alleen maar verwarring.'

☑ helemaal mee eens

☐ een beetje mee eens

☐ mee oneens

NAAR: VRIJ NEDERLAND, 1 NOVEMBER 2003 EN 31 JANUARI 2004

2   Lees de tekst en beantwoord de vraag.

Allemaal dezelfde taal

De Nederlandse minister van vreemdelingenzaken en integratie in een
interview met de krant:
'Ik vind dat wij hier in Nederland allemaal dezelfde taal moeten spreken
en dat is Nederlands. Je mag natuurlijk thuis je eigen taal spreken, maar
je moet ook kunnen praten met je buurman. En als je als ouder moet
praten met de leerkracht van je kind, dan spreek je Nederlands. Er zit
hier nu een enorm aantal mensen – ongeveer 350.000 – dat geen
Nederlands spreekt. Die mensen moeten een kind meenemen als ze
naar de dokter gaan. Ik vind dat dat niet kan. Taal is zo belangrijk. Taal
is een voorwaarde voor integratie.'

NAAR: NRC HANDELSBLAD, 13/14 MAART 2004

de minister	de vreemdeling

Ben je het met deze minister eens? Licht je antwoord toe.

_____

3.1   **Lees de vragen en de tekst. Beantwoord de vragen.**

1   Hoeveel fases van integratie worden in de tekst beschreven?

_____

2   Welke fase is volgens de tekst het moeilijkst?

Het taal

3   In welke fase gaat het taalleren het snelst?

_____

4   In welke fase gaat het taalleren niet zo makkelijk?

_____

5   Wat is een cultuurschok?

_____

6   In welke fase zit de man uit Iran uit het begin van de tekst, denk je?

_____

Integratie en taalleren

'In de loop van de tijd begreep ik dat de taal een belangrijke rol speelt om een cultuur te leren kennen. Het lijkt alsof je blind bent. Hoe beter ik de taal leerde, hoe lichter de wereld voor me werd. Nu heb ik een idee hoe ik met de cultuur om moet gaan.'
Deze woorden van een migrant uit Iran laten zien hoe belangrijk taal is om een land en de cultuur te leren kennen. Ook blijkt uit dit citaat dat hij dat niet vanaf het begin zo voelde. Misschien heeft hij daar, de eerste tijd in Nederland, ook wel helemaal niet over nagedacht. Misschien was hij alleen maar blij dat hij hier was en had hij het zo druk met van alles, zoals met het zoeken van een huis of een school voor de kinderen, dat er geen tijd en energie meer over was voor andere dingen.

Naar het proces van integratie is onderzoek gedaan. Volgens veel onderzoekers bestaat het uit verschillende fases, waarin heel veel (maar natuurlijk niet álle) migranten dezelfde emoties voelen.

In de eerste fase voelt een migrant zich vaak een beetje als een toerist. Alles is nieuw en mooi, je ziet veel nieuwe dingen, je ontmoet allerlei mensen en de toekomst ziet er meestal goed uit. Als je in deze fase begint met Nederlands leren, sta je open voor alles: je vindt de klanken prachtig, je probeert kleine zinnetjes te gebruiken, je bent enthousiast als ze worden begrepen en beantwoord. Je leert de taal ook behoorlijk snel: na een paar weken kun je al wat zeggen en als je in de bus zit, begrijp je af en toe een paar woorden van wat je om je heen hoort.

Na een tijdje is het nieuwe eraf en merk je dat je tegen allerlei dingen aanloopt: de bureaucratie, het onbegrip, starende ogen, vervelende opmerkingen. Als je dingen vraagt krijg je vaak niet het antwoord dat je wilt. Dit komt doordat Nederlanders soms helemaal niet begrijpen wat je met je vraag bedoelt. En soms natuurlijk omdat ze je niet goed kunnen verstaan. Daarnaast merk je dat het ook in Nederland niet allemaal rozengeur en maneschijn is. Er kan sprake zijn van een cultuurschok: je ziet een heleboel dingen in Nederland die je niet begrijpt, waar je het helemaal niet mee eens bent of waar je veel kritiek op hebt en je vraagt je af of je je ooit kunt aanpassen. Ook het taalleren gaat langzamer: het is moeilijker dan je dacht en je hebt ook niet zoveel zin meer om je best te doen. Je motivatie om Nederlands te leren is niet meer zo groot. Deze fase duurt bij de een langer dan bij de ander, afhankelijk ook van je woon- en leefsituatie, maar je moet er wel doorheen.

Daarna komt een fase waarin de situatie wat meer in balans komt. De problemen blijven, maar je probeert er niet alleen maar teleurgesteld of kwaad over te zijn, maar ze te accepteren. Je staat langzamerhand weer meer open voor het nieuwe land. Je bent geïnteresseerd in overeen- komsten en verschillen tussen je nieuwe land en je eigen land en je vindt het ook leuk om daar met anderen over te praten en (soms) te lachen. De nieuwe taal begint een beetje te wennen, je verstaat steeds meer en je kunt ook steeds beter duidelijk maken wat je bedoelt.

In de laatste fase gaat dit proces verder. Je leert te leven met de mis- verstanden die er altijd zullen zijn en je leert te leven met de nieuwe cultuur. Je accepteert dat je zelf ook verandert doordat je naar een ander land bent verhuisd. Je ziet de goede en minder goede dingen van Nederland en je vindt een manier om je eigen achtergrond en de nieuwe cultuur met elkaar te verenigen. Je spreekt nu zoveel Nederlands dat je alles kunt zeggen wat je wilt en je begrijpt vrijwel alles wat je hoort of leest. Als je deze fase bereikt (maar dat geldt natuurlijk niet voor iedere migrant), voel je je thuis en op je gemak in Nederland.

NAAR: R. FIDDELAERS-JASPERS EN A.NIEUWENBROEK, VEELKLEURIGE LEERLINGBEGELEIDING, UITGEVERIJ EPN,2002 EN M. HUIZINGA, INTERNATIONALISERING EN DE ROL VAN CULTUUR IN HET TAALONDERWIJS. IN: LEVENDE TALEN, MEI 1999

blind	staren	het misverstand
de migrant	de schok	verenigen
de bureaucratie	de balans	

3.2 Lees de tekst nog een keer en vul het schema in.

In de tekst worden vier fases van integratie en taalleren beschreven. Per fase worden enkele algemene kenmerken genoemd en enkele kenmerken die met het proces van taalleren te maken hebben. Welke van die kenmerken vind jij de belangrijkste? Kies per fase één algemeen kenmerk en één kenmerk dat met taalleren te maken heeft. Vul dan het schema in.

	algemeen kenmerk	kenmerk proces van taalleren
fase 1		
fase 2		
fase 3		
fase 4		

4 Praat over het schema en de tekst van opdracht 3.

1 Vergelijk de antwoorden van opdracht 3.2 en leg aan elkaar uit waarom je die kenmerken koos.
2 Bespreek met elkaar wat je van de indeling in fases vindt. Gebruik de volgende vragen:
Herken je de fases?
Vind je de indeling in fases zinvol? Waarom wel of niet?

UITVOEREN

5 Stem over een stelling en verander de stelling.

Doe na elkaar de volgende opdrachten:
1 Stem over de stelling: 'Migranten moeten hun eigen taal opgeven en zo snel mogelijk Nederlands leren'.
2 Bespreek of jullie het met de stelling helemaal eens zijn, helemaal niet of een beetje.

3 Verander de formulering van de stelling zo dat jullie het er allemaal mee eens zijn.

4 Schrijf de verbeterde stelling op.

6 Interview elkaar en vat de antwoorden samen.

Interview elkaar over: 'In welke situaties en met wie gebruik je Nederlands?'

Werk eerst met z'n tweeën en daarna met z'n vieren.

1 Cursist A stelt vragen aan cursist B, cursist C stelt vragen aan cursist D. Wissel daarna van rol. Cursist B stelt vragen aan cursist A, enzovoort.

2 In de groep van vier vertelt A in welke situaties B Nederlands gebruikt en hij formuleert een conclusie, bijvoorbeeld: 'B spreekt al veel Nederlands'. Dan vertelt B in welke situaties A Nederlands gebruikt, enzovoort. Bespreek samen of de conclusies kloppen.

Maak gebruik van de volgende vragen:

1 Heb je Nederlandse vrienden of kennissen? Praat je Nederlands met ze?

2 Heb je een Nederlandse partner? Welke taal spreek je met hem of haar?

3 Ben je lid van een Nederlandse club of sportvereniging? Praat je daar Nederlands?

4 Werk je? Welke taal spreek je met je collega's en met je baas?

5 Woon je in een buurt met Nederlanders? Praat je weleens met je Nederlandse buren?

6 Heb je kinderen? Zitten die op school en praat je daar met Nederlandse ouders en met de leerkrachten?

7 Praat je Nederlands in winkels?

8 Kijk je naar Nederlandse tv-programma's? Welke?

9 Lees je Nederlandse kranten of tijdschriften? Welke?

10 Zijn er nog andere situaties waarin je Nederlands gebruikt? Welke?

11 Vind je het belangrijk om in Nederland te integreren? Zo ja, vind je dat je voldoende geïntegreerd bent?

7 Schrijf een tekst van ongeveer 250 woorden over Nederlands leren en integratie.

Kies een van de volgende mogelijkheden:

1 Beschrijf welk citaat uit opdracht 1 je het beste vindt en waarom.

2 Beschrijf welke stelling jullie bij opdracht 5 geformuleerd hebben en leg uit wat je van die stelling vindt.

3 Beschrijf wat je vindt van de indeling in vier fases uit opdracht 4.

4 Beschrijf in welke situaties je Nederlands gebruikt en met wie. Gebruik de antwoorden van opdracht 6.

Begin met een inleiding, waarin je vertelt welk onderwerp je hebt gekozen. Daarna volgt een middenstuk waarin je dit onderwerp behandelt. Je eindigt met een slot, waarin je een mening of conclusie formuleert.

8 **Vertel welke stelling jullie bij opdracht 5 geformuleerd hebben.**

Stem over de stellingen. Met welke stelling zijn de meeste cursisten het eens?

Regels *Het verbum*

Persoonsvorm in de singularis

Er zit hier nu een enorm aantal mensen – ongeveer 350.000 – dat geen Nederlands spreekt.
Meer dan de helft van de Nederlanders hoort nu niet meer bij een kerk.
Een klein percentage van alle Nederlanders gaat nooit met vakantie.

Na woorden als 'het aantal', 'de helft' en 'het percentage' volgt een substantief in de pluralis, maar de persoonsvorm staat in de singularis.

SLOT

Kies een onderwerp en vertel elkaar wat je over dat onderwerp weet.

Kijk naar de onderwerpen die genoemd worden in de introductie van dit hoofdstuk. Kies een onderwerp uit waar jij wat van weet en de anderen niet of minder. Vertel elkaar over dit onderwerp en stel elkaar ook vragen als je meer wilt weten of als iets niet duidelijk is.

VERBINDINGEN

- wel degelijk
- behoefte hebben aan iets
- zich baseren op
- iets ergens vandaan halen
- bron van inkomsten
- verwarring scheppen
- ergens doorheen moeten
- openstaan voor
- iets van huis uit meekrijgen
- uitkomen voor iets
- iemand uit het veld sturen
- op iemand aflopen
- gevolgd door
- zich schuldig voelen
- tegen iets aanlopen

IDIOOM

- dat is je niet aan te zien
- waar twee geloven slapen op één kussen daar slaapt de duivel tussen
- in de gaten hebben
- wel thuis
- geld in het laatje brengen
- dat zet geen zoden aan de dijk
- het gaat (niet zo) lekker
- rozengeur en maneschijn
- zich op zijn gemak voelen
- aan zichzelf te danken hebben

EXTRA

Adam en Eva in paradijslandschap

De invloed van de bijbel op de Nederlandse taal en cultuur

In het noordwesten van Europa worden vanaf de zesde eeuw steeds meer mensen christen. Vanaf dat moment begint de invloed van de bijbel op de Nederlandse cultuur. Dit blijkt duidelijk uit teksten en kunstvoorwerpen die uit die tijd en de tijd daarna bewaard zijn gebleven. Schilders en schrijvers gebruiken ook nu nog onderwerpen uit de bijbel voor hun schilderijen, boeken en gedichten. Ook de taal weerspiegelt de invloed van de bijbel. In het huidige Nederlands worden veel uitdrukkingen gebruikt die uit de bijbel afkomstig zijn. Hier volgen een paar heel bekende.

1   Beginnen bij Adam en Eva
beginnen bij het allereerste begin
Adam en Eva waren volgens de bijbel de eerste mensen. In het bijbelboek Genesis kun je lezen hoe God ze schiep, hoe ze leefden in het
paradijs en hoe ze daaruit verjaagd werden, omdat ze appels aten van
de verboden boom.

2   Zo arm zijn als Job
helemaal niets meer hebben
Job was een rijke koning, hoofdpersoon van het bijbelboek Job. Daarin
staat hoe hij heel erg arm wordt en veel ellende moet doormaken,
maar toch niet gaat twijfelen aan God.

3   Abraham zien
vijftig jaar worden
Abraham is in de bijbel een van de eerste voorouders van het volk van
Israël. In het boek Johannes staat een fragment waarin de relatie tussen
vijftig jaar worden en Abraham gelegd wordt.

4   Een ongelovige Thomas
iemand die iets pas gelooft als hij het zelf ziet
Thomas was een leerling van Jezus; in het boek Johannes kun je lezen
hoe hij niet gelooft dat Jezus uit zijn graf is opgestaan totdat hij dit zelf
heeft gezien.

5   Een wet van Meden en Perzen
een regel of een wet die altijd geldig is
In het boek Daniël wordt besloten dat Daniël in een kuil met leeuwen
gegooid moet worden, omdat hij tot zijn eigen God bidt. Er staat dat
het besluit helemaal vaststaat, 'volgens de wet van Meden en Perzen'.

6   Zeven vette en zeven magere jaren
een periode waarin alles heel goed gaat, gevolgd door een
moeilijke periode
Deze uitdrukking komt uit Genesis. Daarin staat hoe iemand droomt
dat eerst zeven mooie, dikke koeien uit de Nijl komen en daarna zeven
lelijke, magere. De magere koeien eten de dikke op. De droom wordt in
de bijbel uitgelegd zoals in de betekenis van de uitdrukking.

7   In zak en as zitten
heel erg somber zijn en geen oplossing zien voor problemen
In het boek Jona wordt iemand beschreven die heel verdrietig is en een
zak aantrekt bij wijze van kleding en as op zijn hoofd strooit.

8 Een Babylonische spraakverwarring
een situatie waarin niemand elkaar begrijpt

In het boek Genesis kun je lezen dat de mensen een toren willen bouwen tot in de hemel. God vindt dat arrogant en niet passend voor mensen. Daarom verwart hij hun taal, waardoor ze elkaar niet meer kunnen verstaan en de bouw moet worden gestopt. Vanaf dat moment spreken de mensen verschillende talen.

NAAR: K. VAN DALEN EN M. MOOIJAART, BIJBELS LEXICON, 2000

Antwoorden

HOOFDSTUK 16

Taak 1
Opdracht 3
een schreeuwlelijk, een vat vol tegenstrijdigheden, dominant, bescheiden, eerlijk, kwetsbaar, eigenzinnig, geestig, zelfvertrouwen, onzeker, afhankelijk, verlegen

Taak 2
Opdracht 3
5   de relatie met broers/zussen (vroeger en nu) of: wie het huishouden deed

Taak 3
Opdracht 4
Vragen die je uit de teksten kunt halen:
Welke talen spreek je?
Wat is je moedertaal?
In welke taal/talen denk je?
In welke taal/talen droom je?
Met wie spreek je Nederlands?
Hoe voel je je als je Nederlands spreekt?
Welke taal/talen is/zijn het belangrijkst voor je?
Welke taal/talen leer je je kinderen?

Taak 4
Opdracht 3
1   Ze lacht steeds. Ze is erg blij en gelukkig.
2   Na het interview zie je de ouders wachten. De vader raakt zijn vrouw steeds aan, hij streelt haar.
3   Een verjaardag.
4   De moeder: zij is directer in haar emoties dan haar man. Het is daarom te begrijpen dat zij als eerste haar zoon begroet.
5   Omhelzen, kussen.
6   Ze gaat gillen.

HOOFDSTUK 17

Taak 1
Opdracht 3
1 b; 2 b; 3 b; 4 b; 5 b; 6 b

Taak 2
Opdracht 2
b

Opdracht 3
1
De meeste mensen vinden een huisdier gezellig.
Veel dieren zijn lekker zacht. Je kunt met dieren knuffelen en met ze spelen.
Mensen vinden het prettig om voor een huisdier te zorgen.
Het is leuker om met een hond te wandelen dan alleen.

3
Je moet in staat zijn ervoor te zorgen en dat ook willen.
Je moet niet de hele dag van huis zijn.
Ook als het slecht weer is moet je naar buiten om je hond uit te laten.
Je moet rekening houden met het huis en de buurt waar je woont.
Je moet rekening houden met het geld dat het kost om een huisdier te verzorgen en eten te geven.
Je moet rekening houden met de tijd die het kost.

Taak 4
Opdracht 3
1 d; 2 b; 3 e; 4 a; 5 c

HOOFDSTUK 18

Introductie
Opdracht 1
b

Taak 1
Opdracht 2
geluidsoverlast: a, d
overlast door agressie: c, e
overlast door vuil en stank: b

Opdracht 4
1 Overlast door: geluid/lawaai, vuil, stank, schade, agressie, mensen die verslaafd zijn of geestelijke problemen hebben.
2 Bij overlast kun je:
• gaan praten met de mensen die overlast veroorzaken om zo naar een oplossing te zoeken;
• een (schriftelijke) klacht indienen bij de woningbouwvereniging.
Bij extreme overlast kun je:
• de politie bellen;
• het Meldpunt Overlast bellen.

3 b; 4 a; 5 c; 6 c

Taak 2
Opdracht 3
1 b; 2 a; 3 e; 4 c; 5 f; 6 g; 7 d

Taak 3
Opdracht 2
1 e; 2 a; 3 c; 4 d; 5 b

Opdracht 3
inboedelverzekering en WA-verzekering.

Opdracht 5
1 c; 2 b; 3 d; 4 e; 5 a

Opdracht 6
1 b; 2 c; 3 a

Slot
1 Ze wonen in een oud huis waar het gehorig is.
2 De buurvrouw begint met schelden.

HOOFDSTUK 19

Introductie
3 Jan is niet tevreden over de pizza, hij is namelijk niet rond zoals in Nederland, maar vierkant.

Taak 1
Opdracht 2
1
Hoe laat eten de meeste mensen in Nederland?
Hoeveel tijd duurt het eten van een maaltijd gemiddeld?
Wie bedenkt meestal wat er op tafel komt?
Welke groenten vindt men het lekkerst?

2 b; 3 a; 4 a; 5 c; 6 a; 7 b

Taak 2
Opdracht 1
1 c 2 Omdat het een zoet gerecht is,

Opdracht 2
klaarmaken, schillen, snijden, eruit halen, doen, erin doen, erbij doen,
aan de kook brengen, leggen in, koken, halen van, afkoelen, zetten in,
laten staan, mengen, doen over.

Taak 3
Opdracht 1
Sigaretten, alcohol, koffie, thee, hasj.

Opdracht 2
2 b; 3 b; 4 a; 5 b, a

Taak 4
Opdracht 1
1 nee; 2 ja; 3 ja; 4 nee; 5 ja; 6 nee; 7 ja; 8 nee

Opdracht 2
1 c; 2 a; 3 c; 4 a

Opdracht 4
1 voor; 2 voor; 3 tegen; 4 tegen; 5 voor; 6 tegen

Slot
Opdracht 1
2 - 1 - 4 - 3

Opdracht 2
Ze maakt een kruisje in de reuzenchampignons.

Opdracht 3
Ze verwarmt de wok heel goed voor.

HOOFDSTUK 20

Taak 1
Opdracht 1
1   Een kort gesprek voeren over een eenvoudig onderwerp.

Taak 2
Opdracht 1
De wegenwacht probeert de auto van mensen die met een kapotte auto langs de weg staan te repareren. Als dat niet lukt, brengen ze de auto voor je naar een garage.

Taak 3
Opdracht 2
1

Tekst 5:	Geef mij maar de file.
Tekst 3:	Telefoongesprekken in de trein.
Tekst 1:	Wie aan het milieu denkt, neemt geen auto.
Tekst 4:	Met het openbaar vervoer naar familie in het oosten van het land.
Tekst 2:	Met de bus door Indonesië.

Taak 4
Opdracht 2
1 a; 2 b; 3 b; 4 a; 5 b; 6 a; 7 b; 8 b

HOOFDSTUK 21

Taak 1
Opdracht 5

Tekst 1:	Ik ben een merkengek. (c)
Tekst 2:	Ik ben een kritische koper. (a)
Tekst 3:	Ik ben een impulsieve koper. (d)
Tekst 4:	Ik heb een gat in mijn hand. (e)
Tekst 5:	Ik ben een koopjesjager. (b)

Opdracht 9
a

Taak 2
Opdracht 2
Isabelle bezuinigt door:
- geen broodje te bestellen bij café Lust
- boodschappen te doen bij een goedkope supermarkt
- gratis bier te drinken in een bar waar een vriend van haar werkt
- geen lekkere afhaalkoffie bij Coffee Connection te halen
- broodjes van huis mee te nemen
- zelf wijn mee te nemen naar het strand
- voor weinig geld mee te eten in het restaurant waar ze werkt
- door een goedkoop cadeautje zelf mooi te maken
- zelf broodjes, fruit en drinken mee te nemen naar het strand

Isabelle kan nog meer bezuinigen door:
- niet mee te gaan naar café Lust
- niet meer te roken
- een goedkopere deodorant te kopen
- geen bloemen te kopen voor haar vriendin
- geen eten te halen bij de Surinaamse toko, maar zelf iets te koken
- geen T-shirt te kopen

Taak 4
Opdracht 4
1 Jongeren van ongeveer 17, 18 jaar.
2 Hip, vet, hot.
3 De kleur.
4 De Yamaha: die is snel en gewoon 'vet'.
5 De spiegels steken uit.
6 Hij heeft de juiste scooter.
8 Het kale hoofd van de presentator; een trend bij kalende mannen. Het kruisje om de hals van Yolanthe. De korte jasjes van Yolanthe en Daniëlla. Het haar van Appie; een trend bij allochtone jongeren. Het haar van Mo en Jaron waar gel in zit. Het kettinkje van Mo.

HOOFDSTUK 22

Taak 1
Opdracht 3
1 a; 2 b; 3 b; 4 a

Taak 2
Opdracht 4.1
Bløf: piano en drums.
Zijlstra: saxofoon, bas, piano en drums.

Opdracht 4.2

1   Ze hebben waarschijnlijk een relatie gehad, maar de relatie is nu uit. De jongen heeft de relatie misschien beëindigd. In ieder geval heeft hij iets gedaan waar het meisje boos en verdrietig over is.

2   Waarschijnlijk niet. In de tekst staat: 'Wat zou je doen als ...' De zanger fantaseert hoe het meisje zou reageren als ze elkaar weer zouden ontmoeten. In zijn fantasie stelt hij haar vragen: 'Zou je lachen, zou je schelden ...?', enzovoort. Aan het eind van het lied geeft hij zelf antwoord op die vragen: 'Je zou lachen, je zou schelden ...', enzovoort. Hij weet dus dat ze erg boos zou zijn en dat maakt een ontmoeting niet waarschijnlijk.

3   b. De 'ik' zingt steeds weer: 'Liefste, ... wil je met mij mee naar huis toe gaan?' Hij spreekt de vraag niet uit, dat doet het meisje pas aan het eind van het lied: 'De vraag die op mijn lippen brandt, heb jij allang verwoord.'

Taak 3
Opdracht 1
1 b; 2 b; 3 a

Opdracht 2
1 Het Wilhelmus; 2 1932; 3 Prins Willem van Oranje; 4 Ave Maria, Time to say goodbye, Waarheen, waarvoor, Op rode rozen vallen tranen; 5 de Rockacademie in Tilburg; 6 dancemuziek; 7 een hele nacht, acht uur lang; 8 viool; 9 de Nederlandse Muziek Prijs; 10 Tilburg, Amsterdam, Rotterdam, Den Haag; 11 Normaal; 12 Drents; 13 In het dialect kunnen zij hun gevoel makkelijker uitdrukken dan in het Nederlands.

Taak 4

Opdracht 3

1

	popkoor Remix	operakoor Euterpe	popkoor Dijksound	Smart-lappenkoor	Slavuj	Koningin-nenkoor
geslacht	mannen vrouwen	vrouwen mannen	mannen vrouwen	vrouwen mannen	vrouwen mannen	vrouwen
leeftijd	ongeveer 30-50 jaar	bijna alle-maal ouder dan 65 jaar	ongeveer 30-40 jaar	ongeveer 40-60 jaar	ongeveer 25-40 jaar	ongeveer 35-55 jaar
uiterlijk	witte truien of bloezen en spijker-broeken	witte bloezen, veel brillen	rode bloezen en gele bloezen	rood en zwart	van alles, niet in één kleur	ze dragen allemaal een kroontje en er is veel oranje
manier van bewegen en kijken	ze swingen een beetje; ze kijken vrolijk	ze bewegen niet; ze kijken ernstig	ze swingen, klappen in hun handen; ze kijken neutraal	ze bewegen een klein beetje; ze kijken ernstig; af en toe lacht er iemand	ze bewegen bijna niet; ze kijken ernstig; de dirigent doet soms zijn ogen dicht	ze bewegen een beetje, bij het laatste lied bewegen ze meer; ze kijken ernstig, een paar kijken vrolijk

2 Bij het Koninginnenkoor.
3 Een piano.
4 Een accordeon. Er is ook een tuba, maar die hoor je eigenlijk niet.

HOOFDSTUK 23

Taak 1

Opdracht 3

1 Elke dag. Ze halen herinneringen op aan Turkije en aan de eerste tijd dat ze hier woonden.
2 Eén of twee keer per week.
3 Zijn schoonouders.
4 Iedere week.
5 Ieder weekend.
6 Haar familie in Keulen ziet zij het vaakst. Ze praten over van alles; over dingen die ze met hun ouders niet kunnen bespreken

Taak 2

Opdracht 2

2 16.192.572 inwoners.

Opdracht 3

1 Ruim 30%.
2 Vrouwen.
3 Ruim 80 jaar.
4 Doordat de gezondheidszorg en de levensomstandigheden sinds de eerste helft van de twintigste eeuw sterk verbeterd zijn.
5 Doordat het percentage ouderen in Nederland sneller groeit dan het percentage jeugdigen.
6 In 2050 zal het aantal 65-plussers ongeveer 40% zijn.

Taak 4

Opdracht 2

1 a; 2 b; 3 b; 4 a

Opdracht 3

Wie is Annelies?
Hoe maakt men in Nederland meestal een overlijden bekend?
Drinkt men na de begrafenis of crematie koffie met elkaar?

Opdracht 4

1 a
2 Moslims begraven hun doden zonder kist, met het hoofd naar Mekka.

Opdracht 8.1

dansen

HOOFDSTUK 24

Introductie

1 Gewonden brand in Amsterdam. Helft Nederlanders somber over eigen financiën. NS denken over luxe treinen.
2 Vrouw springt van flat op motorrijder. Woning vol dode dieren. Vuilnisbakken op Schiphol vol drugs.

Taak 1
Opdracht 3

Tekst 1

Dader: 36 jaar oud, komt uit Klundert. Is veroordeeld tot 18 jaar gevangenis-straf, had misschien een seksuele relatie met het slachtoffer en was misschien betrokken bij de handel in harddrugs.
Slachtoffers: vrouw, 23 jaar oud, prostituee, komt uit Litouwen. Had misschien een seksuele relatie met de dader en was misschien betrokken bij de handel in harddrugs.
Het dochtertje van de vrouw, 2 jaar oud.
Gebeurtenis: De vrouw werd eerst neergestoken, daarna gewurgd met een audiokabel. Het kind werd bedwelmd met chloroform en daarna gedood met een panty. Misschien heeft de dader de woning in brand gestoken om de sporen van zijn misdaad uit te wissen. De dader had veel gedronken en een grote hoeveelheid drugs gebruikt.

Tekst 2

Dader: een inwoner uit Klundert. Is veroordeeld tot 18 jaar gevangenisstraf.
Slachtoffers: vrouw, buurvrouw van de dader, en haar dochtertje van 2 jaar.
Gebeurtenis: De vrouw werd neergestoken, daarna gewurgd met een audiokabel. Het kind werd eerst bedwelmd met chloroform en daarna met een panty gedood. De woning werd in brand gestoken om de sporen uit te wissen. De dader had gedronken en een grote hoeveelheid harddrugs gebruikt.

Taak 2
Opdracht 1
1   Het journaal.
2   Nederland 1: 20:00 (Journaal). Nederland 3: 18:49 (Jeugdjournaal). RTL 4: 18:00 (RTL Nieuws), 18:10 (Editie NL), 19:30 (RTL Nieuws).

Taak 3
Opdracht 1
1   Get the picture en Lingo.

Opdracht 3
1
Goed: achttien; volledig; plotseling; generatie; portie; file; conducteur; verzekeringspolis.
Fout: hondert; babies; interressant; chaufeur; dicsipline; baggage; millieu.

2
1 hand; 2 pot; 3 blauw; 4 vinger; 5 voet; 6 schouders; 7 kastje; 8 hoofd; 9 vat; 10 sterren; 11 zetten; 12 klap; 13 laat; 14 brandt; 15 maat.

5

Het is 20 juli. Eva en Pieter zijn vijfentwintig jaar getrouwd, **dus** ze geven een groot feest. Ze hebben hun familie en al hun vrienden een uitnodiging **gestuurd** om naar café Het Kalfje te komen. Eva en Pieter zijn al vroeg aanwezig en **wachten** op de gasten. Al snel is het druk en gezellig. Het wordt een heerlijke avond. Maar als Eva en Pieter **thuiskomen**, blijkt dat er een dief in hun huis is geweest. Wat een chaos! De televisie, een schilderij en nog andere kostbare dingen **zijn** gestolen. Gelukkig **vergoedt** de inboedelverzekering de schade. Zo hebben Pieter en Eva dus goede en slechte herinneringen **aan** hun trouwdag.

Taak 4
Opdracht 2
1 c; 2 b; 3 a

HOOFDSTUK 25

Taak 2
Opdracht 1
1   a
2   Via internet (www.reiswinkel.nl), via 030-8889211 of in de reiswinkel.

Taak 3
Opdracht 3

Cursist A/tekst 1
1   Ja.
2   Een cursus conditiezwemmen en een cursus zwemslagen.
3   De cursus conditiezwemmen kost € 63,50 voor 10 maanden (september-juni), € 46,- voor 6 maanden (januari-juni) of € 28,50 voor 3 maanden (april-juni). De cursus zwemslagen kost € 15,- voor zes lessen.
4   Conditiezwemmen: woensdagavond, 21.15-22.15 uur. Zwemslagen: vrijdagavond, 20.15-21.45 uur.
5   Het Sloterparkbad is een van de modernste zwembaden van Europa.
6   Bij de balie van het zwembad, je hebt een geldig legitimatiebewijs nodig.

Cursist B/tekst 2
1   Ja.
2   Je moet een afspraak maken voor persoonlijke begeleiding.
3   Je kunt op zondag sporten, maar niet als je persoonlijke begeleiding wilt.
4   Je hebt nodig: sportkleding, schone sportschoenen en een handdoek.
5   Fitness kost € 45,- per maand of € 240,- per zes maanden.

Taak 4

Opdracht 3
* De camera is bijzonder makkelijk te bedienen.
* Je kunt je foto's meteen op het beeldscherm bekijken.
* Je kunt de foto's die je niet goed vindt, direct verwijderen.
* Je kunt foto's opslaan op de computer, om ze vervolgens te kunnen afdrukken of versturen.

Opdracht 4.3
1 Zet; 2 schuift; 3 Druk; 4 drukt; 5 Schuif; 6 gebruikt; 7 Zet; 8 Steek; 9 Steek; 10 aan; 11 Breng; 12 opslaan; 13 zetten; 14 versturen.

Slot

1
Moeder: zingen, tennis, fitness, schaatsen.
Vader: zingen, tuinieren, schaatsen.
Zoon 1/Joris: voetbal, tennis, muziek maken, schaatsen.
Zoon 2/Mark: tennis, muziek maken, schaatsen, fietsen.
Dochter/Dorien: tennis, muziek maken, dansen, schaatsen.
3 Ze dragen klederdracht. De kleding past bij de liederen die gezongen worden.
4 Hij is schaatsen aan het slijpen (= scherp maken).
5 Cello, gitaar, piano, keyboard.

HOOFDSTUK 26

Taak 2

Opdracht 3
Het eerste advies is fout. Veel sinaasappelsap drinken is niet goed. Dat is zuur en dan krijg je weer last van je maag.

Taak 3

Opdracht 2
1 Woorden waarvan ik de Nederlandse vertaling niet weet, opzoeken in mijn woordenboek. Opschrijven welke vragen ik aan de dokter wil stellen.

Taak 4

Opdracht 1
* Als je te veel wilt doen in te weinig tijd.
* Relatieproblemen.
* Voortdurend lawaai in je omgeving.
* Wanneer je werkgever te hoge eisen aan je stelt.

Opdracht 5
1 Saskia denkt dat ze misschien een hersentumor heeft. De dokter denkt dat ze last heeft van stress en dat ze te veel met de computer werkt.
2 Saskia heeft geen ernstige slaapklachten.
3 Een manueel therapeut zal met zijn handen bepaalde spieren proberen los te maken (manueel = met de handen). Bij Saskia gaat het om haar nekspieren.
4 De dokter verwijst Saskia naar een manueel therapeut om haar nek-spieren los te laten maken. Verder moet ze op haar werk gaan praten om het werk wat makkelijker te maken: minder beeldschermwerk en minder stress.
5 Saskia moet terugkomen als de klachten, na de aanpassingen op het werk en de manuele therapie, niet verdwijnen.

HOOFDSTUK 27

Taak 1
Opdracht 1
1 b; 2 a; 3 b; 4 a

Opdracht 2
4 – 3 – 1 – 5 – 2

Taak 2
Opdracht 1
Touwtrekken

Taak 3
Opdracht 2.1
1 – 5 – 3 – 2 – 4

Opdracht 2.2
1 Een Engelse wielrenner die op de Mont Ventoux overleed (door de hit-te, te weinig vocht en het gebruik van doping).
2 Beide stoffen verbeteren de prestaties. Het is moeilijk om aan te tonen dat je de stoffen hebt gebruikt, omdat je lichaam zelf ook die stoffen maakt.
3 Het vormt geen gevaar voor de gezondheid.
4 Er staat niet alleen op de WADA-lijst welke stoffen verboden zijn, maar ook bij welke sporten dat het geval is en welke hoeveelheid ver-boden is.
5 Men is het er nog niet over eens welke stoffen als doping beschouwd moeten worden.

Taak 4

Opdracht 7

Positief (+)

- een fantastische tijd
- wat een formidabele race
- gewoon topvorm
- het gaat fantastisch
- ik was hartstikke blij

Negatief (-)

- niet helemaal fijn
- ik was zo zuur
- ik was echt op mijn tandvlees

HOOFDSTUK 28

Introductie

Opdracht 1

1

- Via een advertentie in de krant.
- Via contacten van eigen personeel.
- Via relaties buiten het bedrijf.
- Via uitzendbureaus.
- Via open sollicitaties.
- Er werden advertenties geplaatst op het internet.

2   Je solliciteert bij een bedrijf of organisatie zonder dat je weet of ze iemand nodig hebben.

Taak 1

Opdracht 1

Een sollicitatiebrief met cv opsturen.

Opdracht 2.1

1 Persoonlijke gegevens; 2 Opleiding; 3 Werkervaring; 4 Overige ervaring; 5 Talen; 6 Hobby's

Opdracht 2.2

1   Duidelijke en positieve taal gebruiken: wel doen
2   Alleen relevante informatie geven: wel doen
3   Het cv laten controleren door iemand die heel goed Nederlands schrijft: wel doen
5   Het cv met de hand schrijven: niet doen
6   Een heldere lay-out maken: wel doen

Opdracht 2.3
1 c; 2 d; 3 a; 4 b

Opdracht 3
1   Je eigen naam, adres, postcode en woonplaats.
    Naam bedrijf, t.a.v.+ naam contactpersoon, adres, postcode en
    woonplaats.
2   Plaats en datum.
    Betreft + onderwerp + vacaturenummer of plaats en datum van
    advertentie.
3   Geachte + mevrouw/meneer + naam, of: Geachte heer/mevrouw,
    Vertel waarom je schrijft: geef aan op welke vacature je solliciteert.
4   Schrijf waarom je geïnteresseerd bent in deze functie, bij dit bedrijf.
    Schrijf waarom je geschikt bent voor deze functie: gebruik de belang-
    rijkste informatie uit je cv om duidelijk te maken wat je te bieden
    hebt. Beschrijf de kwaliteiten en eigenschappen die je geschikt maken
    voor deze functie.
5   Positieve afsluitende zin.
    Met vriendelijke groet, of: Hoogachtend,
6   Je handtekening.
    Je naam.
    Bijlage: curriculum vitae.

Taak 2
Opdracht 3.1
Bij vraag 20 kun je bijvoorbeeld vragen:
*   Kunt u mij nog iets meer vertellen over de inhoud van het werk?
*   Is er kinderopvang binnen het bedrijf?
*   Zijn er binnen het bedrijf mogelijkheden tot bijscholing?
*   Hoe verloopt de verdere procedure?

Taalbeschouwing: Woorden leren (2)
1 b; 2 b; 3 c

Taak 3
Opdracht 3
1   Oké, zullen we beginnen?
2   Er zijn eigenlijk drie punten die ik graag even met jullie zou willen
    bespreken.
3   Dus.
4   Nou, dan zijn we eruit.

Opdracht 4

1   Alexander, ik geef jou het woord.
2   Alexander, wat vind jij ervan?
3   Als er verder geen vragen meer zijn, dan zijn we klaar.
4   Ik ben het met je eens.
5   Ik vind dat niet goed.

Taak 4

Opdracht 2

1   Dit artikel gaat over een jongen die na de toneelschool een eigen toneelgroep opricht.

Opdracht 5

1

Tekst 2	Je loopbaan beginnen met een functie buiten je studierichting.
Tekst 1	Na je opleiding kiezen voor een vrij beroep.
Tekst 3	Ontslag krijgen.
Tekst 2	Studeren en erbij werken.
Tekst 2	Toevallig de juiste vraag op het juiste moment stellen.
Tekst 3	Een beroep niet mogen kiezen.
Tekst 1	Een tweede baan erbij nemen voor het geld.
Tekst 2	Mogelijkheden zien om carrière te maken bij je eerste werkgever.
Tekst 3	Werken en erbij studeren.

2

Tekst 1	de idealen en ideeën van ouders
Tekst 2	ontwikkelingen in de economie, het toeval
Tekst 3	ontwikkelingen in de economie, de idealen en ideeën van ouders, het werk van de partner

HOOFDSTUK 29

Introductie
Opdracht 2
1 b

Taak 1
Opdracht 2
1 b; 2 a

Taak 2
Opdracht 1
1   b

2   De held niest het meisje onder het snot.
     De held niest alleen in het boek van de verteller.

Opdracht 7
1   Imperfectum.
2   Een aantal jaren geleden; Ondertussen; Toen; Op dat moment; Later;
     De rest van de vakantie; Jaren later.

HOOFDSTUK 30

Taak 2
Opdracht 2.1
1 a; 2 a; 3 b; 4 b; 5 b; 6 a

Opdracht 2.2
1
- Katholieken vereren Maria als heilige, protestanten niet.
- Katholieken hebben een paus. Deze is volgens hen de vertegenwoordiger
  van God op aarde. Protestanten kennen geen paus.
2   Een protestantse kerk is veel soberder dan een katholieke kerk
3   Doordat mensen die niet gelovig zijn opgevoed, vragen hebben over
     het leven en de dood en over wat goed en kwaad is. Ze zoeken naar
     antwoorden in de religie.
4   Katholieken, protestanten, joden en moslims.

Opdracht 3
1   Limburg.
2   Friesland.
3   In zeven provincies is het percentage katholieken het hoogst. In één
     provincie is het percentage protestanten het hoogst.
4   Noord-Holland.
5   Noord-Holland en Groningen.
6   In de meeste provincies wonen meer mensen die gelovig zijn.

Taak 4
Opdracht 3.1
1   Vier fases.
2   De tweede fase is het moeilijkste.
3   Het taalleren gaat in de eerste fase het snelst.
4   In fase twee gaat het niet zo makkelijk.
5   We spreken van en cultuurschok als iemand in een nieuw land veel
     dingen ziet die hij niet begrijpt, waar hij het niet mee eens is of waar
     hij kritiek op heeft.
6   Deze man zou in fase vier kunnen zitten.

OVERZICHT VAN REGELS OP ALFABETISCHE VOLGORDE

OVERZICHT VAN REGELS PER ONDERWERP

Er

OVERZICHT VAN REFLECTIEKADERS PER HOOFDSTUK

Hoofdstuk en titel

16 De rol van grammatica bij het leren van een taal
17 Preposities
18 Woorden leren (1)
19 Leren spreken en fouten maken
20 Luistervaardigheid
21 Van wie leer je Nederlands?
22 Accent
23 Het gebruik van woordenboeken
24 Nederlands lezen buiten de les
25 Nederlands leren en je moedertaal
26 Schrijven
27 Uitspraak
28 Woorden leren (2)
29 Een taal leren met behulp van de computer
30 Hoe is mijn Nederlands nu?

WOORDENLIJST PER HOOFDSTUK

Hoofdstuk 16

aandacht, de
aangeboren
aankomst, de
absoluut
afwassen
als
bedenken
beide
beleefd
bescheiden
boos
bos, het
cadeau, het
cijfer, het
communiceren
dominant
dromen
duidelijk
dun
eerder
eigenschap, de
eigenzinnig
emotie, de
emotioneel
enig
flexibel
foto, de
fotograaf, de
geestig
gelden
genuanceerd
gillen
grap, de
hand, de
helemaal
hoewel
huilen
identiteit, de
indruk, de
inzien
jeugd, de
klassiek

koel
kruipen
kwetsbaar
machteloos
media, de
mens, de
moeder, de
noemen
nuchter
omhoog
ontslag, het
ontstaan
ontwikkelen
ontzettend
onzeker
oordeel, het
optimistisch
overtuigen
personalia, de
pesten
populair
puberteit, de
publiek, het
reactie, de
reden, de
rijk
rugzak, de
schreeuwen
schrikken
serie, de
situatie, de
slinger, de
spel, het
stellen
succes, het
teleurgesteld
terugkomen
traan, de
traditioneel
tweeling, de
typering, de
uit (het is uit)
uitwisselen

verhaal, het
verliezen
verrassing, de
vertrouwen, het
vliegveld, het
voelen (zich)
voornamelijk
voorstelling, de
vrijheid, de
weer
weten
winnen
zakken
zoals
zorgzaam

Hoofdstuk 17

achtergrond, de
arbeider, de
argument, het
beek, de
beheren
bejaarde, de
bereiken
berg, de
beschermen
beschikbaar
beschrijven
bewust
boer, de
bord, het
bouwen
buitenlander, de
dijk, de
discussie, de
doel, het
doordat
eiland, het
energie, de
flink
geul, de
gevaarlijk
geweld, het

heide, de
herinneren (zich)
hond, de
internationaal
invloed, de
inwoner, de
kabel, de
kanaal, het
kat, de
kerncentrale, de
knuffelen
koe, de
konijn, het
kooi, de
kraan, de
lamp, de
landbouw, de
landschap, het
laten
lawaai, het
merken
middel, het
molen, de
nadeel, het
ongedierte, het
opkomen voor
organisatie, de
overbrengen
overeenkomst, de
overleggen
platteland, het
professioneel
publiciteit, de
rand, de
rat, de
rivier, de
rust, de
samenleving, de
schildpad, de
sigaret, de
slang, de
slee, de
slingeren

spectaculair
spiegeling, de
springen
stichting, de
stilte, de
stimuleren
streek, de
stromen
tandenpoetsen
terechtkomen
uitbreiden
uitdoen
uitlaten
uitmonden
uitslijten
verbazen
vereniging, de
verzorgen
vies
vlak
vogel, de
voorziening, de
waarde, de
weiland, het
wet, de
winter, de
zacht
zand, het
zee, de
ziekte, de
zwemmen

Hoofdstuk 18
aanpassen
aanrecht, het
aansprakelijk-
  heid, de
aantreffen
afschuwelijk
afwasmachine,
  de
agressief
anderzijds
asociaal
bedreigen

beëindiging, de
begrafenis, de
belachelijk
bewijs, het
bijtrekken
binnenstad, de
bord, het
borstel, de
bovendien
dekken
dief, de
doe-het-zelf
doek, de
doortrekken
dreunen
enerzijds
ernstig
fornuis, het
geachte
gedrag, het
geestelijk
gehorig
gering
gezondheidszorg,
  de
gooien
handelen
hoogachtend
hout, het
huiselijk
huisvrouw, de
ijsblokje, het
inboedel, de
ingewikkeld
kant-en-klaar-
  maaltijd, de
klagen
kwijt
letterlijk
maatschappij, de
magnetron, de
melding, de
moe
motorrijtuigen-
  verzekering, de

nauwelijks
normaal
omheen
ondanks
ophouden
opruimen
oven, de
overleg, het
plafond, het
plank, de
plicht, de
poep, de
premie, de
product, het
rechter, de
schelden
sleutel, de
slot, het
stank, de
stinken
stofzuigen
strijken
tegen
totdat
trots
tussenstop, de
veilig
verdelen
vergoeden
veroorzaken
verschonen
verslaafd
verwaarlozing,
  de
verzekeren
vloerbedekking,
  de
voorgoed
voorkomen
voorwaarde, de
vriezer, de
vuil, het
waarschuwen
wettelijk
zeep, de

ziektekosten, de
zodat
zulk

Hoofdstuk 19
allergie, de
behoefte, de
beleid, het
bepaald
bereiden
bezit, het
bioloog, de
bloemkool, de
breedte, de
cel, de
chocolade, de
conclusie, de
consumptie, de
criminaliteit, de
dadelijk
drank, de
erfelijk
evenwicht, het
gaar
gedogen
gemiddeld
gen, het
generatie, de
genetisch
genotmiddel, het
gewoonte, de
gezondheid, de
grof
haring, de
hoofd, het
ingrediënt, het
ingrijpen
inleiding, de
jenever, de
journalist, de
kleed, het
kou, de
kweken
legaal
leggen

lepel, de
mengen
mie, de
ontdekken
onvergelijkbaar
oorspronkelijk
oosters
oplossen
opvallen
organiseren
organisme, het
paksoi, de
percentage, het
pit, de
plant, de
produceren
productie, de
rauw
recept, het
rest, de
risico, het
roerbakken
salade, de
schijf, de
schillen
slap
sloom
soep, de
souvenir, het
speciaal
specialiteit, de
spruitje, het
staart, de
strijd, de
techniek, de
technologie, de
tekort, het
toetje, het
tolerant
ui, de
van tevoren
vangen
vaststellen
vat, het
veld, het

verbieden
verdwijnen
vermageren
versieren
verstoren
vlag, de
voeding, de
voedsel, het
voorverwarmen
vuur, het
weergeven
westers
wok, de
zomaar

Hoofdstuk 20
aankleden
aanleggen
aantekeningen,
 de
accu, de
afloop, de
afstand, de
automobilist, de
bagage, de
bagageband, de
beloven
bereikbaar
bestemming, de
beweren
bezorgd
bieden
bijrijder, de
bil, de
blik, de
bom, de
boord (aan
 boord), de
branden
breken
brengen
circa
conducteur, de
doorgeven
draaien

eentje
eenvoudig
eindigen
ellende, de
enorm
garage, de
geluk, het
gezeur, het
herstellen
hoek, de
ineens
juist
kenteken, het
klap, de
knikken
krap
landen
landingsgestel,
 het
leeg
lidmaatschap,
 het
liften
losmaken
meemaken
motor, de
nadat
nat
omroepen
onderdeel, het
ondertiteling, de
ongerust
onmiddellijk
opbergen
opladen
optellen
overstappen
pardon
parkeerplaats, de
particulier
passagier, de
pech, de
plotseling
regio, de
reiziger, de

rook, de
schaatsen
schoot, de
stappen
starten
stempel, de
stil
takelwagen, de
tegenkomen
tegenligger, de
toelichten
totaal
triest
trillen
uitgang, de
uitzetten
verbeteren
verlaten
verslijten
vervoermiddel,
 het
vervolg, het
vervuiling, de
vliegen
vlucht, de
vreemd
wegenwacht, de
winkelen
zeker
zichtbaar
zoiets

Hoofdstuk 21
aankoop, de
achteraf
achterop
afdingen
afhalen
alledaags
armband, de
artikel, het
asfalt, het
beschrijving, de
besluit, het
blut

bobbel, de
boekenbon, de
bos, de
boven
brommer, de
camera, de
cent, de
deodorant, de
doelgroep, de
doorbrengen
downloaden
droom, de
envelop, de
eventueel
feilloos
gaaf
gas, het
gel, de
gelegenheid, de
gemakkelijk
giro, de
goud
heer, de
helm, de
hip
impulsief
introduceren
inventarisatie, de
karakteriseren
kenmerk, het
koopjesjager, de
kosten
langs
lijst, de
loon, het
loslaten
machine, de
mee-eten
meenemen
nogal
ongemakkelijk
opeten
parfum, het
polder, de
portie, de

presentator, de
puber, de
puist, de
remmen
rondkijken
rot
scooter, de
snelheid, de
spiegel, de
spijbelen
sport, de
spuiten
stoep, de
testen
top, de
totaal, het
trend, de
troep, de
truttig
twijfelen
type, het
uit elkaar vallen
uitgave, de
uitmaken (het
  maakt niet uit)
uitpakken
uitsteken
vaas, de
vegetarisch
vriendenprijsje,
  het
zaak, de
zilver
zolang
zonnebril, de

Hoofdstuk 22
aanbod, het
aap, de
academie, de
accent, het
artiest, de
band, de
bas, de
basis, de

bassist, de
beroemd
bespelen
betoveren
boeien
buurthuis, het
componist, de
dialect, het
directeur, de
dirigent, de
divers
durven
elektrisch
exemplaar, het
geliefd
geschiedenis, de
gezicht, het
gitaar, de
haast, de
hardop
held, de
herinnering, de
hit, de
hoofdstad, de
ijzel, de
instrument, het
interactie, de
jaargetijde, het
janken
kennis, de
koningin, de
koor, het
lievelingsliedje,
  het
maat, de
magazine, het
melodie, de
mixen
mogelijkheid, de
multicultureel
nationaal
officieel
onderhoud, het
opmerking, de
oprichten

optreden
opzetten
oranje
orgel, het
overkant, de
overledene, de
permanent
plaat, de
pont, de
pop
popster, de
presteren
prijs, de
prins, de
provincie, de
quiz, de
religieus
ritme, het
roos, de
smaak, de
spekglad
stadion, het
toernooi, het
tof
toon, de
tot
uitdelen
uitspraak, de
uniek
vals
vanuit
verdrietig
verhuren
verlichten
verplaatsen
verwijzen
verwoorden
vinger, de
viool, de
vloeken
volkslied, het
volstromen
vrijetijdsbeste-
  ding, de
wijden

zang, de
zuiver

Hoofdstuk 23

- aankondiging, de [announce / shelter]
- aanleunwoning, de [shelter]
accepteren
afname, de
afpakken
afscheid, het
amper
begraafplaats, de
begraven
beslissing, de
bestuderen
bevolking, de
- bezigheid, de [occupation / employment]
- chagrijn, de [vexation]
condoleren
crematie, de
crematorium, het
cremeren
- daling, de [descent]
- dierbaar [beloved]
discussiëren
- dwingen [force / compel]
- fase, de [stage]
gedachte, de
- geruststellen [reassure]
golf, de
graf, het
grafiek, de
grootmoeder, de
grootouders, de
- heden [present / today]
- heengaan [pass away]
integratie, de
- intens [intense]
- jeugdige, de [youthful]
- kalm [calm]
kerkdienst, de
- kil [channel / chilly]

kist, de [classmate]
- klasgenoot, de
klimmen
+ koppel, het [belt / leash]
- leider, de [leader]
meedelen
meerderheid, de
moskee, de
- naaste, de [neighbor]
- nabestaande, de [relation]
+ omstandigheid, de [circumstantial / detailed]
onderhandelen
ontvangst, de [receipt]
oorlog, de
opbouw, de
ophangen
- opknappen [tidy-up]
oppassen
- opvoeden [raise]
opvoeding, de
oudere, de
overgrootmoeder, de
overheid, de
pikken
+ plechtigheid, de [ceremony]
puzzelen
relatief
ritueel, het
- rouwen [mourn]
- samenstelling, de
samenvatting, de
- slaan [beat]
- slok, de [gulp]
- stelling, de [deposition]
+ sterfte, de [mortality]
+ stijgen [rise / mount]
+ straf, de [penalty]
tegenover
terug
toenemen
toespraak, de
- toppunt, het [summit]

uitmaken (deel ... van)
+ uitvaart, de [funeral]
uitvaartcentrum, het
- verdubbelen [double]
- vergrijzing, de [aging of population]
+ verheugen [rejoice]
+ verhouding, de [ratio / relationship]
- verplicht [compulsory]
- verslag, het [report]
vertaling, de
- verwachting, de [expectation]
- verwerken [work-up]
- verwesteren [westernize]
- voortdurend [continual]
- vormen [shape]
zakgeld, het
+ zalig [blessed]
- zodoende [in this way]
zorg, de

Hoofdstuk 24

aanhouden [sustain]
aanwijzen [show]
- aarzelen [waver / hesitate]
actie, de
afsluiten
angst, de
- asiel, het [asylum]
- bedwelmen [stun]
beest, het [animal]
- beperken (zich) [limit]
- beschaafd [civilized]
- beschouwing, de [contemplation]
binnenland, het
chaos, de
christelijk
commercieel
conservatief
crimineel, de
- dader, de [author]
- deelnemer, de [participant]
- deskundige, de [expert]
dictee, het

dienst, de
discotheek, de
doden
economisch
fijn
financieel
- gedragen (zich) [behave]
geloof, het
gevangenis, de
- glad [slippery]
glimlachen
globaal
graan, het
handel, de
- hoeveelheid, de [quantity]
instituut, het
- klus, de [odd job]
kostbaar [expensive]
liberaal
logo, het
luxe, de
maatregel, de
- maatschappelijk [social]
mes, het
motiveren
motor, de
- neersteken [stab]
objectief
- omroep, de [broadcast]
ontspannen
opinie, de
- panty, de
paradijs, het
perfect
- pers, de [he is at press]
persoonlijkheid, de
progressief
prostituee, de
rechtbank, de
regionaal
- schandalig [disgraceful / scandal]
score, de
seksueel
sensationeel

socialistisch
somber
spoor, het
standaard, de
status, de
stijl, de style
systeem, het
term, de
tijdschrift, het
toepassen
uitgebreid comprehensive
uitstekend
uitwissen wipe out
uitzending, de broadcast
vaardigheid, de skill
variant, de
vastleggen tie-up
verdelen share
veroordelen condemn
verwarrend entangle
verzuiling, de compartmentalization
vierkant, het
voorlezen
voorpagina, de
vreugde, de joy
vrijspreken
weigeren refuse
westelijk western
wurgen strangle
zakelijk essential
zender, de transmitter
zicht, het in sight
zover so far

Hoofdstuk 25

aanmelden
aansluiten connect
afdrukken
afvallen
arbeid, de
bedienen operate
begeleiding, de accompaniment
belasten burden
bewonen inhabit
bezoeken

bladzijde, de
boeken
boksen
bruisend bursting w/ life
cello, de
club, de
constructie, de
creativiteit, de
diagram, het
digitaal
diner, het
drogen
eenmaal
eethuisje, het
eeuwenoud
eveneens
fanatiek
fotograferen
fotografie, de
frequentie, de
gebruiksaan-
  wijzing, de
gedeelte, het for the greater part
geopend (zijn)
gids, de
gloednieuw brand new
handdoek, de
historisch
houding, de
huishoudelijk
ijsbaan, de
ijverig
inclusief
indrukken
kleding, de
knop, de
kroeg, de pub
kunstijs, het
lichamelijk corporeal bodily
lieverd, de
logeren
lui
Middeleeuwen,
  de
moestuin, de kitchen garden

onzin, de
opgaan
opname, de
opslaan put on
presenteren
piramide, de
rots, de rock
ruimte, de
schaars scarce
schakelaar, de switch
schip, het
schitterend
schoon
schuiven
serieus
slechts
stand, de attitude
steken
stekker, de plug
stress, de
tellen
tenslotte
terras, het
toerist, de
toeristisch
toets, de
trainen
tuinieren
uiterst extreme
vasthouden get used to
verbinding, de
verblijven
verdwalen go astray
vermoeiend tiring
vertrek, het
verwennen indulge
verwijderen
voldoening, de satisfaction
volk, het group of people
volop plenty of
waddeneiland,
  het
weergave, de reproduction
zeldzaam exceptionally
zodra as soon as

zwaan, de
zwembad, het
zwemslag, de

Hoofdstuk 26

aangeven
aankijken
alcohol, de
alsof as if
alternatief, het
arts, de
behandeling, de
beroerd unpleasant
berucht notorious
beschouwen
bestrijding, de fight
bevalling, de delivery
boete, de
bonken thump
cardioloog, de
concentratie, de
concentreren
consequent
crème, de
diabetes, de
diagnose, de
diarree, de
dodelijk
doorgaan
drogist, de
dronken
druk
effectief
functioneren
gek
gerecht, het
griep, de
halfzacht 1/2 baked
herkomst, de origin
hersentumor, de
intensiteit, de
irritatie, de
kenmerkend characterize
kennelijk clearly
kraal, de bead

laatst
leidinggevende, de *executive*
lever, de *liver*
lijden
lijk, het
mate (met mate), de
medisch
moeite, de *trouble*
nader *further/more*
nauwkeurig *exact*
neiging, de
nek, de
oppassen
opspelen
overgeven
overgewicht, het
overigens *afterall*
overmatig *stronger*
pauze, de
pil, de
prik, de
psychisch
psychologisch
raken
rangorde, de *order*
reclame, de
redactie, de
redeneren *reason*
schadelijk
schema, het
schouderblad, het
slap
spanning, de
specialist, de
staat, de *state*
stijf *stiff*
tand, de
tentamen, het *preliminary*
terugdringen *push back*
test, de
therapeut, de
therapie, de

exception uitzondering, de
verbergen *hide*
verbinden *join*
verbod, het *ban*
verhogen *heighten*
vitamine, de
volkomen
volwassen
voorlichting, de
voorlopig *provisional*
vrijen *for the time being*
wereldwijd
werkgever, de
zeer
zogenaamd
zwak *weak*

Hoofdstuk 27
aangezien *since*
aanmoedigen *encourage*
aantonen *demonstrate*
aldoor *all the time*
alinea, de *paragraph*
amateur, de
arm, de
arrogant
bal, de
bevriezen *freeze*
bijkomen
blessure, de
blijdschap, de *joy*
bond, de
citaat, het *quote*
combinatie, de
competitie, de
controle, de
criterium, het
dalen *descend*
definitief
donker
doping, de
elftal, het *11*
enthousiasme, het
etappe, de *stage*

finale, de
formidabel
fractie, de
heleboel *many*
hetgeen *that which*
hitte, de *heat*
indertijd *at the time*
individueel
inspanning, de *exertion*
interview, het
kampioen, de
keerpunt, het *turning point*
keihard *stone hard*
klank, de *sound*
klok, de
koning, de
koninklijk
kracht, de *power energy*
kritiek, de
kwestie, de
langzamerhand
marathon, de
materiaal, het
militair, de
mineraal, het
muur, de
oor, het
oplopen *rise*
paard, het
park, het
partij, de
plassen
poetsen *polish*
record, het
roepen
route, de
samenwerking, de
scheidsrechter, de *referee*
scoren
slikken *swallow*
soldaat, de *soldier*
sponsor, de
stemming, de
stijgijzer, het *crampon*

stof, de
subjectief
supporter, de
surfen
tegenstander, de
terecht *justly*
tocht, de *journey*
toekijken
toevallig *accidental*
touw, het *rope*
trappen
uitdaging, de *challenge*
uithoudings-vermogen, het *stamina*
uitslag, de *result*
urine, de
verering, de *worship*
vergelijkbaar *comparable*
vergissen *mistake*
verliezer, de *loser*
verslaggever, de *reporter*
vervangen *take the place of*
vocht, het *fluid*
vrijwel *cured, pretty well*
weglaten
weleens
wielrenner, de *racing*
winnaar, de *cyclist*

Hoofdstuk 28 X
aannemen
aanspreken
acteur, de
advocaat, de
aflossen
afremmen
afzeggen
antwoordapparaat, het
beheersen
beseffen
betreffen
bijbaan, de
bijeenkomst, de
bijlage, de

bureau, het
carrière, de
chemisch
collectief
commentaar, het
coördinator, de
dankzij
deelnemen
dergelijke (en
  dergelijke)
dierentuin, de
doorzettings-
  vermogen, het
duizendpoot, de
fabriek, de
functie, de
helder
horizontaal
inrichting, de
inspreken
jaartal, het
keuren
komend
kwaliteit, de
la, de
lastig
leerkracht, de
liegen
locatie, de
logisch
loopbaan, de
metaal, het
onderbouw, de
onderling
ondersteunen
ondertussen
opbouwen
opsturen
overig
pedagogisch
planning, de
portemonnee, de
positie, de
postbode, de
primair

prinses, de
profiel, het
project, het
promotie, de
promoveren
rapporteren
realiseren
recent
redacteur, de
regenboog, de
relevant
reorganisatie, de
secundair
steunen
stevig
stewardess, de
stof, de
technisch
tekenaar, de
ten slotte
toeval
toneel, het
uitgeverij, de
vacature, de
vakbond, de
vakgebied, het
verklaren
vermelden
verticaal
verzinnen
voorzitter, de
vrachtwagen, de
vrijwilliger, de
waarderen
werkelijkheid, de
werven
winkelketen, de
zakken

Hoofdstuk 29

aaien *caress*
aanbellen *announce*
aankondigen
aansteker, de *lighter*
actueel

afkomst, de *origin*
afspelen (zich) *play*
afstrijken
afvragen *demand*
angstig
asielzoeker, de
automatisch
bedrijvigheid, de *activity/stir*
bloot *naked/bare*
braaf
cabaret, het
cabaretier, de
climax, de
dieptepunt, het *lowest point*
documentaire, de
dom
doos, de
dreigen *threaten*
egoïsme, het
eigentijds *contemporary*
etnisch
faxen
flauw *faint/dim*
gierig *stingy*
gunnen *grant/not envy*
handicap, de
hoogtepunt, het
humoristisch
imam, de
inpakken
integreren *integrate*
kaal
kachel, de
koningshuis, het
krokodil, de
kwartaal, het *1/4*
lip, de
lucifer, de *match*
materiaal, het
minderheid, de
misplaatst *misplaced*
mop, de
niezen *sneeze*
omkeren *turn over*
omschrijving, de *definition*

oorsmeer, het *earwax*
opleveren *produce/yield*
opnemen
opzij *aside*
ordinair
pagina, de
patser, de *cad*
paus, de
plaatselijk
pot, de
president, de
priester, de
proces, het
profeet, de *profit*
racisme, het
racistisch
religie, de
respecteren
ring, de
schudden *shake*
sketch, de
smakeloos
smart, de
snot, het
spot, de *ridicule n sf*
stiekem *underhanded*
stoeien *frolic*
tapijt, het
teder *tender*
tegel, de
tegenslag, de *reverse*
traditie, de
uitgeput *worn-out*
uitspraak, de
verlangen, het *desire*
veroveren *conquer*
verspreiden *disperse/spread*
vlam, de *flame*
vlieg, de
vrucht, de
vurig *fiery*
wang, de *cheek*
weduwe, de *widow*
wijzen *to show*
zaal, de

zakdoek, de *hiepkerchief*

zedenmisdrijf, het *sexual offense*

zenuwen, de *nerves*

zoen, de *Kiss*

zojuist *just*

X **Hoofdstuk 30**

aanleiding, de *motive*

achterover

actrice, de

actualiteit, de

ambitieus

atheïstisch

balans, de

bedoeling, de

bedrijfsleven, het

bespreking, de

bestaan

besteden

bestuur, het

bevrijden

bewondering, de

bidden

bijbel, de

bijdehand

binden

blind

bureaucratie, de

chirurgie, de

christen, de

christendom, het

contributie, de

directie, de

dominee, de

doorstoten

dopen

factor, de

feit, het

formuleren

geest, de

geheel, het

gelovig

gevoelig

godsdienst, de

grondwet, de

heilig

hemel, de

herdenken

herkennen

illusie, de

indeling, de

jargon, het

kabinet, het

katholiek

kolonie, de

koran, de

ladder, de

lot, het

menopauze, de

migrant, de

minister, de

misverstand, het

noch

onthouden

ontkerkelijking, de

opening, de

opgeven

oppas, de

opvallend

opvangen

orthodox

overkomen

partij, de

plastisch

preek, de

principe, het

protestants

respect, het

rondvraag, de

schok, de

schorsen

sluiting, de

sober

staren

statistiek, de

stressbestendig

tegelijk

tegenvallen

toegeven

vanwege

vasten

verdragen

verenigen

verschillen

vertegenwoordiger, de

vijandigheid, de

vluchteling, de

voorstel, het

vreemdeling, de

vrijzinnig

watersnoodramp, de

wetenschap, de

zinvol

zodanig

zuurkool, de

WOORDENLIJST

De woorden met een ster (*) staan in de woordenlijst van P. de Kleijn en E. Nieuwborg, *Basiswoordenboek Nederlands*, Wolters-Noordhoff, Groningen 1996. De cijfers achter het woord verwijzen naar het hoofdstuk waarin het woord voor het eerst voorkomt.

A

	aaien	29	de	accu	20
	aanbellen	29		achteraf	21
het	aanbod	22	de	achtergrond	17 *
de	aandacht	16 *		achterop	21
	aangeboren	16		achterover	30
	aangeven	26	de	acteur	28
	aangezien	27 *	de	actie	24 *
	aanhouden	24	de	actrice	30
	aankijken	26 *	de	actualiteit	30
	aankleden	20 *		actueel	29
de	aankomst	16 *	de	advocaat	28
	aankondigen	29 *		afdingen	21
de	aankondiging	23		afdrukken	25
de	aankoop	21		afhalen	21
	aanleggen	20	de	afkomst	29
de	aanleiding	30 *	de	afloop	20
de	aanleunwoning	23		aflossen	28
	aanmelden	25	de	afname	23
	aanmoedigen	27		afpakken	23 *
	aannemen	28 *		afremmen	28
	aanpassen	18 *	het	afscheid	23 *
het	aanrecht	18		afschuwelijk	18
	aansluiten	25 *		afsluiten	24 *
de	aansprakelijkheid	18		afspelen (zich)	29
	aanspreken	28	de	afstand	20 *
de	aansteker	29		afstrijken	29
de	aantekeningen	20		afvallen	25
	aantonen	27		afvragen	29 *
	aantreffen	18	de	afwasmachine	18
	aanwijzen	24 *		afwassen	16
de	aap	22		afzeggen	28
	aarzelen	24 *		agressief	18
	absoluut	16 *	de	alcohol	26
de	academie	22		aldoor	27 *
het	accent	22	de	alinea	27
	accepteren	23		alledaags	21

de	bespreking	30 *	de	blessure	27	
	bestaan	30 *	de	blijdschap	27	
	besteden	30 *	de	blik	20 *	
de	bestemming	20		blind	30 *	
de	bestrijding	26	de	bloemkool	19	
	bestuderen	23		bloot	29	
het	bestuur	30 *		blut	21	
	betoveren	22	de	bobbel	21	
	betreffen	28 *		boeien	22	
de	bevalling	26		boeken	25	
de	bevolking	23 *	de	boekenbon	21	
	bevriezen	27	de	boer	17 *	
	bevrijden	30	de	boete	26	
	beweren	20 *		boksen	25	
het	bewijs	18	de	bom	20	
de	bewondering	30	de	bond	27	
	bewonen	25		bonken	26	
	bewust	17 *	de	boord (aan boord)	20 *	
de	bezigheid	23		boos	16 *	
het	bezit	19	het	bord (eten)	18 *	
	bezoeken	25 *	het	bord (plaat)	17 *	
	bezorgd	20	de	borstel	18	
	bidden	30 *	het	bos	16 *	
	bieden	20	de	bos	21 *	
de	bijbaan	28		bouwen	17 *	
de	bijbel	30		boven	21 *	
	bijdehand	30		bovendien	18 *	
de	bijeenkomst	28		braaf	29	
	bijkomen	27		branden	20 *	
de	bijlage	28	de	breedte	19	
de	bijrijder	20		breken	20 *	
	bijtrekken	18		brengen	20 *	
de	bil	20	de	brommer	21 *	
	binden	30 *		bruisend	25	
het	binnenland	24	de	buitenlander	17	
de	binnenstad	18	het	bureau	28 *	
de	bioloog	19	de	bureaucratie	30	
de	bladzijde	25	het	buurthuis	22	

C

het	cabaret	29	de	cardioloog	26
de	cabaretier	29	de	carrière	28
het	cadeau	16 *	de	cel	19
de	camera	21	de	cello	25

de	cent	21 *		de	concentratie	26
de	chagrijn	23			concentreren	26
de	chaos	24		de	conclusie	19 *
	chemisch	28 *			condoleren	23
de	chirurgie	30		de	conducteur	20
de	chocolade	19			consequent	26
	christelijk	24 *			conservatief	24
de	christen	30 *		de	constructie	25
het	christendom	30		de	consumptie	19
het	cijfer	16 *		de	contributie	30
	circa	20 *		de	controle	27
het	citaat	27		de	coördinator	28
de	climax	29		de	creativiteit	25
de	club	25 *		de	crematie	23
	collectief	28		het	crematorium	23
de	combinatie	27		de	crème	26
het	commentaar	28			cremeren	23
	commercieel	24		de	criminaliteit	19
	communiceren	16		de	crimineel	24
de	competitie	27		het	criterium	27
de	componist	22				

D

	dadelijk	19 *		het	dieptepunt	29
de	dader	24			dierbaar	23
	dalen	27 *		de	dierentuin	28
de	daling	23			digitaal	25
	dankzij	28 *		de	dijk	17
	deelnemen	28 *		het	diner	25
de	deelnemer	24		de	directeur	22 *
	definitief	27 *		de	directie	30
	dekken	18		de	dirigent	22
de	deodorant	21		de	discotheek	24 *
	dergelijke	28 *		de	discussie	17 *
	(en degelijke)				discussiëren	23
de	deskundige	24			divers	22
de	diabetes	26		de	documentaire	29
de	diagnose	26			dodelijk	26
het	diagram	25			doden	24 *
het	dialect	22			doe-het-zelf	18
de	diarree	26		de	doek	18
het	dictee	24		het	doel	17 *
de	dief	18 *		de	doelgroep	21
de	dienst	24 *			dom	29 *

E

F

het	interview	27	de	inwoner	17
	introduceren	21		inzien	16 *
de	inventarisatie	21	de	irritatie	26
de	invloed	17 *			

J

het	jaargetijde	22	de	jeugd	16 *
het	jaartal	28	de	jeugdige	23
	janken	22	de	journalist	19 *
het	jargon	30		juist	20 *
de	jenever	19			

K

	kaal	29	het	kleed	19
de	kabel	17		klimmen	23 *
het	kabinet	30 *	de	klok	27 *
de	kachel	29	de	klus	24
	kalm	23		knikken	20 *
de	kampioen	27	de	knop	25
het	kanaal	17		knuffelen	17
de	kant-en-klaar-maaltijd	18	de	koe	17 *
				koel	16
	karakteriseren	21	de	kolonie	30
de	kat	17 *		komend	28
	katholiek	30 *	het	konijn	17
het	keerpunt	27	de	koning	27 *
	keihard	27	de	koningin	22 *
het	kenmerk	21	het	koningshuis	29
	kenmerkend	26		koninklijk	27 *
	kennelijk	26 *	de	kooi	17
de	kennis	22 *	de	koopjesjager	21
het	kenteken	20	het	koor	22
de	kerkdienst	23	het	koppel	23
de	kerncentrale	17	de	koran	30
	keuren	28		kostbaar	24
	kil	23		kosten	21 *
de	kist	23 *	de	kou	19
	klagen	18 *	de	kraal	26
de	klank	27	de	kraan	17 *
de	klap	20 *	de	kracht	27 *
de	klasgenoot	23		krap	20
	klassiek	16	de	kritiek	27 *
de	kleding	25	de	kroeg	25

L

M

N

O

P

Q

R

S

de	score	24	de	sponsor	27
	scoren	27	het	spoor	24
	secundair	28	de	sport	21 *
	seksueel	24 *	de	spot	29
	sensationeel	24		springen	17 *
de	serie	16 *	het	spruitje	19
	serieus	25		spuiten	21
de	sigaret	17 *	de	staart	19
de	situatie	16 *	de	staat	26 *
de	sketch	29	het	stadion	22
	slaan	23 *	de	stand	25 *
de	slang	17	de	standaard	24
	slap (geestelijk)	19	de	stank	18
	slap (lichamelijk)	26		stappen	20 *
	slechts	25 *		staren	30 *
de	slee	17		starten	20
de	sleutel	18 *	de	statistiek	30
	slikken	27	de	status	24
de	slinger	16		steken	25 *
	slingeren	17	de	stekker	25
de	slok	23		stellen	16 *
	sloom	19	de	stelling	23
het	slot	18 *	de	stemming	27 *
de	sluiting	30	de	stempel	20
de	smaak	22	de	sterfte	23
	smakeloos	29		steunen	28 *
de	smart	29		stevig	28
de	snelheid	21	de	stewardess	28
het	snot	29	de	stichting	17 *
	sober	30		stiekem	29
	socialistisch	24		stijf	26
de	soep	19 *		stijgen	23 *
de	soldaat	27 *	het	stijgijzer	27
	somber	24 *	de	stijl	24 *
het	souvenir	19		stil	20 *
de	spanning	26 *	de	stilte	17 *
	speciaal	19 *		stimuleren	17
de	specialist	26		stinken	18
de	specialiteit	19		stoeien	29
	spectaculair	17	de	stoep	21
	spekglad	22	de	stof (medicijn)	27 *
het	spel	16 *	de	stof (lesstof)	28 *
de	spiegel	21 *		stofzuigen	18
de	spiegeling	17	de	straf	23 *
	spijbelen	21	de	streek	17 *

W

Z

Illustratieverantwoording

foto's
ANP, Rijswijk
Hollandse Hoogte, Amsterdam
Fotostudio Lighthouse, Breda

Amira Armenta, Amsterdam 198
B en U international Pictures, Diemen 149
Ben van Berkel, Amersfoort 38
Marrie Bot, Rotterdam 174
Museum Catharijneconvent, Utrecht 350
Studio Adri Cornelisse, Yerseke 41
Patrick Detes/Grunfeld Theaterproducties, Amsterdam 304
Sjors Visscher/Impresariaat Eric Alferink, Noordijk 316

tekenwerk
Frans Hessels, Almere
Eric van Rootselaar, Retranchement
Mirjam Vissers, Bussum

Willem Brauckmann/Ziekenhuis St. Jansdal, Harderwijk 228
Hein de Kort/Big Balloon, Amsterdam 283
Stichting Vrienden van Loesje, Arnhem 53, 292
Reid, Geleijnse & Van Tol/de Harmonie, Amsterdam 321
Peter de Wit/de Harmonie, Amsterdam 318